Eugène Ionesco

RHINOCÉROS

EDITED BY

REUBEN Y. ELLISON
University of Miami

STOWELL C. GODING
University of Massachusetts

HOLT, RINEHART AND WINSTON, NEW YORK

LIBRARY OF CONGRESS CATALOG CARD NUMBER: 61-9912

PHOTOGRAPHS: STUDIO PIC, PARIS
ON THE COVER: RHINOCEROS BY ALBRECHT DÜRER, 1515

34259-0111
PRINTED IN THE UNITED STATES OF AMERICA

AVANT-PROPOS

The purpose of this text is to introduce students to the new and exciting theater of the distinguished avant-gardist, Eugène Ionesco. *Rhinocéros*,[1] the first of his plays to be edited for student use, is provocative and contemporary, developing a theme of continuing validity and interest: conformity *versus* individuality, the contagion of all kinds of collectivism *versus* personal integrity. The piece is a striking synthesis of the varied facets of the playwright's originality.

By means of an extensive *questionnaire*, plentiful footnotes, and a complete French-English end vocabulary, the editors have attempted to bring this absorbing modern fable, a skillful blend of the tragic and the comic, within the reach of students as early as the second or third year of high school and the third semester of college. With notes and *questionnaire* entirely in French for those who wish to emphasize the oral approach to language study and learning, *Rhinocéros* is particularly suited for use in intermediate conversational classes; but it may also be employed effectively in general as well as contemporary literature courses on a more advanced level. As a standard in composing the French of the footnotes and *questionnaire*, the editors used, wherever feasible, J. B. Tharp's *Basic French Vocabulary* (N. Y., Holt, 1939).

---

[1] The original French edition published by Librairie Gallimard bears the title *Le Rhinocéros*. The proofreader of the Gallimard edition, while Ionesco was absent from Paris, concluded erroneously that the definite article should be included. Ionesco says that the correct title is simply *Rhinocéros*.

Professional and amateur groups wishing to produce in French plays written by Ionesco should apply directly to him for permission (14, rue de Rivoli, Paris IVe).[1] Students desiring to present his plays in English translation should write to Samuel French, Inc. (25 West 45th Street, New York 36, N. Y.).

For special permission to quote material, the editors wish to thank the Paris newspaper, *Le Monde;* the *Christian Science Monitor;* and René Julliard, *éditeur*, who authorized quotations from *Muriel chez ...* (1960), the *Cahiers de la Compagnie Madeleine Renaud- Jean-Louis Barrault* (No. 29, February 1960), and the *Cahiers des Saisons* (No. 15, Winter 1959).

Thanks are also due to MM. Léonard and Ruhud of the Théâtre de France, for general information; to M. Claude Mathis, *régisseur de scène* at the Odéon, for technical information; to M. Jean-Louis Barrault, unspoiled, warm, and *sympathique* Director of the Théâtre de France, for granting a personal interview; to Mme Monique Lange of the Librairie Gallimard, for continuing assistance from the time permission was first given to edit the play; to M. Pic of Studio Pic, for the right to reproduce photographs of the original French creation of *Rhinocéros;* to Disques Véga, for the right to use recordings of scenes from the play as interpreted by the Barrault Company; and to Dr. Léonard Muller of the University of Miami and Max Marcel Delhomme, *Professeur d'anglais au Lycée d'Arcachon* (Gironde), for expert stylistic advice.

The editors are indebted particularly to M. Delhomme, who was constantly helpful and made many valuable suggestions.

And, finally, the editors owe the greatest debt of gratitude to M. Ionesco himself who, through correspondence and in personal interviews, furnished invaluable information which he alone

---

[1] A copy of the letter to M. Ionesco should be sent to M. André Rotschild, Office Artistique International, 52, avenue des Champs-Élysées, Paris VIIIe. Professional and amateur actors are cautioned that *Rhinocéros* is not yet available for production and that, when it is, it is subject to a royalty.

could give. His Preface, which he graciously wrote expressly for the text, orients the student to a point of departure which insures a fuller understanding of this myth of today. M. Ionesco's tape recording of his Preface (and his additional remarks on the history of the creation and performance of the play in several countries) brings to the student and teacher alike the author's living presence.

R. Y. E.
S. C. G.

April 4, 1961

PRÉFACE DE L'AUTEUR

En 1938, Denis de Rougemont, écrivain et philosophe, était en Allemagne, à Nuremberg, au moment d'une manifestation nazie. Il nous raconte qu'il se trouvait au milieu d'une foule immense qui attendait l'arrivée de Hitler. Les gens commençaient à s'impatienter lorsqu'on vit apparaître, tout au bout d'une avenue et tout petit dans le lointain, le *Führer*, petit bonhomme, et sa suite. De loin, Denis de Rougemont vit la foule comme peu à peu prise d'une sorte d'hystérie acclamant frénétiquement le sinistre personnage. L'hystérie se répandait et s'approchait de lui à mesure que Hitler avançait. Il ne comprenait pas ce délire. Mais lorsque le *Führer* arriva tout près de lui et que les assistants, tout autour, furent pris par l'hystérie, Denis de Rougemont sentit qu'il était envahi, lui-même, par cette passion, par ce délire qui l'« électrisait. » Il était prêt à succomber à cette étrange magie lorsque quelque chose monta des profondeurs de son être et s'opposa, résista à l'orage collectif. Denis de Rougemont nous dit qu'il se sentait mal à l'aise parce qu'il était seul dans la foule, seul à résister et pourtant résistant, et prêt à succomber aussi. Puis, sentant ses cheveux se hérisser sur sa tête, il avait compris ce que voulait dire l'Horreur Sacrée. A ce moment-là ce n'était pas sa pensée qui résistait, ce n'était pas des arguments qui lui venaient à l'esprit mais c'était tout son être, tout ce qu'il était lui-même qui se rebiffait.

Là est peut-être le point de départ de *Rhinocéros*. Il est impossible, lorsqu'on est assailli par des arguments, des doctrines, des slogans « intellectuels, » des propagandes de toutes sortes, il est impossible de donner une réponse ou une explication idéologique immédiate d'un refus. La pensée discursive viendra, sans doute, plus tard, pour appuyer le refus, cette résistance naturelle, intérieure, cette réponse d'une âme. Bérenger ne sait donc pas très bien, sur le moment, pourquoi il résiste à la «rhinocérite» et c'est la preuve que cette résistance est authentique et profonde. Bérenger est peut-être celui qui, comme Denis de Rougemont, est allergique aux mouvements des foules et aux marches, militaires et autres.

Rhinocéros est sans doute une pièce anti-nazie mais elle est aussi, surtout, une pièce contre les hystéries collectives et les épidémies qui se cachent sous le couvert de la raison et des idées mais qui n'en sont pas moins de graves maladies collectives dont les idéologies ne sont que les alibis: si l'on s'aperçoit que l'Histoire déraisonne, que les mensonges des propagandes sont là pour masquer les contradictions qui existent entre les faits et les idéologies qui les appuient, si l'on jette sur l'actualité un regard lucide, cela suffit pour nous empêcher de succomber aux «raisons» irrationnelles, aux raisons déraisonnables, et pour échapper à tous les vertiges.

Des partisans endoctrinés, de plusieurs bords, ont évidemment reproché à l'auteur d'avoir pris un parti anti-intellectualiste et d'avoir choisi comme héros principal un être plutôt simple. Mais j'ai considéré que je n'avais pas à présenter un système idéologique passionnel pour l'opposer à d'autres systèmes idéologiques passionnels soi-disant scientifiques. J'ai pensé avoir tout simplement à montrer l'inanité de ces bizarres systèmes, ce à quoi ils mènent, comment ils enflamment les gens, les abrutissent, puis les réduisent en esclavage. On s'apercevra certainement que les répliques de Botard, de Jean, de Dudard ne sont que les formules clefs, les slogans des dogmes divers cachant, sous le masque de la froideur objective, les impulsions les plus irrationnelles et véhémentes.

Rhinocéros, la pièce *Rhinocéros*, est aussi une tentative de «démystification » ... prévue pour tous ceux qui pensent être des « intellectuels » parce qu'ils ont lu quelques romans ou quelques articles de journaux.[1]

[1] Au sujet de la production américaine, Ionesco, tout en rendant hommage au talent des comédiens, considère que le jeu imposé par la mise en scène était un peu trop exclusivement comique. En réalité, cette pièce est une farce tragi-comique, l'interprétation devant trouver un équilibre entre le style de la comédie burlesque et celui du drame. Au troisième acte, et particulièrement dans les dernières scènes, l'élément tragique devrait prendre le dessus.

TABLE DES MATIÈRES

INTRODUCTION

In the minuscule Théâtre de la Huchette, on the Left Bank just across the Seine from the Sainte-Chapelle and Notre-Dame Cathedral, capacity audiences have been gathering six evenings a week, week after week, month after month, for four years, to see two one-act plays: *La Cantatrice chauve* and *La Leçon* by the avant-garde playwright Eugène Ionesco. The actors wear shabby costumes suggesting a bygone era, they recite lines that are grotesquely nonsensical, and strut about in original settings of incredibly but deliberately bad taste designed a decade ago. The "bald soprano" never makes her appearance nor is she even mentioned in the first play and, in the second, a professor in final desperation murders his pupil who has lost her taste for learning. Like a merry-go-round in a nightmare, both plays start all over again as the curtain falls. And yet in the brief space of ten years the author of these and similar plays has made himself well-known with avant-garde audiences everywhere and is even beginning to be accepted widely by conventional audiences. From a little noticed evening in early May of 1950, when a mere handful of flabbergasted, turbulent spectators and one or two highly incensed critics happened to see the world première of *La Cantatrice chauve,* to a well-advertised evening in late January of 1960, when "Tout-Paris" turned out to give the accolade to Ionesco and his latest play *Rhinocéros,* one of the most interesting success stories in the contemporary theater had taken place. The climax of this story, the apotheosis of the strange theater of Ionesco, will shortly occur when *La Leçon* is added to the repertory of the venerable Comédie-Française,[1] the home of all that is classical and consecrated in the French theater.

During these ten years, the plays of Ionesco have been translated into some 30 foreign languages, including Icelandic and two Arabic dialects. *Rhinocéros* has already been produced in seven countries, enjoying particular success in England and Germany, and plans are now in progress for production in ten more countries. Students are among the most enthusiastic admirers of Ionesco and perform[2] his plays throughout the world.

As one enters the almost nonexistent "lobby" of the Théâtre de la Huchette, opposite the hole in the wall which serves as the box office, on a sort of bulletin board among yellowed clippings proudly displayed of earlier and rarer successes, one sees the following, expressed in a typical Ionescan pirouette of words: "Un grand succès dans un petit théâtre vaut mieux qu'un petit succès dans un grand théâtre, — et encore mieux qu'un petit succès dans un petit théâtre." Ionesco wrote this optimistic outburst in the wake of his first success. Now that *Rhinocéros* is a part of the repertory of the Odéon-Théâtre de France under the direction of Jean-Louis Barrault and has entered its second season there, Ionesco can at last claim "un grand succès dans un grand théâtre," a distinction he only dreamed of ten years earlier.

Ionesco's first writing efforts were directed toward poetry at the age of eleven. He recalls that when he was thirteen he wrote his first play, *Pro Patria,* which has since been lost. It was not until 23 years later, when he was 36 years old, that he again attempted playwriting. This time it was *La Cantatrice chauve,* which not only survived but created theatrical history. The story

[1] *La Leçon* has already been performed by actors of the Comédie-Française over the radio.
[2] See *Avant-Propos* for obtaining permission to produce Ionesco's plays.
[3] Eugène Ionesco, "La Tragédie du langage," *Spectacles*, No. 2, juillet 1958, pp. 3-5.
[4] *Ibid.*

of its origin has been told and retold by Ionesco himself; Jacques Lemarchand, drama critic of *Le Figaro littéraire*; Nicolas Bataille, the avant-garde *metteur en scène* who first produced *La Cantatrice chauve*; and others.

In 1948, having no idea of writing a play and desiring only to learn conversational English, Ionesco enrolled in a rapid language course known as "la méthode Assimil." He quickly made two discoveries: first, that he was not going to master English and, second, which was capital for his theater-soon-to-be, that everyday speech, filled with clichés and commonplaces, when exaggerated, "disarticulated," denuded of its sense by verbal prestidigitation, was the fodder for a new kind of "anti-theater" of the absurd, wherein the humor is dark and the satire of modern man is dramatically fissionable. Actually disliking the conventional theater, Ionesco was inspired to write an "anti-pièce" which would be a parody of the *pièce bien faite* of the *théâtre du boulevard,* a play which would help to destroy the old theater by building a new one in its place.

Borrowing the first lines from his language manual, the fledgling playwright soon found that the words almost of themselves began to "se corrompre, se dénaturer, se dérégler, se détériorer. Les vérités sont devenues folles, le langage s'était désarticulé, les personnages s'étaient décomposés; la parole, absurde, s'était vidée de son contenu."[3] He had discovered the "insolite dans le quotidien," which has been a hallmark of his theater ever since. While writing the play he was seized with veritable "malaise, vertigo, nausea,"[4] but at the end was proud of the results, thinking he had created a sort of "tragédie du langage."

When the play was produced, the author was almost astonished to hear the spectators laugh. The critics took the play as a censure of bourgeois society. Ionesco himself did not consider it a satire of any particular *petite-bourgeoisie* but of a sort of *petite-bourgoisie universelle*. The Smiths and the Martins of *La Cantatrice chauve,* according to Ionesco, being no longer able to think, to feel, to be, can become anybody. They are nothing but others: indistinguishable—and interchangeable—people in an impersonal world.

Before sending the play to Nicolas Bataille in late 1949, Ionesco preceded himself ten years by submitting it to no less than Jean-Louis Barrault and the Comédie-Française! The first title chosen for the play, Ionesco relates,[1] was *L'Anglais sans peine*. But late one evening, during one of the final rehearsals, the actor playing the Pompier, sleepy and tired, made a slip of the tongue, saying "cantatrice chauve" instead of "institutrice blonde." At that moment Ionesco rose from his seat and shouted, "That's the title!" and so it became. Jacques Lemarchand, one of the earliest critics to appreciate Ionesco and who has perhaps come to understand him best, returned to see *La Cantatrice chauve* after nine years and found the farce funnier than ever. Nicolas Bataille, reminiscing in *Les Cahiers des Saisons,*[2] recalls that, having no money to advertise Ionesco's first play, he and his actors shortly before each performance would become "hommes-sandwichs" and would walk up and down the boulevard with the hopes of increasing their slender audiences.

La Leçon, with the subtitle of "drame comique," was first produced on February 20, 1951, at the Théâtre de Poche, less than a year after Ionesco's first bout with a reluctant public. The play is built on the simple dramatic principle of the descending line *versus* the ascending line: as the pupil's enthusiasm for learning degenerates into dullness and moroseness aided by a toothache, the

[1] "Naissance de *La Cantatrice chauve,*" *Cahiers des Saisons,* No. 15, hiver 1959, pp. 282-4.

[2] "La Bataille de *La Cantatrice,*" pp. 245-8.

[3] "Les Débuts de Ionesco," *Cahiers des Saisons*, pp. 215-8.

[4] *Ibid.*

[5] These portmanteau words recall the recent vogue in France of "'Pataphysique" (Pataphysics), a pseudoscientific jargon popular in certain circles as a mock intellectual game. Possible derivations: *dégoûtanté - dégoûtant, dégoûté*; *mononstre - monstre; mono, mon*; *octogénique - octogénaire, (photo)génique*; etc. Ionesco is a member of the "Collège de Pataphysique," having the exalted rank of T. S. ("Transcendent Satrap")!

professor's timidity and simplicity snowball into aggressive pedantry, climaxed by the sadistic murder of his fortieth victim! The language of the professor loses its sense in proportion as his pupil responds less and less well. Following his development of the "anti-pièce" in an "anti-théâtre," Ionesco's good logical beginnings collapse into nonsense and *non sequitur*; illustrations are given which do not illustrate; properties are spoken of and used in pantomime along with real objects; the ending paraphrases the beginning in the manner of *La Cantatrice chauve*. Hollow learning is satirized unmercifully. The slender fable binding the play together becomes a myth defining all dictatorial authority.

Concerning the popularity of *La Leçon*, now considered a classic of the contemporary French theater, Jacques Lemarchand writes: "Je n'en sais pas le nombre de représentations, mais la presse m'apprend fréquemment que les Anglais s'en délectent, les Allemands s'en égaient, les Turcs s'en nourrissent et les Nippons en sourient."[3] Lemarchand, along with other critics, finds these first two plays to be the key to the entire theater of Ionesco. The writer's originality, according to Lemarchand, is threefold: it consists of a special brand of tenderness with a knife thrust, an almost loving exploration of the secrets of the inadequacy of language, and the feeling that what is often considered silliness or stupidity is as pathetic as comic.[4]

Jacques ou la Soumission is perhaps the most fantastic and bizarre of all Ionesco's plays. It was first produced by Robert Postec in October 1955, at the Théâtre de la Huchette. Called a "comédie naturaliste," this parody of the emptiness of language is as close to the risqué as Ionesco has come. Bristling with coined words (such as, *dégoûtanté, mononstre, octogénique, aristocrave, centagenaire, chapatouiller, rilala*)[5] which recall Rabelais' cascades of verbal invention, the play's very cast of characters underscores the idea of impersonality, interchangeability: Jacques, Jacqueline his sister, Jacques Father, Jacques Mother, Jacques Grandfather,

Jacques Grandmother, Roberte I, Roberte II, Robert Father, Robert Mother. Further, Roberte I and Roberte II are to be played by the same actress and all characters may wear masks except Jacques, who proves to have green hair when he takes off his hat near the end of the play, just before the love scene.

Under family pressure Jacques is forced to state that he likes potatoes with bacon! Having made this admission, he is now considered ready for marriage. His fiancée, dragged in by her parents, is thought insufficiently ugly by Jacques because she has only two noses. Roberte II with three noses quickly makes her appearance and Jacques finally begins to respond when she tells him a long, rambling, hallucinating tale of a horse galloping in flames across a desert. Members of both families, who have been peeping at the lovers, return, surround them, perform a grotesque dance, and make strange noises like animals. The stage directions at this point indicate, almost unnecessarily, that "tout cela doit provoquer chez les spectateurs un sentiment pénible, un malaise, une honte."[1] The play ends with the lights dimming so that one sees only Roberte II's pale face with its three noses and the nine fingers of her left hand writhing like snakes.

Les Chaises opened on April 22, 1952, at the Théâtre Lancry under the direction of Sylvain Dhomme. Called a "farce tragique," it at first had such little success that Dhomme called on well-known writers like Jules Supervielle and Arthur Adamov to defend the play against savage attacks by critics. Despite their defense, the public stayed away. Many have reported that on the last evening Jacques Audiberti[2] in an almost deserted hall rose to shout an encouraging "Bravo."

This time Ionesco relieves his continued grotesquery by a mute underlying tenderness and pity. Sadness and pathos almost overshadow the bizarre humor. The setting of the play represents

---

[1] Ionesco, *Théâtre,* I, Paris, Gallimard, 1954, pp. 122-3.
[2] Poet, novelist, and experimental playwright.
[3] "La Tragédie du langage," *Spectacles,* juillet 1958, p. 5.

a large bare room on a lonely island at night. There are three characters: an old woman of 94, her husband of 95, and an Orator of 45 or 50. The aged wife keeps telling her husband that he always deserved success, which never came, and he pretends to continue believing that he has an important message for the whole world, though unable to deliver it himself. Many guests, including the Emperor, are invited to hear the speech which will be delivered by the Orator. As the guests arrive, all invisible, the old woman scurries in and out the many doors with ever increasing tempo to fetch additional chairs, which are real, until there is room for no more. Then the old man and his wife commit a double suicide by plunging to their death in the water below. The Orator opens his mouth to deliver the important "message" but only noises and grunts come forth, for he is a deaf-mute. Here the theme of absence and failure stands out. The anguish and madness of the aged couple, Ionesco explains, "se projettent dans les objets, les chaises, celles-ci devenant un langage, un moyen d'expression."[3] From here on Ionesco will use objects—things—more and more to symbolize materialism encroaching on human values.

A revival of *Les Chaises* with Jacques Mauclair took place in 1956 at the Studio des Champs-Élysées but again did not seem to meet with the success it deserved. On April 23 an article on the front page of *Le Figaro* by Jean Anouilh, a long since well-established playwright, turned the tide. He wrote, in part: "Je crois bien que c'est mieux que Strindberg, parce que c'est noir 'à la Molière' d'une façon parfois follement drôle, que c'est affreux et cocasse, poignant et toujours vrai et...vers la fin, que c'est classique." For the first time the public began to flock to see Ionesco and, since the appearance of Anouilh's article, *Les Chaises* has been his most often performed work in France and abroad.

One of the profoundest, most complex of Ionesco's plays, the "pseudo-drame", *Victimes du Devoir,* opened at the Théâtre du Quartier Latin in February 1953 under the direction of Jacques

Mauclair. It was adapted from an original short story by Ionesco, "Une Victime du Devoir." Almost equally as strange as *Jacques ou la Soumission, Victimes du Devoir* is a sharp satire on the pretentions of psychoanalysis, wherein the author obviously has fun parodying its various aspects. A Detective in search of one Mallot "spelled with a *t*" calls on Choubert and his wife Madeleine to seek their assistance. At first timid and polite, the Detective becomes tougher and tougher, more and more brutal, until he is murdered by Nicolas d'Eu, a stranger who has appeared from nowhere and who announces that he will continue the search for Mallot. Nicolas, in his turn, treats Choubert and Madeleine more and more brutally as the play approaches its end, when the remaining characters all claim to be "victims of duty." The psychoanalyst and his couch are satirized in particular when Choubert, induced into a sort of trance by the Detective, "goes in search" of Mallot by descending imaginary stairs and, later, by climbing a mountain, which is actually a chair placed on top of a table. Moreover, in frantic goings and comings to serve cup after cup of coffee to the Detective and a woman who is a stranger to the action of the pseudodrama, Madeleine clutters the stage with stacks and stacks of chinaware. A surrealistic, nightmarish quality pervades the whole piece as characters fade into and out of other personalities with Freudian overtones, and a play within a play transpires. Mallot never makes his appearance and is thus like Samuel Beckett's Godot.[1]

Continuing to average one production a year, Ionesco's next offering was a comedy in three acts, *Amédée ou Comment s'en débarrasser,* his first full-length play, which opened on April 14, 1954 at the Théâtre de Babylone under the direction of Jean-Marie Serreau. It was dramatized from an original short story by Ionesco which he called "Oriflamme."[2] With a larger canvas on which to splash

[1] *En attendant Godot,* 1952.
[2] *La Nouvelle Revue française,* février 1954.
[3] Paris, Grasset, 1960, p. 289.

his usual bold black strokes and bizarre pigments, Ionesco adds broader and deeper tones, transforming his theater by making it more frankly symbolic. Robert Abirached, in an essay on Ionesco in *Écrivains d'aujourd'hui,* states the change in this way: "Les premiers éléments et les premiers procédés demeurent, mais disciplinés, à une place plus restreinte dans des œuvres plus longues; au lieu de scènes jaillies d'une image ou d'une phrase, on nous propose des histoires continues, enracinées dans le passé et ouvertes sur un avenir, avec des personnages nettement dessinés qui ne sont plus des marionnettes bavardes. Une symbolique, nouvelle chez Ionesco, offre ici ses figures..."[3]

Amédée, a piddling procrastinator and would-be playwright, fifteen years before had murdered a stranger because he thought the man to be his wife's lover. The body was left in the adjoining room and Amédée promised his wife repeatedly to get rid of it.

Suddenly the door of the secret room bursts open and two enormous feet begin to advance slowly. Through the open door there radiates a green light emanating from the dead man's eyes, which Amédée had forgotten to close. The hands of the clock move in cadence with the growing corpse, which soon invades the whole room. A quantity of enormous poisonous mushrooms grow dankly in this gruesome atmosphere. Creaking, popping noises accompany the growth of the corpse. A dream sequence interrupts the action, wherein Amédée and his wife again become a young couple recently married. With almost superhuman energy the aging couple, themselves once again, succeed in expelling the body through a window to the street below. It is fittingly midnight and the sky lights up with "bouquets" of stars, numerous shooting stars and comets, and fireworks as Amédée struggles to drag the corpse to the Seine. When policemen attempt to apprehend him, Amédée escapes in a sort of "apotheosis": the body of the corpse uncoils and rises like a veil, lifting Amédée out of reach of the policemen. The top of this object is surmounted by the likeness of the dead man's head.

Continuing with his seemingly inexhaustible and always unexpected invention, Ionesco indulges in eerie, macabre humor to exploit his fable and renews many of his former comic devices with an ever-present "wacky" flavor. What does the corpse represent? Perhaps revenge or guilt—or possibly the long since dead love of the couple emprisoned in a fruitless marriage, a recurring theme in Ionesco. Again it is the intrusion of the material world in a shrinking human world.

L'Impromptu de l'Alma ou Le Caméléon du berger had its première on February 20, 1956 at the Studio des Champs-Élysées under the direction of Maurice Jacquemont. Ionesco was inspired to write this play by Giraudoux's *Impromptu de Paris* and Molière's *Impromptu de Versailles*. He also made use of Molière's burlesque ceremonies and, in particular, the famous scene wherein M. Jourdain is "educated" in *Le Bourgeois gentilhomme*. The characters are three dramatic critics—Bartholoméus I, II, and III—Ionesco himself, and Marie, a maid who brings the learned men back to earth. In this play Ionesco pokes fun at the thought that everything in his theater must have meaning, significance. Demanding complete objectivity, he declares that a work of art itself should be the sole basis for its criticism. He discusses at length what theater is and gives an outline of his dramatic credo, which he expresses in these words: "Le théâtre est, pour moi, la projection sur scène du monde de dedans: c'est dans mes rêves, dans mes angoisses, dans mes désirs obscurs, dans mes contradictions intérieures que, pour ma part, je me réserve le droit de prendre cette matière théâtrale."[1]

Le Nouveau Locataire, a one-act play, had its première in Finland in 1955 with Vivica Baudler as director. The French opening took place on September 10, 1957 at the Théâtre d'Aujourd'hui under the direction of Robert Postec. With the tyranny of things as its

---

[1] Ionesco, *Théâtre,* II, Paris, Gallimard, 1958, p. 57.
[2] *Théâtre,* II, p. 203.
[3] *La N. R. F.*, novembre 1955.

theme, the play opens as an anonymous middle-aged man arrives to inspect an empty room in an apartment house. He takes measurements and soon two movers begin to bring in small objects. But the movers appear to handle them with great difficulty. As they bring in heavier and heavier pieces of furniture, less and less effort is required, until a massive wardrobe and buffet glide in alone! When this climax has been reached, the furniture becomes smaller again and greater effort once more is required to move the objects. The numerous goings and comings are done as a sort of ballet with varying rhythms. Gradually the new tenant is hemmed in by semi-circles of furniture; two large paintings with monstrous faces of old men—his "ancestors"—hang from the wall, and the light from the windows is completely blocked out. Finally, seated in an armchair with screens and furniture on three sides and a board overhead which has descended from the ceiling, the "nouveau locataire" is asked if he wishes anything further. His reply: "Éteignez. (*Obscurité complète sur le plateau.*) Merci."[2]

Tueur sans gages was Ionesco's second play in three acts and the third to be adapted from one of his short stories, this time from one entitled "La Photo du Colonel."[3] The play opened on February 27, 1959 at the Théâtre Récamier with José Quaglio as director.

Painting on a still wider canvas than that used for *Amédée,* with a larger cast of characters and many offstage voices, Ionesco gives choices to the *metteur en scène,* offering alternate lines and even scenes, not considering his text sacrosanct. The "hero" is Bérenger, a lonely, melancholy little man who is nevertheless appealing and *sympathique.* He is the prototype of the Bérenger who will appear in *Rhinocéros.* The play is stamped with a detective story atmosphere as Bérenger searches for and is finally confronted by a killer who mars the beauty and happiness of the "Radiant City," where Bérenger had hoped to settle and forget his lackluster past. Before his discovery of the Radiant City,

Bérenger's one mainstay in the humdrum world had been the memory of a single luminous moment in his youth.

The second act and a part of the third lose their intensity by the insertion of anecdotes, a parody of a political speech, and a parade of marionette-like figures, including an old man in search of the Danube!

But as Bérenger, filled with foreboding and fear, finds himself face to face with the inscrutable, snickering assassin, the play becomes again charged with the sinister fatalism suggested near the beginning. In a twelve-and-one-half-page soliloquy, which would be a tour de force for any actor and which Alfred Kern[1] considers one of the finest monologues in the modern theater, a serious and impressive attempt is made to analyze why people kill. As Bérenger becomes more and more desperate, the killer appears more and more inexorable. Finally, the latter takes out a large shining knife and stands waiting, still snickering. Having exhausted himself by his impassioned flow of words, Bérenger in despair lowers his head and waits for the inevitable knife thrust.

Perhaps this assassin is symbolic of all sadistic killing in the world: there is no real explanation; thus the victim is helpless in every respect. Ionesco himself says that the theme of the play is "We are all killers"—by our indifference, our apathy, our selfishness, our own insufficiency.

In addition to the more significant plays already summarized, the theater of Ionesco contains the following very short pieces, all also displaying the humor and invention peculiar to this

---

[1] "Ionesco et la pantomime," *Cahiers Renaud-Barrault,* No. 29, février 1960, p. 26.

[2] September 1957. Ionesco's explanation of why he dedicated *Rhinocéros* to Geneviève Serreau and Dr. T. Fraenkel: "Geneviève Serreau, romancière, auteur dramatique, secrétaire de rédaction des *Lettres nouvelles,* m'avait demandé à plusieurs reprises d'écrire une nouvelle et m'a fortement encouragé à le faire. La nouvelle s'appelait 'Rhinocéros', que suit très fidèlement la pièce. Le Docteur Fraenkel, ami d'André Breton, de Philippe Souppault et d'autres surréalistes, est le médecin qui m'a soigné, souffrant à cette époque, et qui m'a mis en état de composer la nouvelle 'Rhinocéros.' "

author: *L'Avenir est dans les œufs ou Il faut de tout pour faire un monde* (1951), *Le Maître* (1951), *Le Salon de l'automobile* (radio-broadcast in 1952), *La Jeune Fille à marier* (1953), and *Scène à quatre* (presented at the International Festival at Spoleto, Italy, in June 1959).

Rhinocéros, the latest play written by Ionesco, is probably his most provocative and certainly the one with the greatest universal significance. Directed against contamination and totalitarianisms —and all kinds of blind conformity—the piece has been described variously as a "farce idéologique," a "tragi-comédie," a "tragédie comique," and a "pièce à thèse." The truth is that *Rhinocéros* encompasses what is implied by all of these terms.

Out of more than 120 plays produced in Paris between autumn 1959 and July 1960, *Rhinocéros* was one of the most popular successes, filling the Odéon at every performance though failing to win full critical approval. A case of "nul n'est prophète en son pays," it remained for Germany and England to receive the play with greater acclaim.

But *Rhinocéros* was first a short story before being transformed into a drama.

Denis de Rougemont's attendance, and subsequent resistance, at a Nazi rally in Nuremberg where thousands of spectators were undergoing a startling transformation under the sinister magic of Hitler's demagoguery, vividly described by Ionesco in the Author's Preface, served as inspiration for "Rhinocéros," a short story written at the request of Geneviève Serreau for *Les Lettres nouvelles*.[2] The story is a simple scenario-like fable told in the first person but suggests perhaps that Ionesco already had dramatization in mind at the time. It possesses the unreal, dreamy quality of a contemporary fireside tale tending to stir up nightmares on subconscious retrospect. The play *Rhinocéros* is a remarkable development of the simple tale, becoming a tragi-comedy unfolding in hallucinating crescendo, and with vivid characterizations and typical French conversation, *à la* Ionesco, of the late 1950's. The *nouvelle* has a very mild, unexciting ending, passive and almost negative, compared with the ringing resolution expressed by Bérenger at the end of the play: "Contre tout le monde, je me défendrai," etc. Strangely enough, it is the ending of the short story which Ionesco personally prefers.

Ionesco started writing the piece in October of 1958 and completed it six weeks later, composing the second and third acts before the first. With no particular method of writing, Ionesco changed to dictating his plays entirely with *Rhinocéros*, a procedure which he finds much easier. The character of Bérenger[1] is a composite of certain traits of Ionesco himself, some of the meekness and transcendent purity encountered in *The Idiot* of Dostoevski, and touches of the whimsey and pathos in the *petit homme* of the earlier Chaplin.

But why the rhinoceros as a symbol for the various kinds of fanaticism which Ionesco wished to attack? In an interview with Jean-Paul Weber for *Le Figaro littéraire* the author gave his explanation: "J'ai fait, il y a longtemps déjà, l'expérience du fanatisme...C'était terrible...J'ai remarqué que le fanatisme défigure les gens...les déshumanise. J'avais l'impression physique que j'avais affaire à des êtres qui n'étaient plus des humains, qu'il n'était plus possible de s'entendre avec eux...J'ai eu l'idée de peindre sous les traits d'un animal ces hommes chus dans l'animalité, ces bonnes fois abusées, ces mauvaises fois qui abusent."[2]

The interview also revealed an interesting habit which Ionesco has acquired: his constant use of a well-known French dictionary which, always at hand in his study, he consults on every occasion

---

[1] Ionesco's explanation of why he chose this name: "Parce que c'est un nom comme un autre, un nom courant; avec un 'e' pour le distinguer du poète populaire du siècle dernier: Béranger" (1780-1857).

[2] January 23, 1960, p. 9.

[3] *Ibid.*

[4] April 2, 1960, p. 12.

[5] From a report of November 6, 1959.

and which, on this particular one, paid a special dividend. Desiring to invent a fable or modern myth with an animal as a symbol for different kinds of fanaticism, Ionesco seized his well-worn dictionary and searched among the likenesses of various animals. "Le taureau? Non: trop noble. L'hippopotame? Non: trop mou. Le buffle? Non: les buffles sont américains, pas d'allusions politiques... Le rhinocéros! Enfin, je voyais mon rêve se matérialiser, se concrétiser, devenir réalité, masse. Le rhinocéros! Mon rêve."[3]

It is significant that the world première of *Rhinocéros* was given in Germany and that the play enjoyed its greatest success in that country, performed by the actors of the Schauspielhaus in Düsseldorf. If one thinks of Denis de Rougemont's experience in Nuremberg during a Nazi meeting, it is true, as Ionesco points out in his preface, that he had the relentless rise of Nazism in mind as he wrote the play, along with other "hystéries collectives" and "épidémies qui se cachent sous le couvert de la raison." The German people, recently undergoing the Nazi experiment, could best understand what happens when a whole nation suffers with "rhinoceritis." Bertrand Poirot-Delpech underscores this thought in *Le Monde* by saying that "la dernière œuvre d'Eugène Ionesco était faite pour être jouée en allemand, en Allemagne, et dans le ton (d'un drame) où l'a montée le Schauspielhaus."[4]

The Paris journalist, Alain Clément, wrote from Düsseldorf after the triumphant opening of *Rhinocéros* that the proverb "Hurler avec les loups" would probably be replaced by "Barrir avec les rhinocéros." He reported that the progress of the drama was interrupted many times by thunderous applause and that for half an hour after the performance the author, actors, director, and assistants were repeatedly called on stage in an impressive ovation.[5]

The Jean-Louis Barrault production in Paris was criticized by some for emphasizing the picturesque elements of the play and dwelling on its farce, while it was praised generally for the transformation scene of Act II and Barrault's sympathetic interpretation of the Bérenger rôle.

On Friday evening, April 1, 1960, two performances of *Rhinocéros* took place simultaneously in Paris: the regularly scheduled one at the Théâtre de France and the other, in German, given by the Schauspielhaus at the Théâtre des Nations.

Later in the spring *Rhinocéros* crossed the Channel and the success of the London version with Orson Welles as director and Sir Laurence Olivier as Bérenger once more proved that, unlike Racine, Ionesco can cross frontiers with impunity.

J. W. Lambert, writing of the London play in the *Christian Science Monitor*, analyzed it in these words: "One fine Sunday morning everybody starts turning into rhinoceroses. This fanciful notion embodies of course a simple symbol. The rhinoceroses are natural, unreasoning brutes. In the thunder of their pads as they lurch round the town, in their grunts and roars, we hear easily enough the echoes of human folly—of fascism or Nazism or anti-Semitism or color prejudice or any other madness. Worse, we watch with the astonished Bérenger all those sensible people voluntarily abandoning their senses, hastening to thicken their skins and brutalize their minds. And we hear the anthology of glib double-talk with which Ionesco makes his people justify their voluntary metamorphosis—some eager to be in on the ground floor of a good thing, some, nature's yes-men, prompt to follow the tide, some hypnotized by the majority swing. Then for a moment his will to resist gives way. Perhaps he, the last man left, is the monster, not those happy pachyderms? Shall he turn too?"[1]

Time continued the analysis: "Rhinoceritis, implies Ionesco, is the most communicable disease of the 20th century: under the pressures of mass-think, man loses his individuality and is driven

---

[1] May 14, 1960, Arts page.
[2] May 23, 1960, p. 50.
[3] September 17, 1960, Arts page.
[4] 3 mars, 1960, p. 11.
[5] *Cahiers Renaud-Barrault,* p. 10.

to joining the bestial herd...'We must resist rhinocerization at any cost,' cry the seemingly unafflicted, but already they start, rhino-like, to munch odd bits of paper, ivy leaves, potted plants."[2]

The creators of the world première of *Rhinocéros*, the Schauspielhaus, were invited to participate in the 1960 summer theater festival at Zurich, presenting plays by Claudel, Sartre, and Ionesco. Walter Sorell in the *Christian Science Monitor* wrote of their production of Ionesco: "*Rhinocéros,* the great European success of the past season, is Ionesco's most sincere and serious play so far. This master dramatist of the seemingly inconsequential, the playful and comic that always emerges from a nightmarish background, has risen to tragic grandeur... The Schauspielhaus did full justice to Ionesco's scurrilous, scathing humor with its tragically human overtones."[3]

Rhinocéros marks a further step in the evolution of Ionesco's theater above and beyond *Tueur sans gages*. "Le héros désarmé et consentant," wrote Yves Florence in *Le Monde,* "est devenu le doux insurgé en armes."[4] The author, who claims that he has always aspired toward classicism, has come closer to his goal this time with the limpid clarity of a fable developing swiftly and relentlessly toward its dénouement uncluttered by its straightforward symbolism.

Most critics agree that Ionesco wrote *Rhinocéros* as an affirmation in answer to repeated attacks that his theater was negative, even nihilistic. His previous stand was utterly against any form of literary *engagement*. But now he admits that he has tried a new experiment, that he has deliberately come closer in *Rhinocéros* to "committing" himself than in any of his previous works.

Pierre-Aimé Touchard, critic and former *administrateur* of the Comédie-Française, believes Ionesco wrote his play as a protest against the conviction that each group or political party has discovered the truth for the whole world rather than against groups and political parties themselves, and he is convinced that the fable will hold true for all times.[5]

On the other hand, Bertrand Poirot-Delpech says that Ionesco, having discovered "l'insolite de la banalité," has fallen into the "banalité de l'insolite" and didactic symbolism, which he formerly condemned. Poirot-Delpech feels that Ionesco, by exploiting his new taste for symbols and the use of fables, "rejoint en quelque sorte l'académisme des 'rhinocéros' du théâtre."[1]

For Jacques Lemarchand the gateway to understanding all that Ionesco has ever written for the stage is through an appreciation of loneliness and solitude as expressed in his latest play: "La solitude de l'homme est au centre de tout le théâtre que nous connaissons de lui. Il l'exprime ici avec une loyauté et une évidence soutenues par tant de netteté dans l'expression dramatique que *Rhinocéros* peut devenir l'œuvre qui donnera à qui ne l'a pas encore trouvée la clé de tout son théâtre."[2]

But what about the man behind the writer? What are some essential facts of his life? Eugène Ionesco was born on November 13, 1912 in Roumania, of a French mother and a Roumanian father. Brought to France at the age of one, he attended public schools in Paris and, for a time, in the village of La Chapelle-Anthenaise near Mayenne. While in Paris his mother took him frequently to the Guignol theater in the Luxembourg Gardens but always had to drag him away, because the fascinated child felt as if he wanted to stay there for days. Curiously, during the performances he never laughed. For the future playwright the Guignol "était le spectacle même du monde, qui, insolite, invraisemblable, mais plus vrai que le vrai, se présentait...sous une forme infiniment simplifiée et caricaturale, comme pour en souligner la grotesque et brutale vérité."[3]

Eugène unwillingly returned to Roumania when he was fourteen and found it difficult to adapt himself to the life there. He attended

[1] *Le Monde,* 23 janvier 1960, p. 15.
[2] *Le Figaro littéraire,* 30 janvier 1960, p. 16.
[3] "Expérience du Théâtre," *La N. R. F.,* No. 62, février 1958, p. 253.

a *lycée* in Bucharest and later entered the University, where he obtained his *licence ès lettres*. He became a professor of French literature, a critic, and a poet, gaining a certain local reputation. Under the influence of Francis Jammes and Maeterlinck he wrote *Élégies*. On July 12, 1936 he married Mlle Rodica Burileano. Obtaining a government scholarship in 1938 to write a thesis in Paris on the theme of death in modern poetry, Ionesco happily returned to that city, where he and his wife settled, but once there the budding critic never wrote a line of his proposed study! Their only child, Marie-France, was born in Paris in 1944.

At first the Ionescoes were very poor; Eugène worked as a proofreader for a publishing house and Rodica was employed in a lawyer's office. Both soon became popular, however, gaining many friends no doubt because they were able to laugh over their lack of success.

Ionesco is a small, round, modest man, partly bald, with serious, almost sad, eyes which regard his interlocutor in a perpetually wide, tolerant gaze. He looks like a middle-aged actor or a great clown who has removed his make-up and reverted to his real, melancholy self. His wife is petite, hospitable, and, like the average housewife, deeply interested in her husband, her daughter, her home.

Muriel Reed, after an interview with the Ionescoes for the periodical, *Réalités,* described them in these terms: "Sa femme Rodica, que la plupart des journalistes s'obstinent à tort à croire chinoise, et lui forment un couple déjà célèbre dans Paris: elle, petite épouse active, énergique, positive, apparemment autoritaire. Lui, doux, malicieux, plein de bonhomie, aimant bien boire, et bavarder, une sorte de charmant naïf. Un naïf plein d'humour qui lance de temps à autre des plaisanteries insolites, irrésistiblement drôles. Mais dans ces plaisanteries, c'est généralement lui-même qu'il s'applique à prendre pour cible. Ce sont ses malheurs, ses insuccès dont il aime rire. D'autre part, ce doux est capable de colères subites, terrifiantes. Ce timide est volontaire et indépendant. Ce bon vivant devient chaque nuit un insomniaque qui arpente son appartement en fumant. Cet ingénu crée surtout des monstres."[1]

In his diary Ionesco recalls childhood experiences, particularly remembering his fears when left alone in the dark to go to sleep and the troubled dreams following: "Dans mon souvenir, les apparitions grotesques ressemblaient aux personnages de Breughel ou de Bosch: de gros nez, des corps difformes, des sourires atroces, des pieds fourchus. Plus tard, en Roumanie, j'étais encore assez enfant pour avoir des frayeurs. Mais les figures de mon angoisse avaient maintenant un autre aspect: elles n'avaient que deux dimensions, sans relief, plus tristes que hideuses,—avec des yeux énormes."[2]

These "Hell" Breughel and Hieronymous Bosch nightmares and visions of two-dimensioned creatures experienced by the lonely child Eugène undoubtedly explain, to some extent, the obsession in the man for picturing the grotesque and bizarre in his plays. A person of anguish and many obsessions, Ionesco has no fear greater than that of death, which he expresses in this way: "J'ai peur de mourir, sans doute, parce que, sans le savoir, je désire mourir. J'ai peur donc du désir que j'ai de mourir."[3]

The playwright's pessimism stems from innate sources and is reinforced by personal experiences, especially those of his childhood. He is struck by the evanescence of the world, its harshness, its vanity, its hatred. Everything seems to confirm what he saw and understood as a child: vain fury and a cry stifled at dusk when a strong youth attacked an old man without cause; shadows swallowed up forever in the night.[4]

---

[1] Muriel Reed, *Muriel chez...*, Paris, Julliard, 1960, pp. 99-100.
[2] "Pages de journal," *Cahiers Renaud-Barrault,* pp. 96-114; quotation from p. 108.
[3] "Le Bloc-Notes d'Eugène Ionesco," *Arts,* No. 763, 24 février—1 mars 1960, p. 2.
[4] *Cahiers des Saisons,* pp. 209-10.
[5] From a personal interview with the author, August 17, 1960.

Ionesco the man, then, is decidedly more complicated, more contradictory, more unfathomable, than any of his fictional creations.

The press, for the most part against Ionesco's theater in the beginning, has fluctuated in its estimate, sometimes reversing its opinion. Ionesco divides the press, with regard to its attitude toward him, into seven categories.[5] The first group comprises Communist critics who were earlier against and later for Ionesco, at least temporarily, after *Tueur sans gages* and *Rhinocéros*. For the Communists, "les rhinocéros sont les autres," that is, everybody else except the Communists. The second category includes leftist intellectuals or Marxists, who were at first for and are now against Ionesco. To this group belongs Kenneth Tynan of the London *Observer* who fought more than anyone else in England to make Ionesco known there. Suddenly, in June of 1958, Tynan started a newspaper controversy with Ionesco, soon involving Philip Toynbee, Orson Welles, and numerous readers of the paper, by reversing his opinion of the author. The argument was over social realism and the rôle of the artist. Tynan, no longer satisfied with solitude, despair, nihilism, wanted an affirmation, some evidence of an attempted cure. Ionesco stood for art for art's sake, no teaching, no preaching, primarily a state of the soul. The controversy raged on into July in the pages of the *Observer,* to the delight of the general public.

Classical, conservative critics, like the intransigent Jean-Jacques Gautier of *Le Figaro,* who are generally unfavorable, form the third category. In the next group are critics with advanced ideas and without political bent, such as Jacques Lemarchand of *Le Figaro littéraire,* who are favorable. In the fifth category are the Catholic conservatives who were unfavorable and are now favorable to Ionesco's theater, for they also consider his rhinoceroses to be "the others." But "the others" for them are the Communists. The purists make up the sixth group of critics who are now against Ionesco because they consider his new theater a facile concession and an *engagement*. The final category comprises foreign critics, in particular those of the Slavic press who are highly favorable.

Others have written at length on Ionesco and the avant-garde theater. Ionesco himself has aided their understanding of this relationship by frequently taking up the pen and by appearing many times on the lecturer's platform. His greatest opportunity for explaining his theater directly to audiences came in June of 1959, when he was invited to Finland to inaugurate the Helsinki Debates on the avant-garde theater at the Eighth Congress of the International Theater Institute, with delegates from 31 countries. Actually, Ionesco dislikes being called an avant-gardist, for to him the term has been compromised and the sense dissipated. But, forced to state his own conception, he has said: "Je crois pouvoir penser qu'un théâtre d'avant-garde serait justement ce théâtre qui pourrait contribuer à la redécouverte de la liberté... C'est la liberté créatrice...audace, invention."[1] The term, which also implies experimentation to open new theatrical vistas, is of necessity relative for, as Nicolas Bataille has indicated, what is good avant-garde theater today becomes classical theater tomorrow.[2]

Those who have influenced Ionesco indirectly have been many.[3] Admitting that he has profited from the experiments of the schools, Ionesco denies ever having been a Dadaist, cubist, or surrealist. He admires the genius of Cocteau and has been especially influenced by the theory of the later Picasso. The writers whose works undoubtedly point toward the theater of Ionesco include: Robert Desnos, surrealist; Tristan Tzara, the theorist of Dadaism; Ribemont-Dessaignes, associated with surrealism; Fernand Crommelynck, Belgian playwright of carnal satires of the

[1] "Réflexions sur le théâtre d'avant-garde," *Arts,* No. 758, 20-26 janvier 1960, p. 5.

[2] *Cahiers des Saisons,* p. 246.

[3] From the cinema, Ionesco claims to have been influenced by the Marx Brothers and Laurel and Hardy.

improbable and the absurd; Louis Guilloux, whose sharply satirical *Le Sang noir* is a novel of the absurd dealing with suicide; and, in particular, Alfred Jarry and J.-K. Huysmans.

Certain aspects of Ionesco's theater are directly traceable to Jarry's *Ubu Roi,* an impudent bourgeois satire of anger and hatred exploiting distorted words and gross puns. His theater is less obviously but just as surely influenced by Huysmans' *A rebours.* This work, which is a key to understanding the literature of revolt during the past twenty or thirty years, deals with a hero who flees the prosaic in the real world to court madness and death in an ivory tower.

In this literature of revolt the feeling of fatality, despair, and nothingness crystalized with the advent of the atomic bomb. Sartre and Camus explored the new idea of men alone in an absurd world in their respective theaters, but their plays continue as *pièces bien faites,* retaining the traditional style and technique of the previous era. It remained for Ionesco to go a step further. He would write "anti-plays" to destroy the conventional theater. For his universe of the irrational, the absurd, of man almost without God, he would disintegrate personality as well as language.

Paralleling the "anti-theater" of Ionesco is the "anti-novel," represented especially today by Natalie Sarraute, Alain Robbe-Grillet, and Michel Butor, whose works, like the others in this classification, are without subject, characters, analyses. Nothing happens. The reader at last has the impression of rediscovering a world "inhabited" by objects, and is reminded of the growing corpse and the proliferating chairs, teacups, and mushrooms of Ionesco.

The undisputed avant-garde triumvirate in the French theater during the past several years have been Eugène Ionesco, Arthur Adamov, and Samuel Beckett. Coincidentally, all were born outside France and two of them came to live permanently in France the same years,—Ionesco and Beckett in 1938.

Born in the Caucasus, Adamov shares Ionesco's belief in man's solitude and the impossibility of real communication between men. With a pessimistic philosophy shaping all his theater, Adamov, in what is perhaps his best play, *Paolo Paoli,* parallels on a small scale the world outside on its relentless way to war. Beckett, born in Dublin, has offered with his *En attendant Godot* one of the masterpieces of the contemporary theater. In this play and others, Beckett's creatures, like those of Ionesco and Adamov, also seem unable to establish genuine contact with each other. A troubled soul like Ionesco and, to a lesser degree, Adamov, Beckett sees despair in mankind and a universe in perdition. His theater is an almost unbearable cry of protest against the world as it is.

Ionesco is well-read in Aeschylus, Sophocles, Euripides, and Shakespeare, but he admires these great playwrights largely from a literary point of view. The only one to escape, at least partially, Ionesco's rather widespread negative appraisal of other playwrights is Racine himself, whose plays live on because of their poetry.[1]

But the writer to influence him most, according to Ionesco, was the tragic Czech novelist and essayist, Franz Kafka (1883-1924), who died at 40 after long suffering. When still at an impressionable age, Ionesco read the complete published works of this writer. Strongly influenced by the Danish philosopher Kierkegaard, Kafka revealed an awareness of the utter isolation of man, a belief in the absolute, and a feeling of guilt. Strongly contrasting the real with the fantastic, Kafka was a forerunner of the literature of the absurd, since his one theme was that in man's struggle to

[1] See Ionesco's "Expérience du Théâtre," *La N. R. F.,* pp. 255-6.
[2] "Apprendre à marcher," produced by "Les Ballets Modernes de Paris" at the Théâtre de l'Étoile in the spring of 1960.
[3] *Dionysus in Paris,* New York, Meridian Books, 1960, p. 237.
[4] Jean-Paul Weber, *Le Figaro littéraire,* 23 janvier 1960, p. 9.
[5] "Expérience du Théâtre," p. 259.
[6] Jacques Lemarchand, Préface, *Théâtre,* I.

solve the riddle of life he is forever thwarted by incomprehensible forces.

Of all the avant-garde playwrights, Ionesco has known the greatest success with the public. In ten years he has written 12 one-act plays, three three-act plays, several short stories and sketches, numerous essays, has composed the libretto for a ballet,[2] and has translated short stories from the original Roumanian. He is now collecting the material of his various lectures and discussions, which will compose a valuable essay on the contemporary theater. He is in the process of writing a novel and has plans to do more short stories and create further plays in the style of his early successes. Everyone concerned with the modern theater is watching with great interest to see what Ionesco will do next, as he has now reached a crucial point in his development. Still young, he has yet time to enrich his theater more abundantly with fresh invention, new forms of laughter, and more dynamic poetry.

There are those who feel, along with Wallace Fowlie, that "in the addition of allegory Ionesco has lost some of the theatrical purity he reached in *Les Chaises* and *La Leçon,* where no didactic element blurred the simple functioning of the infernal machine."[3] But his experiment with allegory and didacticism was deliberate, and he has it within his power to recapture his position in the front ranks of the ever-changing, ever-renewing avant-gardists, becoming again the "dowser of the subreal,"[4] the discoverer of a new theater, to use his own words, "violemment comique, violemment dramatique."[5] Whatever he does in the future, Eugène Ionesco's theater thus far remains "assurément le plus étrange et le plus spontané que nous ait révélé notre après-guerre... un théâtre d'aventure."[6]

BIBLIOGRAPHIE

I. The following are the most important individual documents to date for the study of Ionesco:

Cahiers Renaud-Barrault, No. 29, février 1960 (contains twelve articles on Ionesco as well as "Pages de journal" and "Rhinocéros," a *nouvelle,* by Ionesco; the latter is the basis for the play by the same title).

Cahiers des Saisons, No. 15, hiver 1959 (contains 22 articles on Ionesco, three articles by Ionesco, and "Controverse londonienne" — a newspaper debate in the summer of 1958 involving Kenneth Tynan, Philip Toynbee, Orson Welles, and Ionesco).

(*Cahiers des Saisons* has published the following additional articles by Ionesco: "Gammes" - No. 7, "Olympie" - No. 10, "Pour Cocteau" - No. 12, "Le Point de départ" - No. 1, "Problèmes insolubles" - No. 8, "Théâtre et anti-théâtre" - No. 2.)

II. By Ionesco:

Articles

"Le Bloc-Notes d'Eugène Ionesco," *Arts,* No. 763, 24 février-1 mars 1960, p. 2.

"Expérience du Théâtre," *La Nouvelle Revue française,* No. 62, février 1958, pp. 247-270 (one of Ionesco's most important essays on his theater).

"Ionesco ouvre le feu," *Le Théâtre dans le monde,* Vol. VIII, No. 3, automne 1959, pp. 171-202 (Helsinki Debates).

"Pages de journal," *La N.R.F.,* No. 86, février 1960, pp. 220-233.

"La Tragédie du langage," *Spectacles,* No. 2, juillet 1958, pp. 3-5.

Ballet (Livret)

"Apprendre à marcher," Théâtre de l'Étoile, printemps 1960.

Short Stories

"Oriflamme," "La Photo du colonel," "Rhinocéros," and "Une Victime du Devoir" — all transformed into plays.

Theater

Eugène Ionesco : Théâtre, Paris, Arcanes, 1953, out of print (contains *La Cantatrice chauve, La Leçon, Jacques ou la Soumission, Le Salon de l'automobile*).

Théâtre, I, Paris, Gallimard, 1954 (contains *La Cantatrice chauve, La Leçon, Jacques ou la Soumission, Les Chaises, Victimes du Devoir,* and *Amédée ou Comment s'en débarrasser*).

Théâtre, II, Paris, Gallimard, 1958 (contains *L'Impromptu de l'Alma, Tueur sans gages, Le Nouveau Locataire, L'Avenir est dans les œufs, Le Maître, La Jeune Fille à marier*).

Rhinocéros, Paris, Gallimard, 1959.

Scène à quatre (1 acte), *L'Avant-Scène,* No. 210, décembre 1959, pp. 44-46.

Sketches: "Le connaissez-vous ?" "La Nièce épouse," "Le Rhume onirique," "Le Tableau."

Translation of Theater into English: I (1958), II (1958), and III (1960) by Donald Watson; IV (1960) by Derek Prouse; published in London by John Calder.

Translation

"Le Père Urcan" and three other stories by Pavel Dan, translated from Roumanian by Gabrielle Cabrini and Eugène Ionesco, Marseille, Vigneau, 1945.

III. About Ionesco:

Articles

Philippe Bonzon, "Molière ou le complexe de Ionesco," *Perspectives du théâtre,* No. 2, fevrier 1960, pp. 7-10.

Jacques Carat, "L'Ère des rhinocéros," *Preuves,* No. 109, mars 1960, pp. 82-3.

Alain Clément, "Création triomphale à Düsseldorf du *Rhinocéros* d'Eugène Ionesco," reported November 6, 1959 to *Le Monde* from Düsseldorf.

Serge Doubrovsky, "Le Rire de Ionesco," *La N. R. F.*, No. 86, février 1960, pp. 313-323.

Jean-Jacques Gautier, "A l'Odéon: *Rhinocéros*," *Le Figaro*, 26 janvier 1960, p. 14.

Daniel Guérin, "Un Anti-Théâtre," *Théâtre*, No. 3, janvier 1960, p. 5.

J. W. Lambert, "Sir Laurence in *Rhinocéros*," *Christian Science Monitor*, May 14 1960, Arts page.

Jacques Lemarchand, "*Rhinocéros* à l'Odéon, " *Le Figaro littéraire*, 30 janvier 1960, p. 16.

Jacques Lemarchand, "*Rhinocéros* au Théâtre des Nations," *Le Figaro littéraire*, 9 avril 1960, p. 16.

Russ Moro, "Répétition du *Rhinocéros*," *Perspectives du théâtre*, No. 2, février 1960, pp. 17-19.

Bertrand Poirot-Delpech, "*Rhinocéros* au Théâtre de France," *Le Monde*, 14-25 janvier, 1960, p. 15.

Walter Sorell, "Ionesco's Success in Zurich," *Christian Science Monitor*, September 17, 1960, Arts page.

Frédéric Towarnicki, "Des *Chaises* vides...à Broadway," *Spectacles*, No. 2, juillet 1958, pp. 7-12.

Richard Watts Jr., "An Ionesco Drama with a Hero," *New York Post*, August 4, 1960, p. 14.

"*Rhinocéros* Sympathetically Received in London," *New York Times*, May 1, 1960.

Books

Marc Beigbeder, *Le Théâtre en France depuis la Libération*, Paris, Bordas, 1959, pp. 140-2.

Toby Cole, *Playwrights on Playwriting*, New York, Hill and Wang, 1960, pp. 282-284.

Wallace Fowlie, *Dionysus in Paris*, New York, Meridian Books, 1960, pp. 229-237.

John Gassner, *A Treasury of the Theatre from Henrik Ibsen to*

Eugène Ionesco, New York, Simon Shuster (Distributed by Holt, Rinehart and Winston), 1960, pp. 1108-1110; 1239-1256.

David I. Grossvogel, *The Self-Conscious Stage in Modern French Drama,* New York, Columbia University Press, 1958, pp. 313-319.

Gaëton Picon, *Panorama de la nouvelle littérature française,* Paris, Gallimard, 1960, pp. 301-2.

Bernard Pingaud, *Écrivains d'aujourd'hui,* Paris, Grasset, 1960, pp. 285-293.

Muriel Reed, *Muriel chez...,* Paris, Julliard, 1960, pp. 84-105.

Interviews

Guy Dumur, "Ionesco des pieds à la tête," *Arts,* No. 758, 26 janvier 1960, p. 1.

Jean Mettas, "Entretien avec Eugène Ionesco," *Cahiers libres de la jeunesse,* No. 2, 15 mars 1960, pp. 12-13.

Claude Sarraute, "Ionesco: J'aspire au classicisme," *Le Monde,* 13 janvier 1960, p. 13.

Catherine Valogne, "Dialogue avec Ionesco sur Ionesco et *Rhinocéros,*" *Les Lettres françaises,* 21-27 janvier 1960, p. 1 and p. 8.

Jean-Paul Weber, "*Rhinocéros:* Portrait-Interview de l'écrivain," *Le Figaro littéraire,* 23 janvier 1960.

PERSONNAGES

par ordre d'entrée en scène:

	TABLEAU
La Ménagère	1er.
L'Épicière	1er.
Jean	1er, 3e.
Bérenger	1er, 2e, 3e, 4e.
La Serveuse	1er.
L'Épicier	1er.
Le Vieux Monsieur	1er.
Le Logicien	1er.
Le Patron du café	1er.
Daisy	1er, 2e, 4e.
Monsieur Papillon	2e.
Dudard	2e, 4e.
Botard	2e.
Madame Bœuf	2e.
Un Pompier	2e.
Monsieur Jean	3e.
La Femme de Monsieur Jean	3e.

Plusieurs Têtes de Rhinocéros.

Distribution au Théâtre de France dans l'ordre d'entrée en scène:

LA MÉNAGÈRE	Marie-Hélène Dasté
L'ÉPICIÈRE	Nicole Jonesco
LA SERVEUSE	Jane Martel
JEAN	William Sabatier
BÉRENGER	Jean-Louis Barrault
L'ÉPICIER	Jean Martin
LE VIEUX MONSIEUR	Robert Lombard
LE LOGICIEN	Jean Parédès
LE PATRON DU CAFÉ	Yves Arcanel
DAISY	Simone Valère
MONSIEUR PAPILLON	Michel Bertay
DUDARD	Gabriel Cattand
BOTARD	Régis Outin
MADAME BŒUF	Simone Paris
UN POMPIER	Marius Balbinot
MONSIEUR JEAN	Marc Halford
LA FEMME DE MONSIEUR JEAN	Françoise Debray
LES VOISINS	Antoine Fontaine Négro Verdié
LES PENSIONNAIRES	Annie Delyfer Catherine Faburel Marie-France Font Béatrice Philips Marie-José Sene

*

Création mondiale, 31 octobre 1959, au Schauspielhaus de Düsseldorf, Allemagne, mise en scène de Karl Heinz Stroux.

Création française, 20 janvier 1960, au Théâtre de France (l'ancien Odéon), Paris, mise en scène de Jean-Louis Barrault. Décors et costumes de Jacques Noël. Musique concrète de Michel Philippot.

Création anglaise, 28 avril 1960, au Royal Court Theatre, Londres. Mise en scène d'Orson Welles, avec Sir Laurence Olivier dans le rôle principal.

Création américaine, 9 janvier 1961, au Longacre Theater, New York. Mise en scène de Joseph Anthony, avec Eli Wallach dans le rôle principal.

ACTE PREMIER

DÉCOR

Une place dans une petite ville de province.[1] Au fond, une maison composée d'un rez-de-chaussée et d'un étage. Au rez-de-chaussée, la devanture[2] d'une épicerie.[3] On y entre par une porte vitrée[4] qui surmonte deux ou trois marches. Au-dessus de la devanture est écrit en caractères très visibles le mot : « ÉPICERIE ». Au premier étage, deux fenêtres qui doivent être celles du logement des épiciers. L'épicerie se trouve donc dans le fond du plateau,[5] mais assez sur la gauche,[6] pas loin des coulisses.[7] On aperçoit, au-dessus de la maison de l'épicerie, le clocher d'une église, dans le lointain. Entre l'épicerie et le côté droit, la perspective d'une petite rue. Sur la droite, légèrement en biais, la devanture d'un café. Au-dessus du café, un étage avec une fenêtre. Devant la terrasse de ce café: plusieurs tables et chaises s'avancent jusque près du milieu du plateau. Un arbre poussiéreux près des chaises de la terrasse. Ciel bleu, lumière crue,[8] murs très blancs. C'est un dimanche, pas loin de midi, en été. Jean et Bérenger[9] iront s'asseoir à une table de la terrasse.

Avant le lever du rideau, on entend carillonner.[10] Le carillon cessera quelques secondes après le lever du rideau. Lorsque le rideau

---

[1] L'auteur explique qu'il a situé l'action de la pièce dans une ville de province du Sud de la France, parce que c'est là surtout que les gens ont beaucoup d'imagination. Mais en réalité l'action peut avoir lieu n'importe où; la ville n'a pas d'importance.

[2] l'étalage.

[3] boutique où l'on vend des épices, du sucre, du café, etc.

[4] transparente, de verre.

[5] scène du théâtre.

[6] Les indications scéniques (gauche, droite, etc.) sont pour les acteurs.

[7] partie du théâtre placée derrière la scène.

[8] assez violente.

[9] Citoyen moyen d'âge moyen, il est le même type d'homme que le Bérenger héros d'une autre pièce de Ionesco, *Tueur sans gages*.

[10] On entend la cloche d'une église. C'est un dimanche matin.

se lève, une femme portant sous un bras un panier à provisions vide, et sous l'autre un chat,[1] traverse en silence la scène, de droite à gauche. A son passage, l'épicière ouvre la porte de la boutique[2] et la regarde passer.[3]

Au lever du rideau, pendant quelques secondes, les personnages restent immobiles. Cela doit faire *tableau vivant.*[4]

*

L'ÉPICIÈRE. — Ah, celle-là![5] (*A son mari qui est dans la boutique.*) Ah, celle-là, elle est fière. Elle ne veut plus acheter chez nous. (*L'Épicière disparaît, plateau vide quelques secondes.*)

Par la droite, apparaît Jean; en même temps, par la gauche, apparaît Bérenger. Jean est très soigneusement vêtu: costume marron,[6] *cravate*

---

[1] La Compagnie Renaud-Barrault, au Théâtre de France (l'ancien Odéon), se servait d'un chat en peluche (tissu de velours).

[2] Le dimanche en France tous les magasins d'alimentation sont ouverts le matin. L'après-midi, les boulangeries et les pâtisseries restent ouvertes.

[3] A la représentation au Théâtre de France, la Serveuse était aussi en scène devant son café.

[4] Groupement de personnages exposés quelques instants aux yeux des spectateurs et représentant une scène artistique ou significative.

Avec son imagination et son invention toujours fertiles, Jean-Louis Barrault, interprète du rôle de Bérenger et metteur en scène de la pièce, a ajouté au premier acte plusieurs personnages qui ne sont pas mentionnés dans le texte de Ionesco: un vieillard (Monsieur Jean de l'Acte III), un pompier (celui de l'Acte II), une vieille dame (la Femme de Monsieur Jean de l'Acte III), deux voisins, un jeune cycliste et, véritable trouvaille, les Pensionnaires, cinq petites filles rangées par ordre de grandeur. Tous ces personnages ne font que traverser le plateau au bon moment pour augmenter l'impression de réalité.

[5] Interjection exprimant la jalousie ou le mépris: cette dame-là m'agace!

[6] couleur du marron, brun.

[7] col dur qui s'adapte à une chemise au moyen de boutons.

[8] mal repassés.

[9] comme vous voyez.

[10] ce n'est pas pareil—populaire: omission de *ne*.

[11] On rencontre *ne* seul avec certains verbes comme *pouvoir, oser, savoir, cesser,* suivis d'un infinitif.

[12] sagesse.

[13] Nuages produits artificiellement—l'expression reprend d'une façon comique, propre à Ionesco, l'idée que Jean vient d'exprimer par le terme de "science populaire."

[14] ne vous conviendrait pas.

rouge, faux col amidonné,[7] *chapeau marron. Il est un peu rougeaud de figure. Il a des souliers jaunes, bien cirés; Bérenger n'est pas rasé, il est tête nue, les cheveux mal peignés, les vêtements chiffonnés;*[8] *tout exprime chez lui la négligence, il a l'air fatigué, somnolent; de temps à autre, il bâille.*

JEAN (*venant de la droite*). — Vous voilà tout de même, Bérenger.
BÉRENGER (*venant de la gauche*). — Bonjour, Jean.
JEAN. — Toujours en retard, évidemment! (*Il regarde sa montre-bracelet.*) Nous avions rendez-vous à onze heures trente. Il est
5 bientôt midi.
BÉRENGER. — Excusez-moi. Vous m'attendez depuis longtemps?
JEAN. — Non. J'arrive, vous voyez bien.[9] (*Ils vont s'asseoir à une des tables de la terrasse du café.*)
BÉRENGER. — Alors, je me sens moins coupable, puisque...
10 vous-même...
JEAN. — Moi, c'est pas pareil,[10] je n'aime pas attendre, je n'ai pas de temps à perdre. Comme vous ne venez jamais à l'heure, je viens exprès en retard, au moment où je suppose avoir la chance de vous trouver.
15 BÉRENGER. — C'est juste... c'est juste, pourtant...
JEAN. — Vous ne pouvez affirmer[11] que vous venez à l'heure convenue!
BÉRENGER. — Évidemment... je ne pourrais l'affirmer. (*Jean et Bérenger se sont assis.*)
20 JEAN. — Vous voyez bien.
BÉRENGER. — Qu'est-ce que vous buvez?
JEAN. — Vous avez soif, vous, dès le matin?
BÉRENGER. — Il fait tellement chaud, tellement sec.
JEAN. — Plus on boit, plus on a soif, dit la science[12] populaire...
25 BÉRENGER. — Il ferait moins sec, on aurait moins soif si on pouvait faire venir dans notre ciel des nuages scientifiques.[13]
JEAN. (*examinant Bérenger*). — Ça ne ferait pas votre affaire.[14] Ce n'est pas d'eau que vous avez soif, mon cher Bérenger...

BÉRENGER. — Que voulez-vous dire par là, mon cher Jean?

JEAN. — Vous me comprenez très bien. Je parle de l'aridité de votre gosier. C'est une terre insatiable.

BÉRENGER. — Votre comparaison, il me semble...

JEAN (*l'interrompant*). — Vous êtes dans un triste état, mon ami. 5

BÉRENGER. — Dans un triste état, vous trouvez?

JEAN. — Je ne suis pas aveugle. Vous tombez de fatigue, vous avez encore perdu la nuit, vous bâillez, vous êtes mort de sommeil...

BÉRENGER. — J'ai un peu mal aux cheveux...[1] 10

JEAN. — Vous puez[2] l'alcool!

BÉRENGER. — J'ai un petit peu la gueule de bois,[3] c'est vrai!

JEAN. — Tous les dimanches matin, c'est pareil, sans compter les jours de la semaine.

BÉRENGER. — Ah non, en semaine c'est moins fréquent, à cause 15 du bureau...

JEAN. — Et votre cravate, où est-elle? Vous l'avez perdue dans vos ébats![4]

BÉRENGER (*mettant la main à son cou*). — Tiens, c'est vrai, c'est drôle, qu'est-ce que j'ai bien pu en faire? 20

JEAN (*sortant une cravate de la poche de son veston*). — Tenez, mettez celle-ci.

BÉRENGER. — Oh, merci, vous êtes bien obligeant. (*Il noue*[5] *la cravate à son cou.*)

JEAN (*pendant que Bérenger noue sa cravate au petit bonheur*[6]). — Vous 25

---

[1] mal à la tête.
[2] vous sentez mauvais de.
[3] J'ai la bouche aussi sèche qu'un morceau de bois.
[4] pendant que vous vous amusiez.
[5] attache.
[6] plutôt mal que bien.
[7] Vous êtes mal peigné!
[8] Regardez le visage que vous avez.
[9] J'ai la langue toute blanche.
[10] maladie du foie.
[11] Normalement les gens sont plus sévères!

êtes tout décoiffé![7] (*Bérenger passe les doigts dans ses cheveux.*) Tenez, voici un peigne! (*Il sort un peigne de l'autre poche de son veston.*)

BÉRENGER (*prenant le peigne*). — Merci. (*Il se peigne vaguement.*)

5 JEAN. — Vous ne vous êtes pas rasé! Regardez la tête que vous avez.[8] (*Il sort une petite glace de la poche intérieure de son veston, la tend à Bérenger qui s'y examine; en se regardant dans la glace, il tire la langue.*)

BÉRENGER. — J'ai la langue bien chargée.[9]

10 JEAN (*reprenant la glace et la remettant dans sa poche*). — Ce n'est pas étonnant!... (*Il reprend aussi le peigne que lui tend Bérenger, et le remet dans sa poche.*) La cirrhose[10] vous menace, mon ami.

BÉRENGER (*inquiet*). — Vous croyez?...

JEAN (*à Bérenger qui veut lui rendre la cravate*). — Gardez la cravate, 15 j'en ai en réserve.

BÉRENGER (*admiratif*). — Vous êtes soigneux, vous.

JEAN (*continuant d'inspecter Bérenger*). — Vos vêtements sont tout chiffonnés, c'est lamentable, votre chemise est d'une saleté repoussante, vos souliers... (*Bérenger essaye de cacher ses pieds sous* 20 *la table.*) Vos souliers ne sont pas cirés... Quel désordre!... Vos épaules...

BÉRENGER. — Qu'est-ce qu'elles ont, mes épaules?...

JEAN. — Tournez-vous. Allez, tournez-vous. Vous vous êtes appuyé contre un mur... (*Bérenger étend mollement sa main vers* 25 *Jean.*) Non, je n'ai pas de brosse sur moi. Cela gonflerait les poches. (*Toujours mollement, Bérenger donne des tapes sur ses épaules pour en faire sortir la poussière blanche; Jean écarte la tête.*) Oh là là... Où donc avez-vous pris cela?

BÉRENGER. — Je ne m'en souviens pas.

30 JEAN. — C'est lamentable, lamentable! J'ai honte d'être votre ami.

BÉRENGER. — Vous êtes bien sévère...

JEAN. — On le serait à moins![11]

BÉRENGER. — Écoutez, Jean. Je n'ai guère de distractions, on s'ennuie dans cette ville, je ne suis pas fait pour le travail que j'ai... tous les jours, au bureau, pendant huit heures, trois semaines seulement de vacances[1] en été! Le samedi soir, je suis plutôt fatigué, alors, vous me comprenez, pour me détendre...[2]

JEAN. — Mon cher, tout le monde travaille et moi aussi, moi aussi comme tout le monde, je fais tous les jours mes huit heures de bureau, moi aussi, je n'ai que vingt et un jours de congé par an, et pourtant, pourtant vous me voyez... De la volonté, que diable!... 5

BÉRENGER. — Oh, de la volonté, tout le monde n'a pas la vôtre. Moi je ne m'y fais pas.[3] Non, je ne m'y fais pas, à la vie. 10

JEAN. — Tout le monde doit s'y faire. Seriez-vous une nature supérieure?

BÉRENGER. — Je ne prétends pas...

JEAN (*interrompant*). — Je vous vaux bien; et même, sans fausse modestie, je vaux mieux que vous. L'homme supérieur est celui qui remplit son devoir. 15

BÉRENGER. — Quel devoir?

JEAN. — Son devoir... son devoir d'employé par exemple.

BÉRENGER. — Ah oui, son devoir d'employé... 20

JEAN. — Où donc ont eu lieu vos libations cette nuit? Si vous vous en souvenez!

---

[1] Les petits employés ont droit chaque année à trois semaines de congés payés.

[2] me reposer.

[3] je ne m'y habitue pas.

[4] Ici commence l'effet sonore, déconcertant et hallucinant (inquiétant comme dans un cauchemar) de bruits d'animaux qui iront en augmentant au cours de la pièce. On n'apprendra que plus tard quels sont les animaux qui envahissent le monde de Bérenger.

[5] lointain.

[6] animal sauvage.

[7] cri du rhinocéros,

[8] dont il n'est vraiment pas conscient.

[9] respiration précipitée.

[10] ayant l'air de ne rien entendre du tout.—Ceci révèle déjà un trait dominant du caractère de Bérenger: celui d'être distrait, presque indifférent.

[11] pas très réveillé.

BÉRENGER. — Nous avons fêté l'anniversaire d'Auguste, notre ami Auguste...

JEAN. — Notre ami Auguste? On ne m'a pas invité, moi, pour l'anniversaire de notre ami Auguste... (*A ce moment, on entend*
5 *le bruit*[4] *très éloigné,*[5] *mais se rapprochant très vite, d'un souffle de fauve*[6] *et de sa course précipitée, ainsi qu'un long barrissement.*[7])

BÉRENGER. — Je n'ai pas pu refuser. Cela n'aurait pas été gentil...

JEAN. — Y suis-je allé, moi?

BÉRENGER. — C'est peut-être, justement, parce que vous n'avez
10 pas été invité!...

LA SERVEUSE (*sortant du café*). — Bonjour, Messieurs, que désirez-vous boire? (*Les bruits sont devenus très forts.*)

JEAN (*à Bérenger et criant presque pour se faire entendre, au-dessus des bruits qu'il ne perçoit pas consciemment*[8]). — Non, il est vrai, je
15 n'étais pas invité. On ne m'a pas fait cet honneur... Toutefois, je puis vous assurer que même si j'avais été invité, je ne serais pas venu, car... (*Les bruits sont devenus énormes.*) Que se passe-t-il? (*Les bruits du galop d'un animal puissant et lourd sont tout proches, très accélérés; on entend son halètement.*[9]) Mais qu'est-ce que
20 c'est?

LA SERVEUSE. — Mais qu'est-ce que c'est? (*Bérenger, toujours indolent, sans avoir l'air d'entendre quoi que ce soit,*[10] *répond tranquillement à Jean au sujet de l'invitation; il remue les lèvres; on n'entend pas ce qu'il dit; Jean se lève d'un bond, fait tomber sa chaise en se*
25 *levant, regarde du côté de la coulisse gauche, en montrant du doigt, tandis que Bérenger, toujours un peu vaseux,*[11] *reste assis.*)

JEAN. — Oh, un rhinocéros! (*Les bruits produits par l'animal s'éloigneront à la même vitesse si bien que l'on peut déjà distinguer les paroles qui suivent; toute cette scène doit être jouée très vite; répétant:*)
30 Oh! un rhinocéros!

LA SERVEUSE. — Oh! un rhinocéros!

L'ÉPICIÈRE (*qui montre sa tête par la porte de son épicerie*). — Oh! un rhinocéros! (*A son mari, resté dans la boutique.*) Viens vite voir, un rhinocéros! (*Tous suivent du regard, à gauche, la course du fauve.*)

JEAN. — *Mon cher, tout le monde travaille et moi aussi, moi aussi comme tout le monde, je fais tous les jours mes huit heures de bureau, moi aussi, je n'ai que vingt et un jours de congé par an...*

JEAN. — Il fonce[1] droit devant lui, frôle les étalages![2]

L'ÉPICIER (*dans sa boutique*). — Où ça?

LA SERVEUSE (*mettant les mains sur les hanches*). — Oh!

L'ÉPICIÈRE (*à son mari qui est toujours dans sa boutique*). — Viens voir! (*Juste à ce moment l'Épicier montre sa tête.*) 5

L'ÉPICIER (*montrant sa tête*). — Oh, un rhinocéros!

LE LOGICIEN[3] (*venant vite en scène par la gauche*). — Un rhinocéros, à toute allure, sur le trottoir d'en face! (*Toutes ces répliques, à partir de : « oh, un rhinocéros » dit par Jean sont presque simultanées. On entend un « ah » poussé par une femme. Elle apparaît. Elle court* 10 *jusqu'au milieu du plateau; c'est la Ménagère avec son panier au bras; une fois arrivée au milieu du plateau, elle laisse tomber son panier; ses provisions se répandent sur la scène, une bouteille se brise, mais elle ne lâche pas le chat tenu sous l'autre bras.*)

LA MÉNAGÈRE.— Ah! Oh! (*Le Vieux Monsieur*[4] *élégant venant de la* 15

---

[1] s'élance.

[2] touche légèrement les marchandises exposées devant les boutiques.

[3] celui qui raisonne avec méthode.—Mais dans ce personnage Ionesco s'amuse des gens qui prétendent être parfaitement logiques et qui au contraire s'intéressent plus à la méthode qu'à la logique elle-même. La scène du Logicien est parmi celles qui avaient le plus de succès à l'Odéon.

[4] Dans la distribution de l'Odéon, l'acteur qui jouait ce rôle restait assez jeune malgré l'indication de l'auteur et sans doute à cause de la volonté du metteur en scène.

[5] pousse impoliment.

[6] se mettre.

[7] ne s'intéressant à rien.

[8] venant de.

[9] A l'Odéon, les effets de poussière étaient produits par la glace carbonique jetée dans l'eau bouillante, donnant un brouillard blanc, léger, sans odeur, et par des poudres achetées chez un fabricant de feux d'artifice.

[10] pièces de vêtement couvrant le bas de la jambe et le dessus de la chaussure.

[11] tête.

[12] lunettes maintenues sur le nez par un ressort.

[13] il porte sur la tête.

[14] chapeau de paille à fond et à bords plats.

[15] dites donc (dit sur un ton de protestation).

[16] exclamation indiquant une grande surprise et l'incrédulité: c'est incroyable!

[17] un bruit de fond.

[18] terme familier pour un chat.

[19] en diminuant.

gauche, à la suite de la Ménagère, se précipite dans la boutique des épiciers, les bouscule,[5] *entre, tandis que le Logicien ira se plaquer*[6] *contre le mur du fond, à gauche de l'entrée de l'épicerie. Jean et la Serveuse debout, Bérenger assis, toujours apathique,*[7] *forment un autre groupe. En même temps, on a pu entendre en provenance de*[8] *la gauche des « oh ! », des « ah ! », des pas de gens qui fuient. La poussière,*[9] *soulevée par le fauve, se répand sur le plateau.*)

LE PATRON (*sortant sa tête par la fenêtre à l'étage au-dessus du café*). — Que se passe-t-il?

LE VIEUX MONSIEUR (*disparaissant derrière les épiciers*). — Pardon! (*Le Vieux Monsieur élégant a des guêtres*[10] *blanches, un chapeau mou, une canne à pommeau*[11] *d'ivoire; le Logicien est plaqué contre le mur, il a une petite moustache grise, des lorgnons,*[12] *il est coiffé*[13] *d'un canotier.*[14])

L'ÉPICIÈRE (*bousculée et bousculant son mari, au Vieux Monsieur*). — Attention, vous, avec votre canne!

L'ÉPICIER. — Non, mais des fois,[15] attention! (*On verra la tête du Vieux Monsieur derrière les épiciers.*)

LA SERVEUSE (*au Patron*). — Un rhinocéros!

LE PATRON (*de sa fenêtre, à la Serveuse*). — Vous rêvez! (*Voyant le rhinocéros:*) Oh, ça alors![16]

LA MÉNAGÈRE. — Ah! (*Les « oh » et les « ah » des coulisses sont comme un arrière-fond sonore*[17] *à son « ah » à elle; la Ménagère, qui a laissé tomber son panier à provisions et la bouteille, n'a donc pas laissé tomber son chat qu'elle tient sous l'autre bras.*) Pauvre minet,[18] il a eu peur!

LE PATRON (*regardant toujours vers la gauche, suivant des yeux la course de l'animal, tandis que les bruits produits par celui-ci vont en décroissant:*[19] *sabots, barrissements, etc. Bérenger, lui, écarte simplement un peu la tête, à cause de la poussière, un peu endormi, sans rien dire; il fait simplement une grimace*). — Ça alors!

JEAN (*écartant lui aussi un peu la tête, mais avec vivacité*). — Ça alors! (*Il éternue.*)

LA MÉNAGÈRE (*au milieu du plateau, mais elle s'est retournée vers la *gauche; les provisions sont répandues par terre autour d'elle*). — Ça alors! (*Elle éternue.*)

LE VIEUX MONSIEUR, L'ÉPICIÈRE, L'ÉPICIER (*au fond, rouvrant la porte vitrée de l'épicerie, que le Vieux Monsieur avait refermée derrière lui*). — Ça alors! 5

JEAN. — Ça alors! (*A Bérenger:*) Vous avez vu? (*Les bruits produits par le rhinocéros, son barrissement, se sont bien éloignés; les gens suivent encore du regard l'animal, debout, sauf Bérenger, toujours apathique et assis.*)

TOUS (*sauf Bérenger*). — Ça alors! 10

BÉRENGER (*à Jean*). — Il me semble, oui, c'était un rhinocéros! Ça en fait de la poussière! (*Il sort son mouchoir, se mouche.*)

LA MÉNAGÈRE. — Ça alors! Ce que[1] j'ai eu peur!

L'ÉPICIER (*à la Ménagère*). — Votre panier... vos provisions...

LE VIEUX MONSIEUR (*s'approchant de la Dame et se baissant pour* 15 *ramasser les provisions éparpillées*[2] *sur le plancher. Il la salue galamment, enlevant son chapeau.*)

LE PATRON. — Tout de même, on n'a pas idée...

LA SERVEUSE. — Par exemple!...

LE VIEUX MONSIEUR (*à la Dame*). — Voulez-vous me permettre 20 de vous aider à ramasser vos provisions?

LA DAME (*au Vieux Monsieur*). — Merci, Monsieur. Couvrez-vous, je vous prie. Oh, ce que j'ai eu peur.

LE LOGICIEN. — La peur est irrationnelle. La raison doit la vaincre. 25

LA SERVEUSE. — On ne le voit déjà plus.

LE VIEUX MONSIEUR (*à la Ménagère, montrant le Logicien*). — Mon ami est logicien.

JEAN (*à Bérenger*). — Qu'est-ce que vous en dites?

LA SERVEUSE. — Ça va vite ces animaux-là! 30

LA MÉNAGÈRE (*au Logicien*). — Enchantée, Monsieur.

---

[1] Comme.
[2] dispersées ça et là.

JEAN. — *Dites, qu'est-ce que vous en dites ?... Du rhinocéros, voyons, du rhinocéros.*

L'ÉPICIÈRE (*à l'Épicier*). — C'est bien fait pour elle.[1] Elle n'a pas acheté chez nous.

JEAN (*au Patron et à la Serveuse*). — Qu'est-ce que vous en dites ?

LA MÉNAGÈRE. — Je n'ai quand même pas lâché mon chat.

LE PATRON (*haussant les épaules, à la fenêtre*). — On[2] voit pas ça souvent ! 5

LA MÉNAGÈRE (*au Logicien, tandis que le Vieux Monsieur ramasse les provisions*). — Voulez-vous le garder un instant ?

LA SERVEUSE (*à Jean*). — J'en avais jamais vu !

LE LOGICIEN (*à la Ménagère, prenant le chat dans ses bras*). — Il n'est pas méchant ? 10

LE PATRON (*à Jean*). — C'est comme une comète !

LA MÉNAGÈRE (*au Logicien*). — Il est gentil comme tout. (*Aux autres*). Mon vin, au prix où il est !

L'ÉPICIER (*à la Ménagère*). — J'en ai, c'est pas ça qui manque ! 15

JEAN (*à Bérenger*). — Dites, qu'est-ce que vous en dites ?

L'ÉPICIER (*à la Ménagère*). — Et du bon !

LE PATRON (*à la Serveuse*). — Ne perdez pas votre temps ! Occupez-vous de ces Messieurs ! (*Il montre Bérenger et Jean ; il rentre sa tête.*) 20

BÉRENGER (*à Jean*). — De quoi parlez-vous ?

L'ÉPICIÈRE (*à l'Épicier*). — Va donc lui porter une autre bouteille !

JEAN (*à Bérenger*). — Du rhinocéros, voyons, du rhinocéros ![3]

L'ÉPICIER (*à la Ménagère*). — J'ai du bon vin, dans des bouteilles incassables ![4] (*Il disparaît dans la boutique.*) 25

---

[1] Elle mérite bien ce qui lui arrive.
[2] Omission de *ne :* façon de parler populaire.— Ceci se présentera souvent au cours de la pièce.
[3] C'est une réponse à la question "De quoi parlez-vous ?"
[4] qui ne peuvent se casser.
[5] [pastis] dans le Midi, liqueur parfumée avec de l'anis [ani], [anis].
[6] Terme familier pour *Eh bien !*
[7] légume qui ressemble un peu à l'oignon.
[8] cent anciens francs: un nouveau franc (NF) d'aujourd'hui (depuis janvier 1960).
[9] s'est assis de nouveau.

LE LOGICIEN (*caressant le chat dans ses bras*). — Minet! minet! minet!

LA SERVEUSE (*à Bérenger et à Jean*). — Que voulez-vous boire?

BÉRENGER (*à la Serveuse*). — Deux pastis![5]

5 LA SERVEUSE. — Bien, Monsieur. (*Elle se dirige vers l'entrée du café.*)

LA MÉNAGÈRE (*ramassant ses provisions, aidée par le Vieux Monsieur*). — Vous êtes bien aimable, Monsieur.

LA SERVEUSE. — Alors, deux pastis! (*Elle entre dans le café.*)

10 LE VIEUX MONSIEUR (*à la Ménagère*). — C'est la moindre des choses, chère Madame. (*L'Épicière entre dans sa boutique.*)

LE LOGICIEN (*au Monsieur, à la Ménagère, qui sont en train de ramasser les provisions*). — Remettez-les méthodiquement.

JEAN (*à Bérenger*). — Alors, qu'est-ce que vous en dites?

15 BÉRENGER (*à Jean, ne sachant quoi dire*). — Ben...[6] rien... Ça fait de la poussière...

L'ÉPICIER (*sortant de la boutique avec une bouteille de vin, à la Ménagère*). — J'ai aussi des poireaux.[7]

LE LOGICIEN (*toujours caressant le chat dans ses bras*). — Minet!
20 minet! minet!

L'ÉPICIER (*à la Ménagère*). — C'est cent francs[8] le litre.

LA MÉNAGÈRE (*donnant l'argent à l'Épicier, puis s'adressant au Vieux Monsieur qui a réussi à tout remettre dans le panier*). — Vous êtes bien aimable. Ah, la politesse française! C'est pas
25 comme les jeunes d'aujourd'hui.

L'ÉPICIER (*prenant l'argent de la Ménagère*). — Il faudra venir acheter chez nous. Vous n'aurez pas à traverser la rue. Vous ne risquerez plus les mauvaises rencontres! (*Il rentre dans sa boutique.*)

30 JEAN (*qui s'est rassis[9] et pense toujours au rhinocéros*). — C'est tout de même extraordinaire!

LE VIEUX MONSIEUR (*il soulève son chapeau, baise la main de la Ménagère*). — Très heureux de vous connaître!

LA MÉNAGÈRE (*au Logicien*). — Merci, Monsieur, d'avoir tenu mon chat. (*Le Logicien rend le chat à la Ménagère. La Serveuse réapparaît avec les consommations.*[1])

LA SERVEUSE. — Voici vos pastis, Messieurs!

JEAN (*à Bérenger*). — Incorrigible!

LE VIEUX MONSIEUR (*à la Ménagère*). — Puis-je vous faire un bout de conduite?[2] 5

BÉRENGER (*à Jean, montrant la Serveuse qui entre de nouveau dans la boutique*). — J'avais demandé de l'eau minérale. Elle s'est trompée. (*Jean hausse les épaules, méprisant et incrédule.*)

LA MÉNAGÈRE (*au Vieux Monsieur*). — Mon mari m'attend, cher 10 Monsieur. Merci. Ce sera pour une autre fois!

LE VIEUX MONSIEUR (*à la Ménagère*). — Je l'espère de tout mon cœur, chère Madame.

LA MÉNAGÈRE (*au Vieux Monsieur*). — Moi aussi! (*Yeux doux,*[3] *puis elle sort par la gauche.*) 15

BÉRENGER. — Il n'y a plus de poussière... (*Jean hausse de nouveau les épaules.*)

LE VIEUX MONSIEUR (*au Logicien, suivant du regard la Ménagère*). — Délicieuse!...

JEAN (*à Bérenger*). — Un rhinocéros! Je n'en reviens pas![4] (*Le* 20 *Vieux Monsieur et le Logicien se dirigent vers la droite, doucement, par où ils vont sortir. Ils devisent*[5] *tranquillement.*)

LE VIEUX MONSIEUR (*au Logicien, après avoir jeté un dernier coup d'œil en direction de la Ménagère*). — Charmante, n'est-ce pas?

---

[1] boissons.
[2] vous accompagner une partie du chemin?
[3] regard tendre.
[4] Je n'arrive pas à le croire!
[5] s'entretiennent familièrement.
[6] En logique, raisonnement composé de trois propositions (la majeure, la mineure et la conclusion) dont la troisième dérive nécessairement des deux premières. Aristote, philosophe grec, a formulé les principes de la logique. (Voir la définition du Logicien plus loin dans le texte.)
[7] On voit bien.
[8] Ne vous inquiétez pas.
[9] le rhinocéros ne peut pas nous atteindre.

LE LOGICIEN (*au Vieux Monsieur*). — Je vais vous expliquer le syllogisme.[6]

LE VIEUX MONSIEUR. — Ah oui, le syllogisme!

JEAN (*à Bérenger*). — Je n'en reviens pas! C'est inadmissible.
5 (*Bérenger bâille.*)

LE LOGICIEN (*au Vieux Monsieur*). — Le syllogisme comprend la proposition majeure, la mineure et la conclusion.

LE VIEUX MONSIEUR. — Quelle conclusion? (*Le Logicien et le Vieux Monsieur sortent.*)

10 JEAN. — Non, je n'en reviens pas.

BÉRENGER (*à Jean*). — Ça se voit[7] que vous n'en revenez pas. C'était un rhinocéros, eh bien, oui, c'était un rhinocéros!... Il est loin... il est loin...

JEAN. — Mais voyons, voyons... C'est inouï! Un rhinocéros en
15 liberté dans la ville, cela ne vous surprend pas? On ne devrait pas le permettre! (*Bérenger bâille.*) Mettez donc la main devant votre bouche!...

BÉRENGER. — Ouais... ouais... On ne devrait pas le permettre. C'est dangereux. Je n'y avais pas pensé. Ne vous en faites pas,[8]
20 nous sommes hors d'atteinte.[9]

JEAN. — Nous devrions protester auprès des autorités municipales! A quoi sont-elles bonnes les autorités municipales?

BÉRENGER (*bâillant, puis mettant vivement la main à sa bouche*). — Oh, pardon... Peut-être le rhinocéros s'est-il échappé du jardin
25 zoologique!

JEAN. — Vous rêvez debout!

BÉRENGER. — Je suis assis.

JEAN. — Assis ou debout, c'est la même chose.

BÉRENGER. — Il y a tout de même une différence.

30 JEAN. — Il ne s'agit pas de cela.

BÉRENGER. — C'est vous qui venez de dire que c'est la même chose, d'être assis ou debout...

JEAN. — Vous avez mal compris. Assis ou debout, c'est la même chose, quand on rêve!...

BÉRENGER. — Eh oui, je rêve... La vie est un rêve.

JEAN (*continuant*). — ... Vous rêvez quand vous dites que le rhinocéros s'est échappé du jardin zoologique...

BÉRENGER. — J'ai dit : peut-être...

JEAN (*continuant*). — ...car il n'y a plus de jardin zoologique dans notre ville depuis que les animaux ont été décimés[1] par la peste...[2] il y a fort longtemps... 5

BÉRENGER (*même indifférence*). — Alors, peut-être vient-il du cirque ?

JEAN. — De quel cirque parlez-vous ? 10

BÉRENGER. — Je ne sais pas... un cirque ambulant.[3]

JEAN. — Vous savez bien que la mairie[4] a interdit aux nomades de séjourner sur le territoire de la commune...[5] Il n'en passe plus depuis notre enfance.

BÉRENGER (*essayant de s'empêcher de bâiller et n'y arrivant pas*). 15 — Dans ce cas, peut-être était-il depuis lors resté caché dans les bois marécageux[6] des alentours ?[7]

JEAN (*levant les bras au ciel*). — Les bois marécageux des alentours !

---

[1] tués en grand nombre.
[2] maladie épidémique.
[3] qui va de ville en ville.
[4] l'administration municipale.
[5] Division territoriale, administrée par un maire. Ici la ville et ses environs.
[6] bois où le terrain est humide.
[7] des environs.
[8] vapeurs.
[9] appelée.
[10] Ionesco imagine sa pièce dans le Midi, où le climat est souvent sec et chaud. La Castille, vaste plateau au centre de l'Espagne, est une contrée sèche et par endroits presque déserte. D'où la comparaison entre la province où se déroule la pièce et la Castille.
[11] comme un désert.
[12] exaspéré, furieux.
[13] a-t-il pris refuge.
[14] une branche morte. Notez la fantaisie de cette réplique.
[15] je vous assure.
[16] se moque de moi !
[17] obstiné.
[18] âne, c'est-à-dire, imbécile et obstiné.

les bois marécageux des alentours!... Mon pauvre ami, vous êtes tout à fait dans les brumes[8] épaisses de l'alcool.
BÉRENGER (*naïf*). — Ça c'est vrai... elles montent de l'estomac...
JEAN. — Elles vous enveloppent le cerveau. Où connaissez-vous
5 des bois marécageux dans les alentours?... Notre province est surnommée:[9] «*La petite Castille*»[10] tellement elle est désertique![11]
BÉRENGER (*excédé*[12] *et assez fatigué*). — Que sais-je alors? Peut-être s'est-il abrité[13] sous un caillou?... Peut-être a-t-il fait son nid sur une branche desséchée?...[14]
10 JEAN. — Si vous vous croyez spirituel, vous vous trompez, sachez-le![15] Vous êtes ennuyeux avec... avec vos paradoxes! Je vous tiens pour incapable de parler sérieusement!
BÉRENGER. — Aujourd'hui, aujourd'hui seulement... A cause de... parce que je... (*Il montre sa tête d'un geste vague.*)
15 JEAN. — Aujourd'hui, autant que d'habitude!
BÉRENGER. — Pas autant, tout de même.
JEAN. — Vos mots d'esprit ne valent rien!
BÉRENGER. — Je ne prétends nullement...
JEAN (*l'interrompant*). — Je déteste qu'on se paie ma tête![16]
20 BÉRENGER (*la main sur le cœur*). — Je ne me permettrais jamais, mon cher Jean...
JEAN (*l'interrompant*). — Mon cher Bérenger, vous vous le permettez...
BÉRENGER. — Non, ça non, je ne me le permets pas.
25 JEAN. — Si, vous venez de vous le permettre!
BÉRENGER. — Comment pouvez-vous penser...
JEAN (*l'interrompant*). — Je pense ce qui est!
BÉRENGER. — Je vous assure...
JEAN (*l'interrompant*). — ... Que vous vous payez ma tête!
30 BÉRENGER. — Vraiment, vous êtes têtu.[17]
JEAN. — Vous me traitez de bourrique,[18] par-dessus le marché. Vous voyez bien, vous m'insultez.
BÉRENGER. — Cela ne peut pas me venir à l'esprit.
JEAN. — Vous n'avez pas d'esprit!

BÉRENGER. — Raison de plus pour que cela ne me vienne pas à l'esprit.

JEAN. — Il y a des choses qui viennent à l'esprit même de ceux qui n'en ont pas.

BÉRENGER. — Cela est impossible. 5

JEAN. — Pourquoi cela est-il impossible?

BÉRENGER. — Parce que c'est impossible.

JEAN. — Expliquez-moi pourquoi cela est impossible, puisque vous prétendez être en mesure de[1] tout expliquer...

BÉRENGER. — Je n'ai jamais prétendu une chose pareille. 10

JEAN. — Alors, pourquoi vous en donnez-vous l'air![2] Et, encore une fois, pourquoi m'insultez-vous?

BÉRENGER. — Je ne vous insulte pas. Au contraire. Vous savez à quel point je vous estime.

JEAN. — Si vous m'estimez, pourquoi me contredisez-vous en 15 prétendant qu'il n'est pas dangereux de laisser courir un rhinocéros en plein centre de la ville, surtout un dimanche matin, quand les rues sont pleines d'enfants... et aussi d'adultes...

BÉRENGER. — Beaucoup sont à la messe. Ceux-là ne risquent 20 rien...

JEAN (*l'interrompant*). — Permettez... à l'heure du marché, encore.[3]

BÉRENGER. — Je n'ai jamais affirmé qu'il n'était pas dangereux de laisser courir un rhinocéros dans la ville. J'ai dit tout simplement que je n'avais pas réfléchi à ce danger. Je ne me suis 25 pas posé la question.

---

[1] capable de.
[2] l'apparence.
[3] qui plus est.
[4] ridicule, extravagante.
[5] Pourquoi me chercher querelle.
[6] Ordre d'animaux qui ont un nombre de doigts impair, enveloppés par un sabot, et qui comprend les rhinocéros, les chevaux et les ânes. L'adjectif "quelconque" placé devant le nom indique le mépris de Bérenger pour le rhinocéros.
[7] ce qu'on peut avaler de liquide en une seule fois.
[8] Il fait le geste de.

JEAN. — Vous ne réfléchissez jamais à rien!

BÉRENGER. — Bon, d'accord. Un rhinocéros en liberté, ça n'est pas bien.

JEAN. — Cela ne devrait pas exister.

5 BÉRENGER. — C'est entendu. Cela ne devrait pas exister. C'est même une chose insensée.[4] Bien. Pourtant, ce n'est pas une raison de vous quereller avec moi pour ce fauve. Quelle histoire me cherchez-vous[5] à cause d'un quelconque périssodactyle[6] qui vient de passer tout à fait par hasard, devant nous? Un 10 quadrupède stupide qui ne mérite même pas qu'on en parle! Et féroce en plus... Et qui a disparu aussi, qui n'existe plus. On ne va pas se préoccuper d'un animal qui n'existe pas. Parlons d'autre chose, mon cher Jean, parlons d'autre chose, les sujets de conversation ne manquent pas... (*Il bâille, il prend* 15 *son verre.*) A votre santé! (*A ce moment, le Logicien et le Vieux Monsieur entrent de nouveau, par la droite; ils iront s'installer, tout en parlant, à une des tables de la terrasse du café, assez loin de Bérenger et de Jean, en arrière et à droite de ceux-ci.*)

JEAN. — Laissez ce verre sur la table. Ne le buvez pas. (*Jean boit* 20 *une grande gorgée*[7] *de son pastis et pose le verre à moitié vide sur la table. Bérenger continue de tenir son verre dans la main, sans le poser, sans oser le boire non plus.*)

BÉRENGER. — Je ne vais tout de même pas le laisser au patron! (*Il fait mine de*[8] *vouloir boire.*)

25 JEAN. — Laissez-le, je vous dis.

BÉRENGER. — Bon. (*Il veut remettre le verre sur la table. A ce moment passe Daisy, jeune dactylo blonde, qui traverse le plateau, de droite à gauche. En apercevant Daisy, Bérenger se lève brusquement et en se levant il fait un geste maladroit; le verre tombe et mouille le* 30 *pantalon de Jean.*) Oh, Daisy!

JEAN. — Attention! Que vous êtes maladroit.

BÉRENGER. — C'est Daisy... excusez-moi... (*Il va se cacher, pour ne pas être vu par Daisy.*) Je ne veux pas qu'elle me voie... dans l'état où je suis.

JEAN. — Vous êtes impardonnable, absolument impardonnable! (*Il regarde vers Daisy qui disparaît.*) Cette jeune fille vous effraie?

BÉRENGER. — Taisez-vous, taisez-vous.

JEAN. — Elle n'a pas l'air méchant, pourtant!

BÉRENGER (*revenant vers Jean une fois que Daisy a disparu*). — Excusez-moi, encore une fois, pour... 5

JEAN. — Voilà ce que c'est de boire, vous n'êtes plus maître de vos mouvements, vous n'avez plus de force dans les mains, vous êtes ahuri,[1] esquinté.[2] Vous creusez votre propre tombe, mon cher ami. Vous vous perdez. 10

BÉRENGER. — Je n'aime pas tellement l'alcool. Et pourtant si je ne bois pas, ça ne va pas.[3] C'est comme si j'avais peur, alors je bois pour ne plus avoir peur.

JEAN. — Peur de quoi?

BÉRENGER. — Je ne sais pas trop. Des angoisses difficiles à 15 définir. Je me sens mal à l'aise dans l'existence, parmi les gens, alors je prends un verre. Cela me calme, cela me détend, j'oublie.

JEAN. — Vous vous oubliez!

BÉRENGER. — Je suis fatigué, depuis des années fatigué. J'ai du mal à porter le poids de mon propre corps... 20

JEAN. — C'est de la neurasthénie[4] alcoolique, la mélancolie du buveur de vin...

BÉRENGER (*continuant*). — Je sens à chaque instant mon corps, comme s'il était de plomb, ou comme si je portais un autre homme sur le dos. Je ne me suis pas habitué à moi-même. Je 25

---

[1] stupéfait.
[2] brisé de fatigue (physiquement et moralement, à cause de l'alcool.)
[3] je ne me sens pas très bien.
[4] dépression nerveuse.
[5] Proprement dit, une élucubration est un ouvrage composé à force de veilles, ou, au sens ironique, une élaboration confuse.—Ici, des idées ridicules.
[6] tombe en arrière.
[7] Ici commence un exemple classique dans le théâtre de Ionesco de deux conversations différentes qui se rejoignent de temps en temps par coïncidence.
[8] Noms ridicules.—Exemple du comique de mots souvent rencontré chez la plupart des auteurs de comédie.

ne sais pas si je suis moi. Dès que je bois un peu, le fardeau disparaît, et je me reconnais, je deviens moi.

JEAN. — Des élucubrations,[5] Bérenger, regardez-moi. Je pèse plus que vous. Pourtant, je me sens léger, léger, léger! (*Il bouge ses bras comme s'il allait s'envoler. Le Vieux Monsieur et le Logicien se sont levés de leur table et ont fait quelques pas sur la scène en continuant à deviser. Juste à ce moment, ils passent à côté de Jean et de Bérenger. Un bras de Jean heurte très fort le Vieux Monsieur qui bascule*[6] *dans les bras du Logicien.*)

LE LOGICIEN (*continuant la discussion*). — Un exemple de syllogisme... (*Il est heurté.*) Oh!...

LE VIEUX MONSIEUR (*à Jean*). — Attention. (*Au Logicien.*) Pardon.

JEAN (*au Vieux Monsieur*). — Pardon.

LE LOGICIEN (*au Vieux Monsieur*). — Il n'y a pas de mal.

LE VIEUX MONSIEUR (*à Jean*). — Il n'y a pas de mal. (*Le Vieux Monsieur et le Logicien vont s'asseoir à l'une des tables de la terrasse, un peu à droite et derrière Jean et Bérenger.*)[7]

BÉRENGER (*à Jean*). — Vous avez de la force.

JEAN. — Oui, j'ai de la force, j'ai de la force pour plusieurs raisons. D'abord, j'ai de la force, parce que j'ai de la force, ensuite j'ai de la force parce que j'ai de la force morale. J'ai aussi de la force parce que je ne suis pas alcoolisé. Je ne veux pas vous vexer, mon cher ami, mais je dois vous dire que c'est l'alcool qui pèse en réalité.

LE LOGICIEN (*au Vieux Monsieur*). — Voici donc un syllogisme exemplaire. Le chat a quatre pattes. Isidore et Fricot[8] ont chacun quatre pattes. Donc Isidore et Fricot sont chats.

LE VIEUX MONSIEUR (*au Logicien*). — Mon chien aussi a quatre pattes.

LE LOGICIEN (*au Vieux Monsieur*). — Alors, c'est un chat.

BÉRENGER (*à Jean*). — Moi, j'ai à peine la force de vivre. Je n'en ai plus envie peut-être.

LE VIEUX MONSIEUR (*au Logicien après avoir longuement réfléchi*). — Donc, logiquement, mon chien serait un chat.

LE VIEUX MONSIEUR. — *Donc, logiquement, mon chien serait un chat.*

EPICER

LE LOGICIEN (*au Vieux Monsieur*). — Logiquement, oui. Mais le contraire est aussi vrai.

BÉRENGER (*à Jean*). — La solitude me pèse. La société aussi.

JEAN (*à Bérenger*). — Vous vous contredisez. Est-ce la solitude qui pèse, ou est-ce la multitude? Vous vous prenez pour un penseur et vous n'avez aucune logique. 5

LE VIEUX MONSIEUR (*au Logicien*). — C'est très beau, la logique.

LE LOGICIEN (*au Vieux Monsieur*). — A condition de ne pas en abuser.[1] 10

BÉRENGER (*à Jean*). — C'est une chose anormale de vivre.

JEAN. — Au contraire. Rien de plus naturel. La preuve: tout le monde vit.

BÉRENGER. — Les morts sont plus nombreux que les vivants. Leur nombre augmente. Les vivants sont rares. 15

JEAN. — Les morts, ça n'existe pas, c'est le cas de le dire!...[2] Ah! Ah!... (*Gros rire*). Ceux-là aussi vous pèsent? Comment peuvent peser des choses qui n'existent pas?

BÉRENGER. — Je me demande moi-même si j'existe!

JEAN (*à Bérenger*). — Vous n'existez pas, mon cher, parce que vous ne pensez pas! Pensez, et vous serez.[3] 20

LE LOGICIEN (*au Vieux Monsieur*). — Autre syllogisme: tous les

---

[1] Malheureusement, le Logicien en abuse lui-même!
[2] on peut le dire sans se tromper.
[3] Cf. "Je pense, donc je suis" dans le *Discours de la méthode* (1637) de Descartes, philosophe français (1596-1650).
[4] "Énormité;" exemple du comique cher à Ionesco.
[5] Vous n'êtes pas sérieux.
[6] au fond.
[7] devienne amoureuse d'.
[8] personne qui boit trop.
[9] Allusion comique à "Revenons à nos moutons" (revenons à notre sujet) dans une scène de l'*Avocat Pathelin,* célèbre farce du XVe siècle.
[10] En tout cas.
[11] Qui a obtenu la licence en droit, diplôme qui mène à la profession d'avocat ou à la magistrature.
[12] dans nos bureaux.
[13] estimé.

chats sont mortels. Socrate[4] est mortel. Donc Socrate est un chat.

LE VIEUX MONSIEUR. — Et il a quatre pattes. C'est vrai, j'ai un chat qui s'appelle Socrate.

5 LE LOGICIEN. — Vous voyez...

JEAN (*à Bérenger*). — Vous êtes un farceur,[5] dans le fond.[6] Un menteur. Vous dites que la vie ne vous intéresse pas. Quelqu'un, cependant, vous intéresse!

BÉRENGER. — Qui?

10 JEAN. — Votre petite camarade de bureau, qui vient de passer. Vous en êtes amoureux!

LE VIEUX MONSIEUR (*au Logicien*). — Socrate était donc un chat!

LE LOGICIEN (*au Vieux Monsieur*). — La logique vient de nous le révéler.

15 JEAN (*à Bérenger*).— Vous ne vouliez pas qu'elle vous voie dans le triste état où vous vous trouviez. (*Geste de Bérenger.*) Cela prouve que tout ne vous est pas indifférent. Mais comment voulez-vous que Daisy soit séduite par[7] un ivrogne?[8]

LE LOGICIEN (*au Vieux Monsieur*). — Revenons à nos chats.[9]

20 LE VIEUX MONSIEUR (*au Logicien*). — Je vous écoute.

BÉRENGER (*à Jean*). — De toute façon,[10] je crois qu'elle a déjà quelqu'un en vue.

JEAN (*à Bérenger*). — Qui donc?

BÉRENGER. — Dudard. Un collègue du bureau: licencié en droit,[11]
25 juriste, grand avenir dans la maison,[12] de l'avenir dans le cœur de Daisy; je ne peux pas rivaliser avec lui.

LE LOGICIEN (*au Vieux Monsieur*). — Le chat Isidore a quatre pattes.

LE VIEUX MONSIEUR. — Comment le savez-vous?

30 LE LOGICIEN. — C'est donné par hypothèse.

BÉRENGER (*à Jean*).— Il est bien vu[13] par le chef. Moi, je n'ai pas d'avenir, pas fait d'études, je n'ai aucune chance.

LE VIEUX MONSIEUR (*au Logicien*). — Ah! par hypothèse!

JEAN (*à Bérenger*). — Et vous renoncez, comme cela...

BÉRENGER (*à Jean*). — Que pourrais-je faire?

LE LOGICIEN (*au Vieux Monsieur*). — Fricot aussi a quatre pattes. Combien de pattes auront Fricot et Isidore?

LE VIEUX MONSIEUR (*au Logicien*). — Ensemble, ou séparément? 5

JEAN (*à Bérenger*). — La vie est une lutte, c'est lâche de ne pas combattre!

LE LOGICIEN (*au Vieux Monsieur*). — Ensemble, ou séparément, c'est selon.[1]

BÉRENGER (*à Jean*). — Que voulez-vous, je suis désarmé. 10

JEAN. — Armez-vous, mon cher, armez-vous.

LE VIEUX MONSIEUR (*au Logicien, après avoir péniblement réfléchi*). — Huit, huit pattes.

LE LOGICIEN. — La logique mène au calcul mental.

LE VIEUX MONSIEUR. — Elle a beaucoup de facettes! 15

BÉRENGER (*à Jean*). — Où trouver les armes?

LE LOGICIEN (*au Vieux Monsieur*). — La logique n'a pas de limites!

JEAN. — En vous-même. Par votre volonté.

BÉRENGER (*à Jean*). — Quelles armes? 20

LE LOGICIEN (*au Vieux Monsieur*). — Vous allez voir...

JEAN (*à Bérenger*). — Les armes de la patience, de la culture, les armes de l'intelligence. (*Bérenger bâille.*) Devenez un esprit vif et brillant. Mettez-vous à la page.[2]

BÉRENGER (*à Jean*). — Comment se mettre à la page? 25

LE LOGICIEN (*au Vieux Monsieur*). — J'enlève deux pattes à ces chats. Combien leur en restera-t-il à chacun?

LE VIEUX MONSIEUR. — C'est compliqué.

BÉRENGER (*à Jean*). — C'est compliqué.

LE LOGICIEN (*au Vieux Monsieur*). — C'est simple, au contraire. 30

---

[1] cela dépend.
[2] au courant.
[3] de son vêtement.
[4] vanité.

LE VIEUX MONSIEUR (*au Logicien*). — C'est facile pour vous, peut-être, pas pour moi.

BÉRENGER (*à Jean*). — C'est facile pour vous, peut-être, pas pour moi.

5 LE LOGICIEN (*au Vieux Monsieur*). — Faites un effort de pensée, voyons. Appliquez-vous.

JEAN (*à Bérenger*). — Faites un effort de volonté, voyons. Appliquez-vous.

LE VIEUX MONSIEUR (*au Logicien*). — Je ne vois pas.

10 BÉRENGER (*à Jean*). — Je ne vois vraiment pas.

LE LOGICIEN (*au Vieux Monsieur*). — On doit tout vous dire.

JEAN (*à Bérenger*). — On doit tout vous dire.

LE LOGICIEN (*au Vieux Monsieur*). — Prenez une feuille de papier, calculez. On enlève six pattes aux deux chats, combien de 15 pattes restera-t-il à chaque chat ?

LE VIEUX MONSIEUR. — Attendez... (*Il calcule sur une feuille de papier qu'il tire de sa poche.*)

JEAN. — Voilà ce qu'il faut faire : vous vous habillez correctement, vous vous rasez tous les jours, vous mettez une chemise 20 propre.

BÉRENGER (*à Jean*). — C'est cher, le blanchissage...

JEAN (*à Bérenger*). — Économisez sur l'alcool. Ceci, pour l'extérieur : chapeau, cravate comme celle-ci, costume élégant, chaussures bien cirées. (*En parlant des éléments vestimentaires,*[3] 25 *Jean montre, avec fatuité,*[4] *son propre chapeau, sa propre cravate, ses propres souliers.*)

LE VIEUX MONSIEUR (*au Logicien*). — Il y a plusieurs solutions possibles.

LE LOGICIEN (*au Vieux Monsieur*). — Dites.

30 BÉRENGER (*à Jean*). — Ensuite, que faire ? Dites...

LE LOGICIEN (*au Vieux Monsieur*). — Je vous écoute.

BÉRENGER (*à Jean*). — Je vous écoute.

JEAN (*à Bérenger*). — Vous êtes timide, mais vous avez des dons !

BÉRENGER (*à Jean*). — Moi, j'ai des dons ?

JEAN. — Mettez-les en valeur.[1] Il faut être dans le coup.[2] Soyez au courant des événements littéraires et culturels de notre époque.

LE VIEUX MONSIEUR (*au Logicien*). — Une première possibilité : un chat peut avoir quatre pattes, l'autre deux. 5

BÉRENGER (*à Jean*). — J'ai si peu de temps libre.

LE LOGICIEN. — Vous avez des dons, il suffisait de les mettre en valeur.

JEAN. — Le peu de temps libre que vous avez, mettez-le donc à profit. Ne vous laissez pas aller à la dérive.[3] 10

LE VIEUX MONSIEUR. — Je n'ai guère eu le temps. J'ai été fonctionnaire.[4]

LE LOGICIEN (*au Vieux Monsieur*). — On trouve toujours le temps de s'instruire.

JEAN (*à Bérenger*). — On a toujours le temps. 15

BÉRENGER (*à Jean*). — C'est trop tard.

LE VIEUX MONSIEUR (*au Logicien*). — C'est un peu tard, pour moi.

JEAN (*à Bérenger*). — Il n'est jamais trop tard.

LE LOGICIEN (*au Vieux Monsieur*). — Il n'est jamais trop tard.

JEAN (*à Bérenger*). — Vous avez huit heures de travail, comme moi, 20 comme tout le monde, mais le dimanche, mais le soir, mais les trois semaines de vacances en été ? Cela suffit, avec de la méthode.

LE LOGICIEN (*au Vieux Monsieur*). — Alors, les autres solutions ?

---

[1] Mettez-les en pratique.
[2] Il faut jouer un rôle.
[3] Ne vous laissez pas dominer par votre apathie.
[4] employé dans une administration.
[5] disposé (à travailler), en bonne forme.
[6] boissons alcoolisées.
[7] De même que dans un film d'Alfred Hitchcock, où l'on voit momentanément le visage du réalisateur comme une sorte de signature visuelle, Ionesco se présente lui-même. Cette réplique fait toujours rire. (Cf. Molière qui parle longuement de son œuvre dans *La Critique de l'École des Femmes* et qui se joue lui-même dans *L'Impromptu de Versailles*.)
[8] On en joue une.
[9] Ionesco se moque de lui-même.

Avec méthode, avec méthode... (*Le Monsieur se met à calculer de nouveau.*)

JEAN (*à Bérenger*). — Tenez, au lieu de boire et d'être malade, ne vaut-il pas mieux être frais et dispos,[5] même au bureau? Et
5 vous pouvez passer vos moments disponibles d'une façon intelligente.

BÉRENGER (*à Jean*). — C'est-à-dire?...

JEAN (*à Bérenger*). — Visitez les musées, lisez des revues littéraires, allez entendre des conférences. Cela vous sortira de vos
10 angoisses, cela vous formera l'esprit. En quatre semaines, vous êtes un homme cultivé.

BÉRENGER (*à Jean*). — Vous avez raison!

LE VIEUX MONSIEUR (*au Logicien*). — Il peut y avoir un chat à cinq pattes...

15 JEAN (*à Bérenger*). — Vous le dites vous-même.

LE VIEUX MONSIEUR (*au Logicien*). — Et un autre chat à une patte. Mais alors seront-ils toujours des chats?

LE LOGICIEN (*au Vieux Monsieur*). — Pourquoi pas?

JEAN (*à Bérenger*). — Au lieu de dépenser tout votre argent
20 disponible en spiritueux,[6] n'est-il pas préférable d'acheter des billets de théâtre pour voir un spectacle intéressant? Connaissez-vous le théâtre d'avant-garde, dont on parle tant? Avez-vous vu les pièces de Ionesco?[7]

BÉRENGER (*à Jean*). — Non, hélas! J'en ai entendu parler seule-
25 ment.

LE VIEUX MONSIEUR (*au Logicien*). — En enlevant les deux pattes, sur huit, des deux chats...

JEAN (*à Bérenger*). — Il en passe une,[8] en ce moment. Profitez-en.

LE VIEUX MONSIEUR. — Nous pouvons avoir un chat à six
30 pattes...

BÉRENGER. — Ce sera une excellente initiation à la vie artistique de notre temps.[9]

LE VIEUX MONSIEUR (*au Logicien*). — Et un chat, sans pattes du tout.

BÉRENGER. — Vous avez raison, vous avez raison. Je vais me mettre à la page, comme vous dites.

LE LOGICIEN (*au Vieux Monsieur*). — Dans ce cas, il y aurait un chat privilégié.

BÉRENGER (*à Jean*). — Je vous le promets. 5

JEAN. — Promettez-le-vous, à vous-même surtout.

LE VIEUX MONSIEUR. — Et un chat aliéné[1] de toutes ses pattes, déclassé ?[2]

BÉRENGER. — Je me le promets solennellement. Je tiendrai parole à moi-même. 10

LE LOGICIEN. — Cela ne serait pas juste. Donc ce ne serait pas logique.

BÉRENGER (*à Jean*). — Au lieu de boire, je décide de cultiver mon esprit. Je me sens déjà mieux. J'ai déjà la tête plus claire.

JEAN. — Vous voyez bien! 15

LE VIEUX MONSIEUR (*au Logicien*). — Pas logique ?

BÉRENGER. — Dès cet après-midi, j'irai au musée municipal. Pour ce soir, j'achète deux places au théâtre. M'accompagnez-vous ?

LE LOGICIEN (*au Vieux Monsieur*). — Car la justice, c'est la logique. 20

JEAN (*à Bérenger*). — Il faudra persévérer. Il faut que vos bonnes intentions durent.

LE VIEUX MONSIEUR (*au Logicien*). — Je saisis.[3] La justice...

BÉRENGER (*à Jean*). — Je vous le promets, je me le promets. M'accompagnez-vous au musée cet après-midi ? 25

JEAN (*à Bérenger*). — Cet après-midi, je fais la sieste, c'est dans mon programme.[4]

LE VIEUX MONSIEUR (*au Logicien*). — La justice, c'est encore une facette de la logique. 30

---

[1] privé.
[2] hors de sa classe, déchu.
[3] Je comprends.
[4] Jean, qui prétend être logique, ne l'est pas. Il ne suit pas ses propres conseils.

LE VIEUX MONSIEUR. — *Et un autre chat à une patte.*

BÉRENGER (*à Jean*). — Mais, vous voulez bien venir avec moi ce soir au théâtre?

JEAN. — Non, pas ce soir.

LE LOGICIEN (*au Vieux Monsieur*). — Votre esprit s'éclaire!

JEAN (*à Bérenger*). — Je souhaite que vous persévériez dans vos bonnes intentions. Mais, ce soir, je dois rencontrer des amis à la brasserie.[1] 5

BÉRENGER. — A la brasserie?

LE VIEUX MONSIEUR (*au Logicien*). — D'ailleurs, un chat sans pattes du tout... 10

JEAN (*à Bérenger*). — J'ai promis d'y aller. Je tiens mes promesses.

LE VIEUX MONSIEUR (*au Logicien*). — ... ne pourrait plus courir assez vite pour attraper les souris.

BÉRENGER (*à Jean*). — Ah, mon cher, c'est à votre tour de donner le mauvais exemple! Vous allez vous enivrer.[2] 15

LE LOGICIEN (*au Vieux Monsieur*). — Vous faites déjà des progrès en logique! (*On commence de nouveau à entendre, se rapprochant toujours très vite, un galop rapide, un barrissement, les bruits précipités des sabots d'un rhinocéros, son souffle bruyant,*[3] *mais, cette fois, en sens inverse,*[4] *du fond de la scène vers le devant, toujours en coulisse, à gauche.*) 20

JEAN (*furieux, à Bérenger*). — Mon cher ami, une fois n'est pas coutume. Aucun rapport avec vous. Car vous... vous... ce n'est pas la même chose... 25

---

[1] café ou restaurant populaire.
[2] vous rendre ivre.
[3] qui fait beaucoup de bruit.
[4] opposé.
[5] Indication scénique qui veut dire que le personnage continue dans la même attitude. Ici, Jean criant, lui aussi.
[6] raisonnable, sensé.
[7] arrondies, pour mieux entendre.
[8] criant très fort.
[9] remarquant pour la première fois.
[10] viennent.

BÉRENGER (*à Jean*). — Pourquoi ne serait-ce pas la même chose?

JEAN (*criant pour dominer le bruit venant de la boutique*). — Je ne suis pas un ivrogne, moi!

LE LOGICIEN (*au Vieux Monsieur*). — Même sans pattes, le chat
5 doit attraper les souris. C'est dans sa nature.

BÉRENGER (*criant très fort*). — Je ne veux pas dire que vous êtes un ivrogne. Mais pourquoi le serais-je, moi, plus que vous, dans un cas semblable?

LE VIEUX MONSIEUR (*criant, au Logicien*). — Qu'est-ce qui est
10 dans la nature du chat?

JEAN (*à Bérenger; même jeu*[5]). — Parce que tout est affaire de mesure. Contrairement à vous, je suis un homme mesuré.[6]

LE LOGICIEN (*au Vieux Monsieur, mains en cornet*[7] *à l'oreille*). — Qu'est-ce que vous dites? (*Grands bruits couvrant les paroles des*
15 *quatre personnages.*)

BÉRENGER (*mains en cornet à l'oreille, à Jean*). — Tandis que moi, quoi, qu'est-ce que vous dites?

JEAN (*hurlant*[8]). — Je dis que...

LE VIEUX MONSIEUR (*hurlant*). — Je dis que...

20 JEAN (*prenant conscience*[9] *des bruits qui sont très proches*). — Mais, que se passe-t-il?

LE LOGICIEN. — Mais, qu'est-ce que c'est?

JEAN (*se lève, fait tomber sa chaise en se levant, regarde vers la coulisse gauche d'où proviennent*[10] *les bruits d'un rhinocéros passant en sens*
25 *inverse*). — Oh, un rhinocéros!

LE LOGICIEN (*se lève, fait tomber sa chaise*). — Oh, un rhinocéros!

LE VIEUX MONSIEUR (*même jeu*). — Oh, un rhinocéros!

BÉRENGER (*toujours assis, mais plus réveillé cette fois*). — Un rhinocéros! en sens inverse.

30 LA SERVEUSE (*sortant avec un plateau et des verres*). — Qu'est-ce que c'est? Oh, un rhinocéros! (*Elle laisse tomber le plateau; les verres se brisent.*)

LE PATRON (*sortant de la boutique*). — Qu'est-ce que c'est?

LA SERVEUSE (*au Patron*). — Un rhinocéros!

LE LOGICIEN. — Un rhinocéros, à toute allure sur le trottoir d'en face!

L'ÉPICIER (*sortant de la boutique*). — Oh, un rhinocéros!

JEAN. — Oh, un rhinocéros!

L'ÉPICIÈRE (*sortant la tête par la fenêtre, au-dessus de la boutique*). — Oh, un rhinocéros! 5

LE PATRON (*à la Serveuse*). — Ce n'est pas une raison pour casser les verres.

JEAN. — Il fonce[1] droit devant lui, frôle les étalages.

DAISY (*venant de la gauche*). — Oh, un rhinocéros! 10

BÉRENGER (*apercevant Daisy*). — Oh, Daisy! (*On entend des pas précipités de gens qui fuient, des oh, des ah, comme tout à l'heure.*)

LA SERVEUSE. — Ça alors!

LE PATRON (*à la Serveuse*). — Vous me la paierez, la casse![2] 15 (*Bérenger essaye de se dissimuler, pour ne pas être vu par Daisy. Le Vieux Monsieur, le Logicien, l'Épicière, l'Épicier, se dirigent vers le milieu du plateau et disent :*

ENSEMBLE. — Ça alors!

JEAN *et* BÉRENGER. — Ça alors! (*On entend un miaulement déchirant,* 20 *puis le cri, tout aussi déchirant, d'une femme.*)

TOUS. — Oh! (*Presque au même instant, et tandis que les bruits s'éloignent rapidement, apparaît la Ménagère de tout à l'heure, sans son panier, mais tenant dans ses bras un chat tué et ensanglanté.*[3])

LA MÉNAGÈRE (*se lamentant*). — Il a écrasé mon chat, il a écrasé 25 mon chat!

LA SERVEUSE. — Il a écrasé son chat! (*L'Épicier, l'Épicière, à la*

---

[1] Il se précipite.
[2] ce qui est cassé.
[3] couvert de sang.
[4] brisez.
[5] surveillant.
[6] tenant tendrement (en balançant doucement).
[7] Nom de chat, comique, parce que c'est assez rare. Colette (romancière française, 1873-1954) emploie ce nom pour une femme qui est comme une chatte.

fenêtre, le Vieux Monsieur, Daisy, le Logicien, entourent la Ménagère, ils disent :)

ENSEMBLE. — Si c'est pas malheureux, pauvre petite bête!

LE VIEUX MONSIEUR. — Pauvre petite bête!

5 DAISY *et* LA SERVEUSE. — Pauvre petite bête!

L'ÉPICIER, L'ÉPICIÈRE (*à la fenêtre*), LE VIEUX MONSIEUR, LE LOGICIEN. — Pauvre petite bête!

LE PATRON (*à la Serveuse, montrant les verres brisés, les chaises renversées*). — Que faites-vous donc? Ramassez-moi cela! (*A*
10 *leur tour, Jean et Bérenger se précipitent, entourent la Ménagère qui se lamente toujours, le chat mort dans ses bras.*)

LA SERVEUSE (*se dirigeant vers la terrasse du café pour ramasser les débris des verres et les chaises renversées, tout en regardant en arrière, vers la Ménagère*). — Oh, pauvre petite bête!

15 LE PATRON (*indiquant du doigt, à la Serveuse, les chaises et les verres brisés*). — Là, là!

LE VIEUX MONSIEUR (*à l'Épicier*). — Qu'est-ce que vous en dites?

BÉRENGER (*à la Ménagère*). — Ne pleurez pas, Madame, vous nous fendez[4] le cœur!

20 DAISY (*à Bérenger*). — Monsieur Bérenger... Vous étiez là? Vous avez vu?

BÉRENGER (*à Daisy*). — Bonjour, Mademoiselle Daisy, je n'ai pas eu le temps de me raser, excusez-moi de...

LE PATRON (*contrôlant[5] le ramassage des débris puis jetant un coup*
25 *d'œil vers la Ménagère*). — Pauvre petite bête!

LA SERVEUSE (*ramassant les débris, le dos tourné à la Ménagère*). — Pauvre petite bête! (*Évidemment, toutes ces répliques doivent être dites très rapidement, presque simultanément.*)

L'ÉPICIÈRE (*à la fenêtre*). — Ça, c'est trop fort!

30 JEAN. — Ça, c'est trop fort!

LA MÉNAGÈRE (*se lamentant et berçant[6] le chat mort dans ses bras*). — Mon pauvre Mitsou,[7] mon pauvre Mitsou!

LE VIEUX MONSIEUR (*à la Ménagère*). — J'aurais aimé vous revoir en d'autres circonstances!

LE LOGICIEN (*à la Ménagère*). — Que voulez-vous, Madame, tous les chats sont mortels! Il faut se résigner.

LA MÉNAGÈRE (*se lamentant*). — Mon chat, mon chat, mon chat!

LE PATRON (*à la Serveuse qui a le tablier plein de brisures*[1] *de verre*).— Allez porter cela à la poubelle![2] (*Il a relevé les chaises.*) Vous me devez mille francs!

LA SERVEUSE (*rentrant dans la boutique; au Patron*). — Vous ne pensez qu'à vos sous.

L'ÉPICIÈRE (*à la Ménagère, de la fenêtre*). — Calmez-vous, Madame.

LE VIEUX MONSIEUR (*à la Ménagère*). — Calmez-vous, chère Madame.

L'ÉPICIÈRE (*de la fenêtre*). — Ça fait de la peine, quand même!

LA MÉNAGÈRE. — Mon chat! mon chat! mon chat!

DAISY. — Ah oui, ça fait de la peine quand même.

LE VIEUX MONSIEUR (*soutenant la Ménagère et se dirigeant avec elle à une table de la terrasse; il est suivi de tous les autres*). — Asseyez-vous là, Madame.

JEAN (*au Vieux Monsieur*). — Qu'est-ce que vous en dites?

L'ÉPICIER (*au Logicien*). — Qu'est-ce que vous en dites?

L'ÉPICIÈRE (*à Daisy, de la fenêtre*). — Qu'est-ce que vous en dites?

LE PATRON (*à la Serveuse qui réapparaît, tandis qu'on fait asseoir, à une des tables de la terrasse, la Ménagère en larmes, berçant toujours le chat mort*). — Un verre d'eau pour Madame.

LE VIEUX MONSIEUR (*à la Dame*). — Asseyez-vous, chère Madame!

JEAN. — Pauvre femme!

L'ÉPICIÈRE (*de la fenêtre*). — Pauvre bête!

---

[1] fragments.
[2] boîte où l'on jette les restes des repas, les ordures, etc.
[3] C'est-à-dire, le rhinocéros.
[4] (des rhinocéros).
[5] vous redonner des forces.
[6] Langage enfantin. La Ménagère prolonge la voyelle parce qu'elle pleure, comme font les enfants.
[7] Affirmation après la négation "Noon."
[8] une petite gorgée.

BÉRENGER (*à la Serveuse*). — Apportez-lui un cognac plutôt.

LE PATRON (*à la Serveuse*). — Un cognac! (*Montrant Bérenger.*) C'est Monsieur qui paye! (*La Serveuse entre dans la boutique en disant:*)

5 LA SERVEUSE. — Entendu, un cognac!

LA MÉNAGÈRE (*sanglotant*). — Je n'en veux pas, je n'en veux pas!

L'ÉPICIER. — Il[3] est déjà passé tout à l'heure, devant la boutique.

JEAN (*à l'Épicier*). — Ce n'était pas le même!

L'ÉPICIER (*à Jean*). — Pourtant...

10 L'ÉPICIÈRE. — Oh si, c'était le même.

DAISY. — C'est la deuxième fois qu'il en[4] passe?

LE PATRON. — Je crois que c'était le même.

JEAN. — Non, ce n'était pas le même rhinocéros. Celui de tout à l'heure avait deux cornes sur le nez, c'était un rhinocéros

15 d'Asie; celui-ci n'en avait qu'une, c'était un rhinocéros d'Afrique! (*La Serveuse sort avec un verre de cognac, le porte à la Dame.*)

LE VIEUX MONSIEUR. — Voilà du cognac, pour vous remonter.[5]

LA MÉNAGÈRE (*en larmes*). — Noon...[6]

BÉRENGER (*soudain énervé, à Jean*). — Vous dites des sottises!...

20 Comment avez-vous pu distinguer les cornes! Le fauve est passé à une telle vitesse, à peine avons-nous pu l'apercevoir...

DAISY (*à la Ménagère*). — Mais si,[7] ça vous fera du bien!

LE VIEUX MONSIEUR (*à Bérenger*). — En effet, il allait vite.

LE PATRON (*à la Ménagère*). — Goûtez-y, il est bon.

25 BÉRENGER (*à Jean*). — Vous n'avez pas eu le temps de compter ses cornes...

L'ÉPICIÈRE (*à la Serveuse, de sa fenêtre*). — Faites-la boire.

BÉRENGER (*à Jean*). — En plus, il était enveloppé d'un nuage de poussière...

30 DAISY (*à la Ménagère*). — Buvez, Madame.

LE VIEUX MONSIEUR (*à la même*). — Un petit coup,[8] ma chère petite Dame... courage... (*La Serveuse fait boire la Ménagère, en portant le verre à ses lèvres; celle-ci fait mine de refuser, et boit quand même.*)

LA SERVEUSE. — Voilà!

L'ÉPICIÈRE (*de sa fenêtre*) *et* DAISY. — Voilà!

JEAN (*à Bérenger*). — Moi, je ne suis pas dans le brouillard. Je calcule vite, j'ai l'esprit clair!

LE VIEUX MONSIEUR (*à la Ménagère*). — Ça va mieux? 5

BÉRENGER (*à Jean*). — Il fonçait tête baissée, voyons.

LE PATRON (*à la Ménagère*). — N'est-ce pas qu'il est bon!

JEAN (*à Bérenger*). — Justement, on voyait mieux.

LA MÉNAGÈRE (*après avoir bu*). — Mon chat!

BÉRENGER (*irrité, à Jean*). — Sottises! Sottises! 10

L'ÉPICIÈRE (*de sa fenêtre, à la Ménagère*). — J'ai un autre chat, pour vous.

JEAN (*à Bérenger*). — Moi? Vous osez prétendre que je dis des sottises?

LA MÉNAGÈRE (*à l'Épicière*). — Je n'en veux pas d'autre! (*Elle sanglote, en berçant son chat.*) 15

BÉRENGER (*à Jean*). — Oui, parfaitement, des sottises.

LE PATRON (*à la Ménagère*). — Faites-vous une raison![1]

JEAN (*à Bérenger*). — Je ne dis jamais de sottises, moi!

LE VIEUX MONSIEUR (*à la Ménagère*). — Soyez philosophe! 20

BÉRENGER (*à Jean*). — Et vous n'êtes qu'un prétentieux![2] (*Élevant la voix :*) Un pédant...[3]

LE PATRON (*à Jean et à Bérenger*). — Messieurs, Messieurs!

BÉRENGER (*à Jean, continuant*). — ... Un pédant, qui n'est pas sûr

---

[1] Soyez raisonnable!
[2] ambitieux, orgueilleux (personne qui se vante de qualités qu'il ne possède pas).
[3] Notez ce changement subtil du caractère de Bérenger. Il se montre plus courageux.
[4] C'est Bérenger qui a raison. Le rhinocéros d'Asie n'a généralement qu'une corne sur le nez; celui d'Afrique en a deux.
[5] abandonnent, quittent.
[6] gentil.
[7] risquer une somme d'argent (pour prouver que vous avez raison).
[8] irritez.
[9] Vous ne valez pas mieux qu'un Asiatique.
[10] Mais non.
[11] dans le commerce.
[12] C'est un cliché antiraciste.

de ses connaissances, car, d'abord, c'est le rhinocéros d'Asie qui a une corne sur le nez, le rhinocéros d'Afrique, lui, en a deux...[4] (*Les autres personnages délaissent*[5] *la Ménagère, et vont entourer Jean et Bérenger qui discutent très fort.*)

5 JEAN (*à Bérenger*). — Vous vous trompez, c'est le contraire!

LA MÉNAGÈRE (*seule*). — Il était si mignon![6]

BÉRENGER. — Voulez-vous parier?[7]

LA SERVEUSE. — Ils veulent parier!

DAISY (*à Bérenger*). — Ne vous énervez[8] pas, monsieur Bérenger.

10 JEAN (*à Bérenger*). — Je ne parie pas avec vous. Les deux cornes, c'est vous qui les avez! Espèce d'Asiatique![9]

LA SERVEUSE. — Oh!

L'ÉPICIÈRE (*de la fenêtre, à l'Épicier*). — Ils vont se battre.

L'ÉPICIER (*à l'Épicière*). — Penses-tu,[10] c'est un pari!

15 LE PATRON (*à Jean et à Bérenger*). — Pas de scandale ici.

LE VIEUX MONSIEUR. — Voyons... Quelle espèce de rhinocéros n'a qu'une corne sur le nez? (*A l'Épicier.*) Vous, qui êtes commerçant,[11] vous devez savoir!

L'ÉPICIÈRE (*de la fenêtre, à l'Épicier*). — Tu devrais savoir!

20 BÉRENGER (*à Jean*). — Je n'ai pas de corne. Je n'en porterai jamais!

L'ÉPICIER (*au Vieux Monsieur*). — Les commerçants ne peuvent pas tout savoir!

JEAN (*à Bérenger*). — Si!

25 BÉRENGER (*à Jean*).— Je ne suis pas Asiatique non plus. D'autre part, les Asiatiques sont des hommes comme tout le monde...[12]

LA SERVEUSE. — Oui, les Asiatiques sont des hommes comme vous et moi...

LE VIEUX MONSIEUR (*au Patron*). — C'est juste!

30 LE PATRON (*à la Serveuse*). — On ne vous demande pas votre avis!

DAISY (*au Patron*). — Elle a raison. Ce sont des hommes comme nous. (*La Ménagère continue de se lamenter, pendant toute cette discussion.*)

LA MÉNAGÈRE. — Il était si doux, il était comme nous.

JEAN (*hors de lui*). — Ils sont jaunes! (*Le Logicien, à l'écart, entre la Ménagère et le groupe qui s'est formé autour de Jean et de Bérenger, suit la controverse attentivement, sans y participer.*)

JEAN. — Adieu, Messieurs! (*A Bérenger.*) Vous, je ne vous salue pas! 5

LA MÉNAGÈRE (*même jeu*). — Il nous aimait tellement! (*Elle sanglote.*)

DAISY. — Voyons, monsieur Bérenger, voyons, monsieur Jean...

LE VIEUX MONSIEUR. — J'ai eu des amis asiatiques. Peut-être 10 n'étaient-ils pas de vrais Asiatiques...

LE PATRON. — J'en ai connu des vrais.

LA SERVEUSE (*à l'Épicière*). — J'ai eu un ami asiatique.

LA MÉNAGÈRE (*même jeu*). — Je l'ai eu tout petit!

JEAN (*toujours hors de lui*). — Ils sont jaunes! jaunes! très jaunes! 15

BÉRENGER (*à Jean*). — En tout cas, vous, vous êtes écarlate![1]

L'ÉPICIÈRE (*de la fenêtre*) *et* LA SERVEUSE. — Oh!

LE PATRON. — Ça tourne mal!

LA MÉNAGÈRE (*même jeu*). — Il était si propre! Il faisait dans sa sciure![2] 20

JEAN (*à Bérenger*). — Puisque c'est comme ça, vous ne me verrez plus! Je perds mon temps avec un imbécile de votre espèce.

LA MÉNAGÈRE (*même jeu*). — Il se faisait comprendre!

JEAN (*sort vers la droite, très vite, furieux...*[3] *Il se retourne toutefois, avant de sortir pour de bon*). 25

---

[1] d'un rouge très vif (dû à sa colère).

[2] Il faisait ses besoins dans une caisse pleine de sciure de bois.

[3] A l'Odéon, vers la fin de la dispute, Bérenger et Jean se battaient et devaient être séparés par les autres. Certains critiques ont considéré que cette empoignade (bataille) était exagérée et que le metteur en scène avait mis l'accent un peu trop sur le comique. Qu'en pensez-vous?

[4] [tus].

[5] Il ne lui manquait pas la parole.

[6] caisse où l'on enferme les cadavres avant de les enterrer.

[7] sans pouvoir se retenir.

LE VIEUX MONSIEUR (*à l'Épicier*). — Il y a aussi des Asiatiques blancs, noirs, bleus, d'autres comme nous.

JEAN (*à Bérenger*). — Ivrogne! (*Tous*[4] *le regardent, consternés.*)

BÉRENGER (*en direction de Jean*). — Je ne vous permets pas!

5 TOUS (*en direction de Jean*). — Oh!

LA MÉNAGÈRE (*même jeu*). — Il ne lui manquait que la parole. Même pas.[5]

DAISY (*à Bérenger*). — Vous n'auriez pas dû le mettre en colère.

BÉRENGER (*à Daisy*). — Ce n'est pas ma faute...

10 LE PATRON (*à la Serveuse*). — Allez chercher un petit cercueil,[6] pour cette pauvre bête...

LE VIEUX MONSIEUR (*à Bérenger*). — Je pense que vous avez raison. Le rhinocéros d'Asie a deux cornes, le rhinocéros d'Afrique en a une...

15 L'ÉPICIER. — Monsieur soutenait le contraire.

DAISY (*à Bérenger*). — Vous avez eu tort tous les deux!

LE VIEUX MONSIEUR (*à Bérenger*). — Vous avez tout de même eu raison.

LA SERVEUSE (*à la Ménagère*). — Venez, Madame, on va le mettre 20 en boîte.

LA MÉNAGÈRE (*sanglotant éperdument*[7]). — Jamais! jamais!

L'ÉPICIER. — Je m'excuse; moi, je pense que c'est monsieur Jean qui avait raison.

DAISY (*se tournant vers la Ménagère*). — Soyez raisonnable, Ma-25 dame! (*Daisy et la Serveuse entraînent la Ménagère, avec son chat mort, vers l'entrée du café.*)

LE VIEUX MONSIEUR (*à Daisy et à la Serveuse*). — Voulez-vous que je vous accompagne?

L'ÉPICIER. — Le rhinocéros d'Asie a une corne, le rhinocéros 30 d'Afrique, deux. Et vice versa.

DAISY (*au Vieux Monsieur*). — Ce n'est pas la peine. (*Daisy et la Serveuse entrent dans le café, entraînant la Ménagère toujours inconsolée.*)

L'ÉPICIÈRE (*à l'Épicier, de sa fenêtre*). — Oh toi, toujours des idées pas comme tout le monde!

BÉRENGER (*à part, tandis que les autres continuent de discuter au sujet des cornes du rhinocéros*). — Daisy a raison, je n'aurais pas dû le contredire.

LE PATRON (*à l'Épicière*). — Votre mari a raison, le rhinocéros d'Asie a deux cornes, celui d'Afrique doit en avoir deux, et vice versa. 5

BÉRENGER (*à part*). — Il ne supporte pas la contradiction. La moindre objection le fait écumer.[1]

LE VIEUX MONSIEUR (*au Patron*). — Vous faites erreur, mon ami.

LE PATRON (*au Vieux Monsieur*). — Je vous demande bien pardon!... 10

BÉRENGER (*à part*). — La colère est son seul défaut.

L'ÉPICIÈRE (*de sa fenêtre, au Vieux Monsieur, au Patron et à l'Épicier*). — Peut-être sont-ils tous les deux pareils.

BÉRENGER (*à part*). — Dans le fond, il a un cœur d'or, il m'a rendu d'innombrables services. 15

LE PATRON (*à l'Épicière*). — L'autre ne peut qu'en avoir une, si l'un en a deux.

LE VIEUX MONSIEUR. — Peut-être c'est l'un qui en a une, c'est l'autre qui en a deux. 20

BÉRENGER (*à part*). — Je regrette de ne pas avoir été plus conciliant. Mais pourquoi s'entête-t-il?[2] Je ne voulais pas le pousser à bout.[3] (*Aux autres.*) Il soutient toujours des énormités![4] Il veut toujours épater[5] tout le monde par son savoir. Il n'admet jamais qu'il pourrait se tromper. 25

LE VIEUX MONSIEUR (*à Bérenger*). — Avez-vous des preuves?

BÉRENGER. — A quel sujet?

---

[1] le rend furieux.
[2] est-il si obstiné?
[3] lui faire perdre patience.
[4] des choses extravagantes!
[5] étonner.
[6] Document officiel prouvant l'identité.—Ionesco raille ici la bureaucratie; en même temps, il souligne le ridicule de l'idée que le Logicien doit avoir une preuve de ses qualités.

LE VIEUX MONSIEUR. — Votre affirmation de tout à l'heure, qui a provoqué votre fâcheuse controverse avec votre ami.

L'ÉPICIER (*à Bérenger*). — Oui, avez-vous des preuves?

LE VIEUX MONSIEUR (*à Bérenger*). — Comment savez-vous que 5 l'un des deux rhinocéros a deux cornes et l'autre une? Et lequel?

L'ÉPICIÈRE. — Il ne le sait pas plus que nous.

BÉRENGER. — D'abord, on ne sait pas s'il y en a eu deux. Je crois même qu'il n'y a eu qu'un rhinocéros.

10 LE PATRON. — Admettons qu'il y en ait eu deux. Qui est unicorne, le rhinocéros d'Asie?

LE VIEUX MONSIEUR. — Non. C'est le rhinocéros d'Afrique qui est bicornu. Je le crois.

LE PATRON. — Qui est bicornu?

15 L'ÉPICIER. — Ce n'est pas celui d'Afrique.

L'ÉPICIÈRE. — Il n'est pas facile de se mettre d'accord.

LE VIEUX MONSIEUR. — Il faut tout de même élucider ce problème.

LE LOGICIEN (*sortant de sa réserve*). — Messieurs, excusez-moi 20 d'intervenir. Là n'est pas la question. Permettez-moi de me présenter...

L'ÉPICIÈRE. — C'est un Logicien!

LE PATRON. — Oh! il est Logicien!

LE VIEUX MONSIEUR (*présentant le Logicien à Bérenger*). — Mon 25 ami, le Logicien!

BÉRENGER. — Enchanté, Monsieur.

LE LOGICIEN (*continuant*). — ... Logicien professionnel : voici ma carte d'identité.[6] (*Il montre sa carte.*)

BÉRENGER. — Très honoré, Monsieur.

30 L'ÉPICIER. — Nous sommes très honorés.

LE PATRON. — Voulez-vous nous dire alors, monsieur le Logicien, si le rhinocéros africain est unicornu...

LE VIEUX MONSIEUR. — Ou bicornu...

L'ÉPICIÈRE. — Et si le rhinocéros asiatique est bicornu.

L'ÉPICIER. — Ou bien unicornu.

LE LOGICIEN. — Justement, là n'est pas la question. C'est ce que je me dois de[1] préciser.

L'ÉPICIER. — C'est pourtant ce qu'on aurait voulu savoir.

LE LOGICIEN. — Laissez-moi parler, Messieurs. 5

LE VIEUX MONSIEUR. — Laissons-le parler.

L'ÉPICIÈRE (*à l'Épicier, de la fenêtre*). — Laissez-le donc parler.

LE PATRON. — On vous écoute, Monsieur.

LE LOGICIEN (*à Bérenger*). — C'est à vous, surtout, que je m'adresse. Aux autres personnes présentes aussi. 10

L'ÉPICIER. — A nous aussi...

LE LOGICIEN. — Voyez-vous, le débat portait tout d'abord sur un problème dont vous vous êtes malgré vous écarté. Vous vous demandiez, au départ, si le rhinocéros qui vient de passer est bien celui de tout à l'heure, ou si c'en est un autre. C'est à 15 cela qu'il faut répondre.

BÉRENGER. — De quelle façon?

LE LOGICIEN. — Voici: vous pouvez avoir vu deux fois un même rhinocéros portant une seule corne...[2]

L'ÉPICIER (*répétant, comme pour mieux comprendre*).— Deux fois le 20 même rhinocéros.

LE PATRON (*même jeu*). — Portant une seule corne...

LE LOGICIEN (*continuant*). — ... Comme vous pouvez avoir vu deux fois un même rhinocéros à deux cornes.

LE VIEUX MONSIEUR (*répétant*). — Un seul rhinocéros à deux cor- 25 nes, deux fois...

LE LOGICIEN. — C'est cela. Vous pouvez encore avoir vu un

---

[1] je suis obligé de.

[2] La dernière partie de l'exposé du Logicien est un exemple du comique de mots qui perdent leur sens petit à petit à force d'être répétés. A l'Odéon, pour renforcer le ridicule, le Logicien avait un petit tableau noir sur lequel il démontrait tout cela. L'auteur raille ici, surtout, une façon de penser formaliste.

[3] Déformation populaire pour "oui," une sorte de "oui" prolongé marquant la surprise. — L'Épicier réfléchit et essaye de comprendre. Il dit cela autant pour l'interlocuteur que pour lui-même.

premier rhinocéros à une corne, puis un autre, ayant également une seule corne.

L'ÉPICIÈRE (*de la fenêtre*). — Ha, ha...

LE LOGICIEN. — Et aussi un premier rhinocéros à deux cornes,
5 puis un second rhinocéros à deux cornes.

LE PATRON. — C'est exact.

LE LOGICIEN. — Maintenant : si vous aviez vu...

L'ÉPICIER. — Si nous avions vu...

LE VIEUX MONSIEUR. — Oui, si nous avions vu...

10 LE LOGICIEN. — Si vous aviez vu la première fois un rhinocéros à deux cornes.

LE PATRON. — A deux cornes...

LE LOGICIEN. — ... La seconde fois un rhinocéros à une corne...

L'ÉPICIER. — A une corne.

15 LE LOGICIEN. — ... Cela ne serait pas concluant non plus.

LE VIEUX MONSIEUR. — Tout cela ne serait pas concluant.

LE PATRON. — Pourquoi?

L'ÉPICIÈRE. — Ah, là là... J'y comprends rien.

L'ÉPICIER. — Ouais! ouais![3] (*L'Épicière, haussant les épaules,*
20 *disparaît de sa fenêtre.*)

LE LOGICIEN. — En effet, il se peut que, depuis tout à l'heure, le rhinocéros ait perdu une de ses cornes, et que celui de tout de suite soit celui de tout à l'heure.

BÉRENGER. — Je comprends, mais...

25 LE VIEUX MONSIEUR (*interrompant Bérenger*). — N'interrompez pas.

LE LOGICIEN. — Il se peut aussi que deux rhinocéros à deux cornes aient perdu tous les deux une de leurs cornes.

LE VIEUX MONSIEUR. — C'est possible.

LE PATRON. — Oui, c'est possible.

30 L'ÉPICIER. — Pourquoi pas?

BÉRENGER. — Oui, toutefois...

LE VIEUX MONSIEUR (*à Bérenger*). — N'interrompez pas.

LE LOGICIEN. — Si vous pouviez prouver avoir vu la première fois un rhinocéros à une corne, qu'il fût asiatique ou africain...

LE VIEUX MONSIEUR. — Asiatique, ou africain...
LE LOGICIEN. — ... La seconde fois, un rhinocéros à deux cornes...
LE VIEUX MONSIEUR. — A deux cornes!
LE LOGICIEN. — ... qu'il fût, peu importe, africain ou asiatique...
L'ÉPICIER. — Africain ou asiatique... 5
LE LOGICIEN (*continuant la démonstration*). — ... A ce moment-là, nous pourrions conclure que nous avons affaire à deux rhinocéros différents, car il est peu probable qu'une deuxième corne puisse pousser en quelques minutes, de façon visible, sur le nez d'un rhinocéros... 10
LE VIEUX MONSIEUR. — C'est peu probable.
LE LOGICIEN (*enchanté de son raisonnement*). — ... Cela ferait d'un rhinocéros asiatique ou africain...
LE VIEUX MONSIEUR. — Asiatique, ou africain.
LE LOGICIEN. — ... Un rhinocéros africain ou asiatique. 15
LE PATRON. — Africain ou asiatique.
L'ÉPICIER. — Ouais, ouais.
LE LOGICIEN. — ... Or, cela n'est pas possible en bonne logique, une même créature ne pouvant être née en deux lieux à la fois...
LE VIEUX MONSIEUR. — Ni même successivement. 20
LE LOGICIEN (*au Vieux Monsieur*). — C'est ce qui est à démontrer.
BÉRENGER (*au Logicien*). — Cela me semble clair, mais cela ne résout pas la question.
LE LOGICIEN (*à Bérenger, en souriant d'un air compétent*). — Évidemment, cher Monsieur, seulement, de cette façon, le problème est 25 correctement posé.[1]
LE VIEUX MONSIEUR. — C'est tout à fait logique.
LE LOGICIEN (*soulevant son chapeau*). — Au revoir, Messieurs. (*Il se retourne et sortira par la gauche, suivi du Vieux Monsieur*).
LE VIEUX MONSIEUR. — Au revoir, Messieurs. (*Il soulève son* 30 *chapeau et sort à la suite du Logicien.*)

---

[1] L'auteur se moque du Logicien et sans doute des gens en général qui prétendent être entièrement logiques. Le Logicien s'intéresse moins à la solution du problème qu'à la façon correcte de poser ce problème.

LE LOGICIEN. — *...A ce moment-là, nous pourrions conclure que nous avons affaire à deux rhinocéros différents...*

L'ÉPICIER. — C'est peut-être logique... (*A ce moment, du café, la Ménagère, en grand deuil,*[1] *sort, tenant une boîte, elle est suivie par Daisy et la Serveuse, comme pour un enterrement. Le cortège se dirige vers la sortie à droite.*)

L'ÉPICIER (*continuant*). — ... C'est peut-être logique, cependant pouvons-nous admettre que nos chats soient écrasés sous nos yeux, par des rhinocéros à une corne, ou à deux cornes, qu'ils soient asiatiques, ou qu'ils soient africains? (*Il montre, d'un geste théâtral, le cortège qui est en train de sortir.*)

LE PATRON. — Il a raison, c'est juste! Nous ne pouvons pas permettre que nos chats soient écrasés par des rhinocéros, ou par n'importe quoi!

L'ÉPICIER. — Nous ne pouvons pas le permettre!

L'ÉPICIÈRE (*sortant sa tête, par la porte de la boutique, à l'Épicier*). — Alors, rentre! Les clients vont venir![2]

L'ÉPICIER (*se dirigeant vers la boutique*). — Non, nous ne pouvons pas le permettre!

BÉRENGER. — Je n'aurais pas dû me quereller avec Jean![3] (*Au Patron.*) Apportez-moi un verre de cognac! un grand!

LE PATRON. — Je vous l'apporte! (*Il va chercher le verre de cognac dans le café.*)

---

[1] vêtements noirs portés après la mort de quelqu'un.

[2] Après la messe les clients viennent acheter des provisions.

[3] Cette réplique prépare le deuxième tableau, Acte II, où Bérenger essaye de se réconcilier avec Jean.

[4] Je suis trop triste.

[5] Tous les dimanches c'est une habitude française d'aller chez le pâtissier à la sortie de la messe acheter un gâteau pour le dessert du déjeuner. Or, juste avant la dernière phrase prononcée par Bérenger, les cinq petites Pensionnaires en uniforme, suivies d'une petite vieille tremblotante et courbée, entrent par la gauche en portant, chacune, un paquet de gâteaux entouré de papier blanc et dont le volume est en proportion de la taille de chaque fillette. Pendant qu'elles traversent la scène, le rideau tombe lentement.

[6] Bérenger retrouve son caractère d'ivrogne résigné qu'il avait au commencement de la pièce.

BÉRENGER (*seul*). — Je n'aurais pas dû, je n'aurais pas dû me mettre en colère! (*Le Patron sort, un grand verre de cognac à la main.*) J'ai le cœur trop gros[4] pour aller au musée.[5] Je cultiverai mon esprit une autre fois. (*Il prend le verre de cognac, le boit.*[6])

Rideau

ACTE II

PREMIER TABLEAU

DÉCOR

Le bureau d'une administration,[1] ou d'une entreprise privée, une grande maison de publications juridiques par exemple. Au fond, au milieu, une grande porte à deux battants,[2] au-dessus de laquelle un écriteau[3] indique : « Chef de Service ».[4] A gauche au fond, près de la porte du Chef, la petite table de Daisy, avec une machine à écrire. Contre le mur de gauche, entre une porte donnant sur l'escalier et la petite table de Daisy, une autre table sur laquelle on met des feuilles de présence, que les employés doivent signer en arrivant. Puis, à gauche, toujours au premier plan,[5] la porte donnant sur l'escalier. On voit les dernières marches de cet escalier, le haut de la rampe,[6] un petit palier.[7] Au premier plan, une table avec deux chaises. Sur la table : des épreuves d'imprimerie, un encrier, des porte-plume; c'est la table où travaillent Botard et Bérenger; ce dernier s'assoira sur la chaise de gauche, le premier sur celle de droite. Près du mur de droite, une autre table, plus grande, rectangulaire, également recouverte de papiers, d'épreuves d'imprimerie, etc. Deux chaises encore près de cette table, (plus belles, plus « importantes ») se font vis-à-vis.[8] C'est la table de Dudard et de M. Bœuf. Dudard s'assoira sur la chaise qui est contre le mur, ayant les autres employés en face de lui. Il fait fonction[9] de sous-chef. Entre la porte du fond et le mur de droite, une fenêtre. Dans le cas où le théâtre aurait une fosse d'orchestre, il serait préférable de ne

---

[1] bureau d'un service public.
[2] porte qui s'ouvre de chaque côté.
[3] inscription en grosses lettres.
[4] Celui qui est à la tête du personnel du bureau.
[5] devant de la scène.
[6] balustrade.
[7] plate-forme (à chaque étage) dans un escalier.
[8] sont en face l'une de l'autre.
[9] remplit la fonction.

mettre que le simple encadrement[1] d'une fenêtre, au tout premier plan, face au public. Dans le coin de droite, au fond, un portemanteau,[2] sur lequel sont accrochés des blouses grises ou de vieux vestons. Éventuellement,[3] le portemanteau pourrait être placé lui aussi sur le devant de la scène, tout près du mur de droite.

Contre les murs, des rangées de livres et de dossiers poussiéreux. Sur le fond, à gauche, au-dessus des rayons, il y a des écriteaux : *Jurisprudence, Codes;*[4] sur le mur de droite, qui peut être légèrement oblique, les écriteaux indiquent : « *Le Journal officiel* »,[5] « *Lois fiscales* ».[6] Au-dessus de la porte du Chef de Service, une horloge indique : 9 heures 3 minutes.

Au lever du rideau, Dudard, debout, près de la chaise de son bureau, profil droit à la salle; de l'autre côté du bureau, profil gauche à la salle, Botard; entre eux, près du bureau également, face au public, le Chef de Service; Daisy, un peu en retrait[7] près du Chef de Service, à sa gauche. Elle a, dans la main, des feuilles de papier dactylographiées.

---

[1] bois qui sert de cadre.
[2] support (mobile) auquel on suspend les habits.
[3] Si l'on veut.
[4] Recueils de lois.
[5] Publie chaque jour, depuis 1868, les lois, décrets, actes, documents administratifs du Gouvernement.
[6] Lois qui concernent l'administration chargée de recevoir les impôts.
[7] en arrière.
[8] déployé.
[9] Insigne d'un ordre national français, institué en 1802 par Napoléon, en récompense de services militaires et civils.
[10] On l'appelle ainsi à cause de sa cravate, qui a la forme d'un papillon et qui est d'une distinction un peu démodée. Sans doute, le Directeur porte-t-il avec élégance ce genre de cravate, mais Monsieur Papillon, qui veut imiter son supérieur, la porte avec beaucoup moins de distinction.
[11] tissu de coton luisant.
[12] employé supérieur; il fait déjà partie des dirigeants.
[13] personne qui enseigne dans une école primaire.
[14] qui a pris sa retraite.
[15] comme un jeune homme (comme s'il était beaucoup plus jeune).
[16] coiffure ronde et plate particulière aux Basques, habitants de la partie ouest des Pyrénées.
[17] en pleurs.
[18] à bout de souffle.
[19] Je ne suis pas dupe, je ne me laisse pas tromper.
[20] encourager du regard.

Sur la table, entourée par les trois personnages, par-dessus les épreuves d'imprimerie, un grand journal ouvert est étalé.[8]

Au lever du rideau, pendant quelques secondes, les personnages restent immobiles, dans la position où sera dite la première réplique. Cela doit faire *tableau vivant,* comme au début du premier acte.

LE CHEF DE SERVICE, une cinquantaine d'années, vêtu correctement : complet bleu marine, rosette de la Légion d'honneur,[9] faux col amidonné, cravate noire, grosse moustache brune. Il s'appelle : Monsieur Papillon.[10]

DUDARD : trente-cinq ans. Complet gris ; il a des manches de lustrine[11] noire pour préserver son veston. Il peut porter des lunettes. Il est assez grand, employé (*cadre*)[12] d'avenir. Si le chef devenait sous-directeur, c'est lui qui prendrait sa place ; Botard ne l'aime pas.

BOTARD : instituteur[13] retraité ;[14] l'air fier, petite moustache blanche ; il a une soixantaine d'années qu'il porte vertement.[15] (*Il sait tout, comprend tout.*) Il a un béret basque[16] sur la tête ; il est revêtu d'une longue blouse grise pour le travail, il a des lunettes sur un nez assez fort ; un crayon à l'oreille ; des manches, également de lustrine.

DAISY : jeune, blonde.

Plus tard, MADAME BŒUF : grosse femme de quarante à cinquante ans, éplorée,[17] essoufflée.[18]

Les personnages sont donc debout au lever du rideau, immobiles autour de la table de droite ; le Chef a la main et l'index tendus vers le journal. Dudard, la main tendue en direction de Botard, a l'air de lui dire : « *Vous voyez bien pourtant !* » Botard, les mains dans les poches de sa blouse, un sourire incrédule sur les lèvres, a l'air de dire : « *On ne me la fait pas.*[19] » Daisy, ses feuilles dactylographiées à la main, a l'air d'appuyer du regard[20] Dudard. Au bout de quelques brèves secondes, Botard attaque.

*

BOTARD. — Des histoires, des histoires à dormir debout.[1]
DAISY. — Je l'ai vu, j'ai vu le rhinocéros!
DUDARD. — C'est écrit sur le journal, c'est clair, vous ne pouvez le nier.
BOTARD (*de l'air du plus profond mépris*). — Pfff![2] 5
DUDARD. — C'est écrit, puisque c'est écrit; tenez, à la rubrique des chats écrasés![3] Lisez donc la nouvelle, monsieur le Chef!
MONSIEUR PAPILLON. — « Hier, dimanche, dans notre ville, sur la place de l'Église, à l'heure de l'apéritif,[4] un chat a été foulé aux pieds[5] par un pachyderme. » 10
DAISY. — Ce n'était pas exactement sur la place de l'Église!
MONSIEUR PAPILLON. — C'est tout. On ne donne pas d'autres détails.
BOTARD. — Pfff!
DUDARD. — Cela suffit, c'est clair. 15
BOTARD. — Je ne crois pas les journalistes. Les journalistes sont tous des menteurs, je sais à quoi m'en tenir,[6] je ne crois que ce que je vois, de mes propres yeux. En tant qu'ancien instituteur,[7] j'aime la chose précise, scientifiquement prouvée, je suis un esprit méthodique, exact. 20
DUDARD. — Que vient faire ici l'esprit méthodique?

---

[1] des nouvelles parfaitement ridicules.
[2] Onomatopée qui exprime son mépris de l'opinion des autres.
[3] Partie du journal qui rapporte les petits accidents de la rue; d'habitude, on dit "chiens écrasés."
[4] un peu avant l'heure du déjeuner ou l'heure du dîner.
[5] écrasé.
[6] je sais ce qu'il faut croire.
[7] En ma qualité d'ancien instituteur.
[8] le journaliste, le reporter.
[9] veut dire.
[10] On ne le penserait pas.
[11] dans ce cas-ci.
[12] de la partie sud de la France.
[13] habitants du Midi.
[14] d'expliquer les choses clairement.
[15] Vous dites donc que vous avez vu.
[16] sans se presser, tranquillement.

DAISY (*à Botard*). — Je trouve, monsieur Botard, que la nouvelle est très précise.

BOTARD. — Vous appelez cela de la précision? Voyons. De quel pachyderme s'agit-il? Qu'est-ce que le rédacteur[8] de la rubrique
5 des chats écrasés entend[9] par un pachyderme? Il ne nous le dit pas. Et qu'entend-il par chat?

DUDARD. — Tout le monde sait ce qu'est un chat.

BOTARD. — Est-ce d'un chat, ou est-ce d'une chatte qu'il s'agit? Et de quelle couleur? De quelle race? Je ne suis pas raciste, je
10 suis même antiraciste.

MONSIEUR PAPILLON. — Voyons, monsieur Botard, il ne s'agit pas de cela, que vient faire ici le racisme?

BOTARD. — Monsieur le Chef, je vous demande bien pardon. Vous ne pouvez nier que le racisme est une des grandes erreurs
15 du siècle.

DUDARD. — Bien sûr, nous sommes tous d'accord, mais il ne s'agit pas là de...

BOTARD. — Monsieur Dudard, on ne traite pas cela à la légère. Les événements historiques nous ont bien prouvé que le
20 racisme...

DUDARD. — Je vous dis qu'il ne s'agit pas de cela.

BOTARD. — On ne le dirait pas.[10]

MONSIEUR PAPILLON. — Le racisme n'est pas en question.

BOTARD. — On ne doit perdre aucune occasion de le dénoncer.

25 DAISY. — Puisqu'on vous dit que personne n'est raciste. Vous déplacez la question, il s'agit tout simplement d'un chat écrasé par un pachyderme : un rhinocéros, en l'occurrence.[11]

BOTARD. — Je ne suis pas du Midi,[12] moi. Les Méridionaux[13] ont trop d'imagination. C'était peut-être tout simplement une
30 puce écrasée par une souris. On en fait une montagne.

MONSIEUR PAPILLON (*à Dudard*). — Essayons donc de mettre les choses au point.[14] Vous auriez donc vu,[15] de vos yeux vu, le rhinocéros se promener en flânant[16] dans les rues de la ville?

DAISY. — Il ne flânait pas, il courait.

DUDARD. — Personnellement, moi, je ne l'ai pas vu. Cependant, des gens dignes de foi...

BOTARD (*l'interrompant*). — Vous voyez bien que ce sont des racontars,[1] vous vous fiez à des journalistes qui ne savent quoi inventer pour faire vendre leurs méprisables journaux, 5 pour servir leurs patrons, dont ils sont les domestiques! Vous croyez cela, monsieur Dudard, vous, un juriste, un licencié en droit. Permettez-moi de rire! Ah! Ah! Ah![2]

DAISY. — Mais moi, je l'ai vu, j'ai vu le rhinocéros. J'en mets ma main au feu.[3] 10

BOTARD. — Allons donc! Je vous croyais une fille sérieuse.

DAISY. — Monsieur Botard, je n'ai pas la berlue![4] Et je n'étais pas seule, il y avait des gens autour de moi qui regardaient.

BOTARD. — Pfff! Ils regardaient sans doute autre chose!... Des flâneurs, des gens qui n'ont rien à faire, qui ne travaillent pas, 15 des oisifs.[5]

DUDARD. — C'était hier, c'était dimanche.

BOTARD. — Moi, je travaille aussi le dimanche. Je n'écoute pas les curés qui vous font venir à l'église pour vous empêcher de faire votre boulot,[6] et de gagner votre pain à la sueur de votre 20 front.[7]

MONSIEUR PAPILLON (*indigné*). — Oh!

BOTARD. — Excusez-moi, je ne voudrais pas vous vexer. Ce n'est pas parce que je méprise les religions qu'on peut dire que

---

[1] de fausses nouvelles.
[2] Botard est devenu sceptique.
[3] Je le jure.
[4] je ne suis pas aveugle.
[5] des gens inoccupés.
[6] terme familier pour travail.
[7] Ceci révèle encore plus le caractère de Botard; maintenant nous savons qu'il est anticlérical.
[8] vous prétendez avoir.
[9] l'écriteau.
[10] pauvres maisons à toit de paille.
[11] mot prononcé à voix basse pour demander le silence.
[12] vous n'êtes pas très poli, vous êtes allé trop loin.

je ne les estime pas. (*A Daisy :*) D'abord, savez-vous ce que c'est qu'un rhinocéros ?

DAISY. — C'est un... c'est un très gros animal, vilain !

BOTARD. — Et vous vous vantez d'avoir[8] une pensée précise !
5 Le rhinocéros, Mademoiselle...

MONSIEUR PAPILLON. — Vous n'allez pas nous faire un cours sur le rhinocéros, ici. Nous ne sommes pas à l'école.

BOTARD. — C'est bien dommage. (*Depuis les dernières répliques, on a pu voir Bérenger monter avec précaution les dernières marches de*
10 *l'escalier; entrouvrir prudemment la porte du bureau qui, en s'écartant, laisse voir la pancarte*[9] *sur laquelle on peut lire : « Éditions de Droit ».*)

MONSIEUR PAPILLON (*à Daisy*). — Bon ! Il est plus de neuf heures, Mademoiselle, enlevez-moi la feuille de présence. Tant pis
15 pour les retardataires ! (*Daisy se dirige vers la petite table, à gauche, où se trouve la feuille de présence, au moment où entre Bérenger.*)

BÉRENGER (*entrant, tandis que les autres continuent de discuter; à Daisy*). — Bonjour, mademoiselle Daisy. Je ne suis pas en retard ?

BOTARD (*à Dudard et à Monsieur Papillon*). — Je lutte contre
20 l'ignorance, où je la trouve !

DAISY (*à Bérenger*). — Monsieur Bérenger, dépêchez-vous.

BOTARD. — ... Dans les palais, dans les chaumières ![10]

DAISY (*à Bérenger*). — Signez vite la feuille de présence !

BÉRENGER. — Oh, merci ! Le Chef est déjà arrivé ?

25 DAISY (*à Bérenger; un doigt sur les lèvres*). — Chut ![11] oui, il est là.

BÉRENGER. — Déjà ? Si tôt ? (*Il se précipite pour aller signer la feuille de présence.*)

BOTARD (*continuant*). — N'importe où ! Même dans les maisons d'édition.

30 MONSIEUR PAPILLON (*à Botard*). — Monsieur Botard, je crois que...

BÉRENGER (*signant la feuille; à Daisy*). — Pourtant, il n'est pas neuf heures dix...

MONSIEUR PAPILLON (*à Botard*). — Je crois que vous dépassez les limites de la politesse.[12]

DUDARD (*à Monsieur Papillon*). — Je le pense aussi, Monsieur.

MONSIEUR PAPILLON (*à Botard*). — Vous n'allez pas dire que mon collaborateur et votre collègue, monsieur Dudard, qui est licencié en droit, excellent employé, est un ignorant.

BOTARD. — Je n'irai pas jusqu'à affirmer une pareille chose; 5 toutefois les Facultés,[1] l'Université,[2] cela ne vaut pas l'école communale.[3]

MONSIEUR PAPILLON (*à Daisy*). — Alors, cette feuille de présence!

DAISY (*à Monsieur Papillon*).— La voici, Monsieur. (*Elle la lui tend.*)

MONSIEUR PAPILLON (*à Bérenger*). — Tiens, voilà monsieur 10 Bérenger!

BOTARD (*à Dudard*). — Ce qui manque aux universitaires, ce sont les idées claires, l'esprit d'observation, le sens pratique.

DUDARD (*à Botard*). — Allons donc![4]

BÉRENGER (*à Monsieur Papillon*). — Bonjour, monsieur Papillon. 15 (*Bérenger justement se dirigeait derrière le dos du chef, contournant le groupe*[5] *des trois personnages, vers le portemanteau; il y prendra sa blouse de travail, ou son veston usé, en y accrochant, à la place, son veston de ville; maintenant, près du portemanteau, ôtant son veston, mettant l'autre veston, puis allant à sa table de travail, dans le* 20 *tiroir de laquelle il trouvera ses manches de lustrine noire, etc., il salue.*) Bonjour, monsieur Papillon! excusez-moi, j'ai failli être en retard. Bonjour, Dudard! Bonjour, monsieur Botard.

MONSIEUR PAPILLON. — Dites donc, Bérenger, vous aussi vous avez vu des rhinocéros? 25

BOTARD (*à Dudard*). — Les universitaires sont des esprits abstraits qui ne connaissent rien à la vie.

---

[1] Les différentes sections d'une université.
[2] Ici l'enseignement supérieur en général.
[3] Botard veut dire l'enseignement public dans les écoles primaires.
[4] Ce que vous dites est ridicule!
[5] faisant le tour du groupe.
[6] Vous vous exprimez bien peu clairement, vraiment.
[7] d'accord.
[8] pour se moquer de nous.

DUDARD (*à Botard*). — Sottises!

BÉRENGER (*continuant de ranger ses affaires pour le travail, avec un empressement excessif, comme pour faire excuser son retard; à Monsieur Papillon, d'un ton naturel*). — Mais oui, bien sûr, je
5 l'ai vu!

BOTARD (*se retournant*). — Pfff!

DAISY. — Ah! vous voyez, je ne suis pas folle.

BOTARD (*ironique*). — Oh, monsieur Bérenger dit cela par galanterie, car c'est un galant, bien qu'il n'en ait pas l'air.

10 DUDARD. — C'est de la galanterie de dire qu'on a vu un rhinocéros?

BOTARD. — Certainement. Quand c'est pour appuyer les affirmations fantaisistes de mademoiselle Daisy. Tout le monde est galant avec mademoiselle Daisy, c'est compréhensible.

15 MONSIEUR PAPILLON. — Ne soyez pas de mauvaise foi, monsieur Botard, M. Bérenger n'a pas pris part à la controverse. Il vient à peine d'arriver.

BÉRENGER (*à Daisy*). — N'est-ce pas que vous l'avez vu? Nous avons vu.

20 BOTARD. — Pfff! Il est possible que M. Bérenger ait cru apercevoir un rhinocéros. (*Il fait derrière le dos de Bérenger le signe que Bérenger boit!*) Il a tellement d'imagination! Avec lui, tout est possible.

BÉRENGER. — Je n'étais pas seul, quand j'ai vu le rhinocéros!
25 ... ou peut-être les deux rhinocéros.

BOTARD. — Il ne sait même pas combien il en a vu!

BÉRENGER. — J'étais à côté de mon ami Jean!... Il y avait d'autres gens.

BOTARD (*à Bérenger*). — Vous bafouillez, ma parole.[6]

30 DAISY. — C'était un rhinocéros unicorne.

BOTARD. — Pfff! Ils sont de mèche[7] tous les deux pour se payer notre tête![8]

DUDARD (*à Daisy*). — Je crois plutôt qu'il avait deux cornes, d'après ce que j'ai entendu dire!

BOTARD. — Alors là,[1] il faudrait s'entendre.

MONSIEUR PAPILLON (*regardant l'heure*). — Finissons-en, Messieurs, l'heure avance.

BOTARD. — Vous avez vu, vous, monsieur Bérenger, un rhinocéros, ou deux rhinocéros? 5

BÉRENGER. — Euh![2] c'est-à-dire...

BOTARD. — Vous ne savez pas. Mlle Daisy a vu un rhinocéros unicorne. Votre rhinocéros à vous, monsieur Bérenger, si rhinocéros il y a, était-il unicorne, ou bicornu?

BÉRENGER. — Voyez-vous, tout le problème est là justement. 10

BOTARD. — C'est bien vaseux[3] tout cela.

DAISY. — Oh!

BOTARD. — Je ne voudrais pas vous vexer. Mais je n'y crois pas à votre histoire! Des rhinocéros, dans le pays, cela ne s'est jamais vu! 15

DUDARD. — Il suffit d'une fois!

BOTARD. — Cela ne s'est jamais vu! Sauf sur les images, dans les manuels scolaires. Vos rhinocéros n'ont fleuri que dans les cervelles des bonnes femmes.[4]

BÉRENGER. — L'expression : « fleurir », appliquée à des rhinocéros me semble assez impropre. 20

DUDARD. — C'est juste.

BOTARD (*continuant*). — Votre rhinocéros est un mythe!

DAISY. — Un mythe?

MONSIEUR PAPILLON. — Messieurs, je crois qu'il est l'heure de se mettre au travail. 25

BOTARD (*à Daisy*). — Un mythe, tout comme les soucoupes volantes!

DUDARD. — Il y a tout de même eu un chat écrasé, c'est indéniable!

BÉRENGER. — J'en témoigne. 30

---

[1] Sur ce point.
[2] Cela indique l'hésitation.
[3] obscur.
[4] dit sur un ton de léger mépris.

BOTARD. — *Vous avez vu, vous, monsieur Bérenger, un rhinocéros, ou deux rhinocéros?*

DUDARD (*montrant Bérenger*). — Et des témoins!

BOTARD. — Un témoin pareil!

MONSIEUR PAPILLON. — Messieurs, messieurs!

BOTARD (*à Dudard*). — Psychose collective, monsieur Dudard, psychose collective! C'est comme la religion qui est l'opium des peuples![1] 5

DAISY. — Eh bien, j'y crois, moi, aux soucoupes volantes!

BOTARD. — Pfff!

MONSIEUR PAPILLON (*avec fermeté*). — Ça va comme ça, on exagère. Assez de bavardages![2] Rhinocéros ou non, soucoupes volantes 10 ou non, il faut que le travail soit fait! La maison ne vous paye pas pour perdre votre temps à vous entretenir[3] d'animaux réels ou fabuleux!

BOTARD. — Fabuleux!

DUDARD. — Réels! 15

DAISY. — Très réels.

MONSIEUR PAPILLON. — Messieurs, j'attire encore une fois votre attention sur le fait que vous êtes dans vos heures de travail. Permettez-moi de couper court à cette polémique[4] stérile...

---

[1] On situe cette expression dans la *Contribution à la critique de la philosophie du droit de Hegel* de Karl Marx (1818-1883), économiste socialiste allemand. Hegel (1770-1831), philosophe allemand. (Mais c'est Bruno Bauer, 1809-1882, critique et philosophe allemand, qui a employé l'expression le premier.)
[2] Assez de racontars! (Nous avons trop parlé, il faut travailler!)
[3] parler entre vous.
[4] discussion.
[5] vos salaires.
[6] où en êtes-vous arrivé dans.
[7] Dont l'origine et la qualité sont garanties.
[8] commencé.
[9] les lettres.
[10] l'écrire à la machine.
[11] en murmurant une protestation.
[12] en fermant avec bruit.
[13] productions de vin.
[14] de Bordeaux.
[15] petites collines (couvertes de vignes).
[16] Noter le comique de l'absurde.
[17] qui manque.

BOTARD (*blessé, ironique*). — D'accord, monsieur Papillon. Vous êtes le chef. Puisque vous l'ordonnez, nous devons obéir.

MONSIEUR PAPILLON. — Messieurs, dépêchez-vous. Je ne veux pas être dans la triste obligation de vous retenir une amende sur
5 vos traitements![5] Monsieur Dudard, où en est[6] votre commentaire de la loi sur la répression antialcoolique ?

DUDARD. — Je mets cela au point, monsieur le Chef.

MONSIEUR PAPILLON. — Tâchez de terminer. C'est pressé. Vous, monsieur Bérenger et monsieur Botard, avez-vous fini de
10 corriger les épreuves de la réglementation des vins dits : « d'appellation contrôlée » ?[7]

BÉRENGER. — Pas encore, monsieur Papillon. Mais c'est bien entamé.[8]

MONSIEUR PAPILLON. — Finissez de les corriger ensemble.
15 L'imprimerie attend. Vous, Mademoiselle, vous viendrez me faire signer le courrier[9] dans mon bureau. Dépêchez-vous de le taper.[10]

DAISY. — C'est entendu, monsieur Papillon. (*Daisy va à son petit bureau et tape à la machine. Dudard s'assoit à son bureau et com-*
20 *mence à travailler. Bérenger et Botard à leur petite table, tous deux de profil à la salle; Botard, de dos à la porte de l'escalier. Botard a l'air de mauvaise humeur; Bérenger est passif et vaseux; Bérenger installe les épreuves sur la table, passe le manuscrit à Botard; Botard s'assoit en bougonnant,*[11] *tandis que Monsieur Papillon sort*
25 *en claquant*[12] *la porte.*)

MONSIEUR PAPILLON. — A tout à l'heure, Messieurs! (*Il sort.*)

BÉRENGER (*lisant et corrigeant, tandis que Botard suit sur le manuscrit, avec un crayon*).— Réglementation des crus[13] d'origine dits « d'appellation »... (*Il corrige.*) Avec deux L, appellation. (*Il corrige.*)
30 Contrôlée... une L, contrôlée... Les vins d'appellation contrôlée de la région bordelaise,[14] région inférieure des coteaux[15] supérieurs...[16]

BOTARD (*à Dudard*). — Je n'ai pas ça! Une ligne de sautée.[17]

BÉRENGER. — Je reprends : les vins d'appellation contrôlée...

DUDARD (*à Bérenger et à Botard*). — Lisez moins fort, je vous prie. On n'entend que vous, vous m'empêchez de fixer mon attention sur mon travail.

BOTARD (*à Dudard, par-dessus la tête de Bérenger, reprenant la discussion de tout à l'heure; tandis que Bérenger, pendant quelques instants,* 5 *corrige tout seul; il fait bouger ses lèvres sans bruit, tout en lisant*). — C'est une mystification!

DUDARD. — Qu'est-ce qui est une mystification?

BOTARD. — Votre histoire de rhinocéros, pardi![1] C'est votre propagande qui fait courir ces bruits! 10

DUDARD (*s'interrompant dans son travail*). — Quelle propagande?

BÉRENGER (*intervenant*). — Ce n'est pas de la propagande...

DAISY (*s'interrompant de taper*). — Puisque je vous répète que j'ai vu... j'ai vu... on a vu.

DUDARD (*à Botard*). — Vous me faites rire!... De la propagande! 15 Dans quel but?

BOTARD (*à Dudard*). — Allons donc!... Vous le savez mieux que moi. Ne faites pas l'innocent.

DUDARD (*se fâchant*). — En tout cas, monsieur Botard, moi je ne suis pas payé par les Ponténégrins.[2] 20

BOTARD (*rouge de colère, tapant du poing sur la table*). — C'est une insulte. Je ne permettrai pas... (*M. Botard se lève.*)

BÉRENGER (*suppliant*). — Monsieur Botard, voyons...

DAISY. — Monsieur Dudard, voyons...

---

[1] Euphémisme pour *par Dieu:* bien sûr, naturellement.

[2] Déformation de "Monténégrins." Autrefois indépendant, le Monténégro est aujourd'hui l'une des républiques fédérées de la Yougoslavie. Évidemment, les Ponténégrins n'existent pas. Allusion aux polémiques banales quotidiennes de la politique. Par exemple, les anticommunistes disent comme insulte: "Vous êtes payé par Moscou." Les communistes disent: "Vous êtes payé par les capitalistes."

[3] qu'il me joue ce mauvais tour.

[4] Expression populaire pour Messieurs et Mesdames.

[5] Bien des expressions anglaises sont assez répandues en France.

[6] sur le point de s'évanouir.

[7] elle tombe lourdement.

BOTARD. — Je dis que c'est une insulte... (*La porte du cabinet du Chef s'ouvre soudain : Botard et Dudard se rassoient très vite; le Chef de Service a en main la feuille de présence; à son apparition, le silence s'était fait subitement.*)

5 MONSIEUR PAPILLON. — M. Bœuf n'est pas venu aujourd'hui?

BÉRENGER (*regardant autour de lui*). — En effet, il est absent.

MONSIEUR PAPILLON. — Justement, j'avais besoin de lui! (*A Daisy.*) A-t-il annoncé qu'il était malade, ou qu'il était empêché?

10 DAISY. — Il ne m'a rien dit.

MONSIEUR PAPILLON (*ouvrant tout à fait sa porte, et entrant*). — Si ça continue, je vais le mettre à la porte. Ce n'est pas la première fois qu'il me fait le coup.[3] Jusqu'à présent, j'ai fermé les yeux, mais ça n'ira plus... Quelqu'un d'entre vous a-t-il la
15 clé de son secrétaire? (*Juste à ce moment, Mme Bœuf fait son entrée. On avait pu la voir, pendant cette dernière réplique, monter le plus vite qu'elle pouvait les dernières marches de l'escalier, elle a ouvert brusquement la porte. Elle est tout essoufflée, effrayée*).

BÉRENGER. — Tiens, voici madame Bœuf.

20 DAISY. — Bonjour, madame Bœuf.

MADAME BŒUF. — Bonjour, monsieur Papillon! Bonjour, Messieurs Dames.[4]

MONSIEUR PAPILLON. — Alors, et votre mari? Qu'est-ce qu'il lui est arrivé, il ne veut plus se déranger?

25 MADAME BŒUF (*haletante*). — Je vous prie de l'excuser, excusez mon mari... il est parti dans sa famille pour le week-end.[5] Il a une légère grippe.

MONSIEUR PAPILLON. — Ah! il a une légère grippe!

MADAME BŒUF (*tendant un papier au Chef*). — Tenez, il le dit dans
30 son télégramme. Il espère être de retour mercredi... (*Presque défaillante.*[6]) Donnez-moi un verre d'eau... et une chaise... (*Bérenger vient lui apporter, au milieu du plateau, sa propre chaise sur laquelle elle s'écroule.*[7])

MONSIEUR PAPILLON (*à Daisy*). — Donnez-lui un verre d'eau.

DAISY. — Tout de suite! (*Elle va lui apporter un verre d'eau, la faire boire, pendant les quelques répliques qui suivent.*)

DUDARD (*au Chef*). — Elle doit être cardiaque.

MONSIEUR PAPILLON. — C'est bien ennuyeux que M. Bœuf soit absent. Mais ce n'est pas une raison pour vous affoler![1] 5

MADAME BŒUF (*avec peine*). — C'est que... c'est que... j'ai été poursuivie par un rhinocéros depuis la maison jusqu'ici...

BÉRENGER. — Unicorne, ou à deux cornes?[2]

BOTARD (*s'esclaffant*[3]). — Vous me faites rigoler![4]

DUDARD (*s'indignant*). — Laissez-la donc parler! 10

MADAME BŒUF (*faisant un grand effort pour préciser, et montrant du doigt en direction de l'escalier*). — Il est là, en bas, à l'entrée. Il a l'air de vouloir monter l'escalier. (*Au même instant, un bruit se fait entendre. On voit les marches de l'escalier qui s'effondrent*[5] *sous un poids, sans doute formidable. On entend, venant d'en bas, des barrissements angoissés. La poussière, provoquée par l'effondrement de l'escalier, en se dissipant laissera voir le palier de l'escalier suspendu dans le vide.*) 15

DAISY. — Mon Dieu!...

MADAME BŒUF (*sur sa chaise, la main sur le cœur*). — Oh! Ah! (*Bérenger s'empresse autour de Mme Bœuf, tapote*[6] *ses joues, lui donne à boire.*) 20

BÉRENGER. — Calmez-vous! (*Pendant ce temps, M. Papillon, Dudard et Botard se précipitent à gauche, ouvrent la porte en se bousculant et se retrouvent sur le palier de l'escalier entourés de poussière; les barrissements continuent de se faire entendre.*) 25

DAISY (*à Mme Bœuf*). — Vous allez mieux, madame Bœuf?

---

[1] perdre la raison.
[2] Encore un exemple de la naïveté et de la fantaisie de Bérenger. — On s'égare sur les détails, on oublie le vrai problème : l'apparition des rhinocéros.
[3] riant très fort.
[4] terme familier pour rire.
[5] s'écroulent.
[6] donne de petites tapes sur.

MADAME BŒUF. — *C'est que... c'est que... j'ai été poursuivie par un rhinocéros depuis la maison jusqu'ici...*

MONSIEUR PAPILLON (*sur le palier*). — Le voilà. En bas! C'en est un!

BOTARD. — Je ne vois rien du tout. C'est une illusion.

DUDARD. — Mais si, là, en bas, il tourne en rond.

MONSIEUR PAPILLON. — Messieurs, il n'y a pas de doute. Il tourne en rond. 5

DUDARD. — Il ne pourra pas monter. Il n'y a plus d'escalier.

BOTARD. — C'est bien bizarre. Qu'est-ce que cela veut dire?

DUDARD (*se tournant du côté de Bérenger*). — Venez donc voir. Venez donc le voir, votre rhinocéros. 10

BÉRENGER. — J'arrive. (*Bérenger se précipite en direction du palier, suivi de Daisy abandonnant Mme Bœuf.*)

MONSIEUR PAPILLON (*à Bérenger*). — Alors vous, le spécialiste des rhinocéros, regardez donc. 15

BÉRENGER. — Je ne suis pas le spécialiste des rhinocéros...

DAISY. — Oh... regardez... comme il tourne en rond. On dirait qu'il souffre... qu'est-ce qu'il veut?

DUDARD. — On dirait qu'il cherche quelqu'un. (*A Botard.*) Vous le voyez, maintenant? 20

BOTARD (*vexé*). — En effet, je le vois.

DAISY (*à M. Papillon*). — Peut-être avons-nous tous la berlue? Et vous aussi...

BOTARD. — Je n'ai jamais la berlue. Mais il y a quelque chose là-dessous.[1] 25

DUDARD (*à Botard*). — Quoi, quelque chose?

MONSIEUR PAPILLON (*à Bérenger*). — C'est bien un rhinocéros,

---

[1] quelque chose de mystérieux dans cette histoire que l'on veut nous cacher.
[2] mangé par les vers, pourri, sur le point de s'effondrer.
[3] expression pédantesque inventée par Ionesco.
[4] ne finit pas.
[5] Terme familier pour appeler un chat.
[6] domestiqué.
[7] Vous bafouillez: Ce que vous dites n'a pas de sens.

n'est-ce pas? C'est bien celui que vous avez déjà vu? (*A Daisy.*) Et vous aussi?

DAISY. — Certainement.

BÉRENGER. — Il a deux cornes. C'est un rhinocéros africain, ou
5 plutôt asiatique. Ah! je ne sais plus si le rhinocéros africain a deux cornes ou une corne.

MONSIEUR PAPILLON. — Il nous a démoli l'escalier, tant mieux, une chose pareille devait arriver! Depuis le temps que je demande à la direction générale de nous construire des marches
10 de ciment pour remplacer ce vieil escalier vermoulu...[2]

DUDARD. — Il y a une semaine encore, j'ai envoyé un rapport, monsieur le Chef.

MONSIEUR PAPILLON. — Cela devait arriver, cela devait arriver. C'était à prévoir. J'ai eu raison.

15 DAISY (*à M. Papillon, ironique*). — Comme d'habitude.

BÉRENGER (*à Dudard et à M. Papillon*). — Voyons, voyons, la bicornuïté[3] caractérise-t-elle le rhinocéros d'Asie ou celui d'Afrique? L'unicornuïté caractérise-t-elle celui d'Afrique ou d'Asie...

20 DAISY. — Pauvre bête, il n'en finit pas[4] de barrir, et de tourner en rond. Qu'est-ce qu'il veut? Oh, il nous regarde. (*En direction du rhinocéros.*) Minou, minou, minou...[5]

DUDARD. — Vous n'allez pas le caresser, il n'est sans doute pas apprivoisé...[6]

25 MONSIEUR PAPILLON. — De toute façon, il est hors d'atteinte. (*Le rhinocéros barrit abominablement.*)

DAISY. — Pauvre bête!

BÉRENGER (*poursuivant; à Botard*). — Vous qui savez un tas de choses, ne pensez-vous pas au contraire que c'est la bicornuïté
30 qui...

MONSIEUR PAPILLON. — Vous cafouillez,[7] mon cher Bérenger, vous êtes encore vaseux. M. Botard a raison.

BOTARD. — Comment est-ce possible, dans un pays civilisé...

DAISY (*à Botard*). — D'accord. Cependant, existe-t-il ou non?

BOTARD. — C'est une machination[1] infâme! (*D'un geste d'orateur de tribune,*[2] *pointant son doigt vers Dudard, et le foudroyant du regard.*[3]) C'est votre faute.

DUDARD. — Pourquoi la mienne, et pas la vôtre?

BOTARD (*furieux*). — Ma faute? C'est toujours sur les petits que ça retombe.[4] S'il ne tenait qu'à moi...[5] 5

MONSIEUR PAPILLON. — Nous sommes dans de beaux draps,[6] sans escalier.

DAISY (*à Botard et à Dudard*). — Calmez-vous, ça n'est pas le moment, Messieurs! 10

MONSIEUR PAPILLON. — C'est la faute de la direction générale.

DAISY. — Peut-être. Mais comment allons-nous descendre?

MONSIEUR PAPILLON (*plaisantant amoureusement et caressant la joue de la dactylo*). — Je vous prendrai dans mes bras, et nous sauterons ensemble! 15

DAISY (*repoussant la main du Chef de Service*). — Ne mettez pas sur ma figure votre main rugueuse, espèce de pachyderme!

MONSIEUR PAPILLON. — Je plaisantais! (*Entre-temps, tandis que le rhinocéros n'avait cessé de barrir, Mme Bœuf s'était levée et avait rejoint le groupe. Elle fixe, quelques instants, attentivement,*[7] *le* 20 *rhinocéros tournant en rond, en bas; elle pousse brusquement un cri terrible.*)

MADAME BŒUF. — Mon Dieu! Est-ce possible!

---

[1] intrigue.
[2] orateur politique.
[3] le regardant avec fureur.
[4] Cliché: on blâme toujours les petits.
[5] Si cela ne dépendait que de moi... Si Botard complétait sa phrase, il dirait sans doute, "je changerais tout cela."
[6] Nous sommes dans une triste situation.
[7] Elle regarde...fixement.
[8] la fait asseoir.
[9] Ne vous inquiétez pas.
[10] tournera bien.
[11] Bureau d'une entreprise ou d'une administration qui s'occupe des questions de droit.
[12] C'est-à-dire, tout le monde le saura.

BÉRENGER (*à Mme Bœuf*). — Qu'avez-vous?

MADAME BŒUF. — C'est mon mari! Bœuf, mon pauvre Bœuf, que t'est-il arrivé?

DAISY (*à Madame Bœuf*). — Vous en êtes sûre?

5 MADAME BŒUF. — Je le reconnais, je le reconnais. (*Le rhinocéros répond par un barrissement violent, mais tendre.*)

MONSIEUR PAPILLON. — Par exemple! Cette fois, je le mets à la porte pour de bon!

DUDARD. — Est-il assuré?

10 BOTARD (*à part*). — Je comprends tout...

DAISY. — Comment payer les assurances, dans un cas semblable?

MADAME BŒUF (*s'évanouissant dans les bras de Bérenger*). — Ah! mon Dieu!

BÉRENGER. — Oh!

15 DAISY. — Transportons-la. (*Bérenger aidé par Dudard et Daisy traîne Mme Bœuf jusqu'à sa chaise et l'installe.*[8])

DUDARD (*pendant qu'on la transporte*). — Ne vous en faites pas,[9] madame Bœuf.

MADAME BŒUF. — Ah! Oh!

20 DAISY. — Ça s'arrangera[10] peut-être...

MONSIEUR PAPILLON (*à Dudard*). — Juridiquement, que peut-on faire?

DUDARD. — Il faut demander au contentieux.[11]

BOTARD (*suivant le cortège et levant les bras au ciel*). — C'est de la
25 folie pure! Quelle société! (*On s'empresse autour de Mme Bœuf, on tapote ses joues, elle ouvre les yeux, pousse un « Ah ! », referme les yeux, on retapote ses joues, pendant que Botard parle.*) En tout cas, soyez certain que je dirai tout à mon comité d'action. Je n'abandonnerai pas un collègue dans le besoin. Cela se
30 saura.[12]

MADAME BŒUF (*revenant à elle*). — Mon pauvre chéri, je ne peux pas le laisser comme cela, mon pauvre chéri. (*On entend barrir.*) Il m'appelle. (*Tendrement :*) Il m'appelle.

DAISY. — Ça va mieux, madame Bœuf?

DUDARD. — Elle reprend ses esprits.[1]

BOTARD (*à Mme Bœuf*). — Soyez assurée de l'appui de notre délégation. Voulez-vous devenir membre de notre comité?

MONSIEUR PAPILLON. — Il va encore y avoir du retard dans le travail. Mademoiselle Daisy, le courrier!... 5

DAISY. — Il faut savoir d'abord comment nous allons pouvoir sortir d'ici.

MONSIEUR PAPILLON. — C'est un problème. Par la fenêtre. (*Ils se dirigent tous vers la fenêtre, sauf Mme Bœuf, affalée sur sa chaise, et Botard qui restent au milieu du plateau.*) 10

BOTARD. — Je sais d'où cela vient.

DAISY (*à la fenêtre*). — C'est trop haut.

BÉRENGER. — Il faudrait peut-être appeler les pompiers, qu'ils viennent[2] avec leurs échelles!

MONSIEUR PAPILLON. — Mademoiselle Daisy, allez dans mon 15 bureau et téléphonez aux pompiers. (*M. Papillon fait mine de la suivre.*)

DAISY (*sort par le fond, on l'entendra décrocher l'appareil, dire : « Allô, allô les pompiers ? » et un vague bruit de conversation téléphonique.*)

MADAME BŒUF (*se lève brusquement*). — Je ne peux pas le laisser 20 comme cela, je ne peux pas le laisser comme cela!

MONSIEUR PAPILLON. — Si vous voulez divorcer... vous avez maintenant une bonne raison.

DUDARD. — Ce sera certainement à ses torts.[3]

MADAME BŒUF. — Non! le pauvre! ce n'est pas le moment, je ne 25 peux pas abandonner mon mari dans cet état.

BOTARD. — Vous êtes une brave[4] femme.

DUDARD (*à Mme Bœuf*). — Mais qu'allez-vous faire? (*En courant vers la gauche, Mme Bœuf se précipite vers le palier.*)

---

[1] Elle se sent mieux.
[2] demander qu'ils viennent.
[3] C'est lui qui sera blâmé.
[4] bonne et courageuse.

ADAME BŒUF. — *Mon pauvre chéri, je ne peux pas le laisser comme cela, mon pauvre chéri.*

BÉRENGER. — Attention!

MADAME BŒUF. — Je ne peux pas l'abandonner, je ne peux pas l'abandonner.

DUDARD. — Retenez-la.

MADAME BŒUF. — Je l'emmène à la maison! 5

MONSIEUR PAPILLON. — Qu'est-ce qu'elle veut faire?

MADAME BŒUF (*se préparant à sauter; au bord du palier*). — Je viens, mon chéri, je viens.

BÉRENGER. — Elle va sauter.

BOTARD. — C'est son devoir. 10

DUDARD. — Elle ne pourra pas.[1] (*Tous, sauf Daisy, qui téléphone toujours, se trouvent près d'elle sur le palier; Mme Bœuf saute; Bérenger, qui tout de même essaye de la retenir, est resté avec sa jupe dans les mains.*)

BÉRENGER. — Je n'ai pas pu la retenir. (*On entend, venant d'en* 15 *bas, le rhinocéros barrir tendrement.*)

MADAME BŒUF. — Me voilà, mon chéri, me voilà.

DUDARD. — Elle atterrit[2] sur son dos, à califourchon.[3]

BOTARD. — C'est une amazone.[4]

VOIX DE MADAME BŒUF. — A la maison, mon chéri, rentrons. 20

DUDARD. — Ils partent au galop. (*Dudard, Bérenger, Botard, M. Papillon reviennent sur le plateau, se mettent à la fenêtre.*)

BÉRENGER. — Ils vont vite.

DUDARD (*à M. Papillon*). — Vous avez déjà fait de l'équitation?

MONSIEUR PAPILLON. — Autrefois... un peu... (*Se tournant* 25

---

[1] Elle n'aura pas le courage de le faire.
[2] tombe.
[3] une jambe d'un côté, une jambe de l'autre.
[4] Botard veut dire que Madame Bœuf est aussi à l'aise sur le rhinocéros qu'elle le serait sur un cheval.
[5] C'est dégoûtant (pour Botard, ce sont les ennemis de son parti politique qui sont les responsables de ce qui arrive).
[6] dévouement.
[7] de cette situation critique.
[8] Cela ne dépend pas de notre volonté; on ne peut pas nous reprocher de ne pas travailler.

du côté de la porte du fond, à Dudard.) Elle n'a pas fini de téléphoner!...

BÉRENGER (*suivant du regard le rhinocéros*). — Ils sont déjà loin. On ne les voit plus.

5 DAISY (*sortant*). — J'ai eu du mal à avoir les pompiers!...

BOTARD (*comme conclusion à un monologue intérieur*). — C'est du propre![5]

DAISY. — ... J'ai eu du mal à avoir les pompiers.

MONSIEUR PAPILLON. — Il y a le feu partout?

10 BÉRENGER. — Je suis de l'avis de M. Botard. L'attitude de Mme Bœuf est vraiment touchante, elle a du cœur.[6]

MONSIEUR PAPILLON. — J'ai un employé en moins, que je dois remplacer.

BÉRENGER. — Vous croyez vraiment qu'il ne peut plus nous être 15 utile?

DAISY. — Non, il n'y a pas de feu, les pompiers ont été appelés pour d'autres rhinocéros.

BÉRENGER. — Pour d'autres rhinocéros?

DUDARD. — Comment, pour d'autres rhinocéros?

20 DAISY. — Oui, pour d'autres rhinocéros. On en signale un peu partout dans la ville. Ce matin il y en avait sept, maintenant il y en a dix-sept.

BOTARD. — Qu'est-ce que je vous disais!

DAISY (*continuant*). — Il y en aurait même trente-deux de signalés. 25 Ce n'est pas encore officiel, mais ce sera certainement confirmé.

BOTARD (*moins convaincu*). — Pfff! On exagère.

MONSIEUR PAPILLON. — Est-ce qu'ils vont venir nous sortir de là?[7]

BÉRENGER. — Moi, j'ai faim!...

30 DAISY. — Oui, ils vont venir, les pompiers sont en route!

MONSIEUR PAPILLON. — Et le travail!

DUDARD. — Je crois que c'est un cas de force majeure.[8]

MONSIEUR PAPILLON. — Il faudra rattraper les heures de travail perdues.

DUDARD. — Alors, monsieur Botard, est-ce que vous niez toujours l'évidence rhinocérique?

BOTARD. — Notre délégation s'oppose à ce que vous renvoyiez M. Bœuf, sans préavis.[1]

MONSIEUR PAPILLON. — Ce n'est pas à moi de décider, nous verrons bien les conclusions de l'enquête. 5

BOTARD (*à Dudard*). — Non, monsieur Dudard, je ne nie pas l'évidence rhinocérique. Je ne l'ai jamais niée.

DUDARD. — Vous êtes de mauvaise foi.

DAISY. — Ah oui! vous êtes de mauvaise foi. 10

BOTARD. — Je répète que je ne l'ai jamais niée. Je tenais simplement à savoir jusqu'où cela pouvait aller. Mais moi, je sais à quoi m'en tenir.[2] Je ne constate pas simplement le phénomène. Je le comprends, et je l'explique. Du moins, je pourrais l'expliquer si... 15

DUDARD. — Mais expliquez-nous-le.

DAISY. — Expliquez-le, monsieur Botard.

MONSIEUR PAPILLON. — Expliquez-le puisque vos collègues vous le demandent.

BOTARD. — Je vous l'expliquerai... 20

DUDARD. — On vous écoute.

DAISY. — Je suis bien curieuse.

BOTARD. — Je vous l'expliquerai... un jour...

DUDARD. — Pourquoi pas tout de suite?

BOTARD (*à M. Papillon, menaçant*). — Nous nous expliquerons 25

---

[1] avis donné auparavant.
[2] ce qu'il faut penser de tout cela.
[3] la vérité cachée.
[4] Botard prétend tout savoir, mais en réalité c'est un grand bluffeur.
[5] Vous vous écartez du sujet.
[6] Botard voit la provocation politique partout.
[7] c'est produit.
[8] ce changement, cette métamorphose.
[9] C'est le secret que tout le monde connaît; un faux secret.
[10] on ne peut pas tolérer une chose pareille.
[11] bruit tumultueux de choses remuées.
[12] bruit de gens qui courent dans tous les sens.

bientôt, entre nous. (*A tous.*) Je connais le pourquoi des choses, les dessous[3] de l'histoire...

DAISY. — Quels dessous ?

BÉRENGER. — Quels dessous ?

5 DUDARD. — Je voudrais bien les connaître, les dessous...

BOTARD (*continuant, terrible*). — Et je connais aussi les noms de tous les responsables. Les noms des traîtres. Je ne suis pas dupe. Je vous ferai connaître le but et la signification de cette provocation ! Je démasquerai les instigateurs.[4]

10 BÉRENGER. — Qui aurait intérêt à ?...

DUDARD (*à Botard*). — Vous divaguez,[5] monsieur Botard.

MONSIEUR PAPILLON. — Ne divaguons point.

BOTARD. — Moi, je divague, je divague ?

DAISY. — Tout à l'heure, vous nous accusiez d'avoir des halluci-
15 nations.

BOTARD. — Tout à l'heure, oui. Maintenant, l'hallucination est devenue provocation.[6]

DUDARD. — Comment s'est effectué[7] ce passage,[8] selon vous ?

BOTARD. — C'est le secret de polichinelle,[9] Messieurs ! Seuls les
20 enfants n'y comprennent rien. Seuls les hypocrites font semblant de ne pas comprendre. (*On entend le bruit et le signal de la voiture des pompiers qui arrive. On entend les freins de la voiture qui stoppe brusquement sous la fenêtre.*)

DAISY. — Voilà les pompiers !

25 BOTARD. — Il faudra que cela change, ça ne se passera pas comme cela.[10]

DUDARD. — Il n'y a aucune signification à cela, monsieur Botard. Les rhinocéros existent, c'est tout. Ça ne veut rien dire d'autre.

DAISY (*à la fenêtre, regardant en bas*). — Par ici, Messieurs les
30 Pompiers. (*On entend, en bas, un remue-ménage,*[11] *un branle-bas,*[12] *les bruits de la voiture.*)

VOIX D'UN POMPIER. — Installez l'échelle.

BOTARD (*à Dudard*). — J'ai la clé des événements, un système d'interprétation infaillible.

MONSIEUR PAPILLON. — Il faudrait tout de même revenir au bureau cet après-midi. (*On voit l'échelle des pompiers se poser contre la fenêtre.*)

BOTARD. — Tant pis pour les affaires, monsieur Papillon.

MONSIEUR PAPILLON. — Que va dire la direction générale? 5

DUDARD. — C'est un cas exceptionnel.

BOTARD (*montrant la fenêtre*). — On ne peut pas nous obliger à reprendre le même chemin.[1] Il faut attendre qu'on répare l'escalier.

DUDARD. — Si quelqu'un se casse une jambe, cela pourrait créer 10 des ennuis à la direction.

MONSIEUR PAPILLON. — C'est juste. (*On voit apparaître le casque*[2] *d'un Pompier, puis le Pompier.*)

BÉRENGER (*à Daisy, montrant la fenêtre*). — Après vous, Mademoiselle Daisy. 15

LE POMPIER. — Allons, Mademoiselle. (*Le Pompier prend Mlle Daisy dans ses bras, par la fenêtre, que celle-ci escalade, et disparaîtra avec elle.*)

DUDARD. — Au revoir, Mademoiselle Daisy. A bientôt.

DAISY (*disparaissant*). — A bientôt, Messieurs! 20

MONSIEUR PAPILLON (*à la fenêtre*). — Téléphonez-moi demain matin, Mademoiselle. Vous viendrez taper le courrier chez moi. (*A Bérenger.*) Monsieur Bérenger, j'attire votre attention sur le fait que nous ne sommes pas en vacances, et qu'on reprendra le travail dès que possible. (*Aux deux autres.*) Vous m'avez 25 entendu, Messieurs?

DUDARD. — D'accord, Monsieur Papillon.

BOTARD. — Évidemment, on nous exploite jusqu'au sang![3]

LE POMPIER (*réapparaissant à la fenêtre*). — A qui le tour?

---

[1] C'est-à-dire, revenir par l'échelle.
[2] armure défensive en métal qui couvre la tête.
[3] sans pitié. — Botard est un gauchisant.
[4] tout de suite.
[5] Interjection qui indique l'impatience du Pompier.

MONSIEUR PAPILLON (*s'adressant aux trois*). — Allez-y.
DUDARD. — Après vous, Monsieur Papillon.
BÉRENGER. — Après vous, Monsieur le Chef.
BOTARD. — Après vous, bien sûr.
5 MONSIEUR PAPILLON (*à Bérenger*). — Apportez-moi le courrier de Mlle Daisy. Là, sur la table. (*Bérenger va chercher le courrier et l'apporte à M. Papillon.*)
LE POMPIER. — Allons, dépêchez-vous. On n'a pas le temps. Il y en a d'autres qui nous appellent.
10 BOTARD. — Qu'est-ce que je vous disais? (*M. Papillon, le courrier sous le bras, escalade la fenêtre.*)
MONSIEUR PAPILLON (*aux pompiers*). — Attention aux dossiers. (*Se retournant vers Dudard, Botard et Bérenger.*) Messieurs, au revoir.
DUDARD. — Au revoir, Monsieur Papillon.
15 BÉRENGER. — Au revoir, Monsieur Papillon.
MONSIEUR PAPILLON (*a disparu; on l'entend dire:*) Attention, les papiers!
VOIX DE MONSIEUR PAPILLON. — Dudard! Fermez les bureaux à clé!
20 DUDARD (*criant*). — Ne vous inquiétez pas, Monsieur Papillon. (*A Botard.*) Après vous, Monsieur Botard.
BOTARD. — Messieurs, je descends. Et de ce pas,[4] je vais prendre contact avec les autorités compétentes. J'éluciderai ce faux mystère. (*Il se dirige vers la fenêtre, pour l'escalader.*)
25 DUDARD (*à Botard*). — Je croyais que c'était déjà clair pour vous!
BOTARD (*escaladant la fenêtre*). — Votre ironie ne me touche guère. Ce que je veux, c'est vous montrer les preuves, les documents, oui, les preuves de votre félonie.
30 DUDARD. — C'est absurde...
BOTARD. — Votre insulte...
DUDARD (*l'interrompant*). — C'est vous qui m'insultez...
BOTARD (*disparaissant*). — Je n'insulte pas. Je prouve.
VOIX DU POMPIER. — Allez, allez...[5]

DUDARD (*à Bérenger*). — Que faites-vous cet après-midi? On pourrait boire un coup.[1]

BÉRENGER. — Je m'excuse. Je vais profiter de cet après-midi libre pour aller voir mon ami Jean. Je veux me réconcilier avec lui,[2] tout de même. On s'était fâchés. J'ai eu des torts.[3] 5 (*La tête du Pompier réapparaît à la fenêtre.*)

LE POMPIER. — Allons, allons...

BÉRENGER (*montrant la fenêtre*). — Après vous.

DUDARD (*à Bérenger*). — Après vous.

BÉRENGER (*à Dudard*). — Oh non, après vous. 10

DUDARD (*à Bérenger*). — Pas du tout, après vous.

BÉRENGER (*à Dudard*). — Je vous en prie, après vous, après vous.

LE POMPIER. — Dépêchons, dépêchons.

DUDARD (*à Bérenger*). — Après vous, après vous.

BÉRENGER (*à Dudard*). — Après vous, après vous.[4] (*Ils escaladent* 15 *la fenêtre en même temps. Le Pompier les aide à descendre, tandis que le rideau tombe.*)

Fin du tableau

---

[1] aller boire quelque chose.

[2] Prépare encore plus le deuxième tableau. (Voir la fin du premier acte.)

[3] Trait plus révélateur encore du caractère sympathique de Bérenger.

[4] A l'Odéon, à la fin de cette scène "Gaston-Alphonse," toujours comique, Bérenger et Dudard plongeaient ensemble par l'ouverture de la fenêtre et y restaient, les pieds en l'air, faisant tableau vivant au tomber du rideau.

DEUXIÈME TABLEAU

DÉCOR

Chez Jean. La structure du dispositif[1] est à peu près la même qu'au premier tableau de ce deuxième acte. C'est-à-dire que le plateau est partagé en deux. A droite, occupant les trois quarts ou les quatre cinquièmes du plateau, selon la largeur de celui-ci, on voit la chambre de Jean. Au fond, contre le mur, le lit de Jean, dans lequel celui-ci est couché. Au milieu du plateau, une chaise ou un fauteuil, dans lequel Bérenger viendra s'installer. A droite, au milieu, une porte donnant sur le cabinet de toilette de Jean. Lorsque Jean ira faire sa toilette, on entendra le bruit de l'eau du robinet,[2] celui de la douche.[3] A gauche de la chambre, une cloison[4] sépare le plateau en deux. Au milieu, la porte donnant sur l'escalier. Si on veut faire un décor moins réaliste, un décor stylisé, on peut mettre simplement la porte sans cloison. A gauche du plateau, on voit l'escalier, les dernières marches menant à l'appartement de Jean, la rampe, le haut du palier. Dans le fond, à la hauteur de ce palier, une porte de l'appartement des voisins. Plus bas, dans le fond, le haut d'une porte vitrée, au-dessus de laquelle on voit écrit « Concierge ».[5]

Au lever du rideau, Jean, dans son lit, est couché sous sa couverture, dos au public. On l'entend tousser. Au bout de quelques instants, on voit Bérenger paraître, montant les dernières marches de l'escalier. Il frappe à la porte, Jean ne répond pas. Bérenger frappe de nouveau.

*

---

[1] arrangement du décor.
[2] appareil qui retient ou laisse couler l'eau.
[3] jet d'eau que l'on peut diriger sur le corps.
[4] un mur mince.
[5] Personne qui garde un hôtel, une maison.

BÉRENGER. — Jean! (*Il frappe de nouveau.*) Jean! (*La porte du fond du palier s'entrouvre, apparaît un petit vieux à barbiche*[1] *blanche.*)

LE PETIT VIEUX. — Qu'est-ce qu'il y a?

BÉRENGER. — Je viens voir Jean, Monsieur Jean, mon ami.

LE PETIT VIEUX. — Je croyais que c'était pour moi. Moi aussi, je m'appelle Jean, alors c'est l'autre. 5

VOIX DE LA FEMME DU VIEUX (*du fond de la pièce*). — C'est pour nous?

LE PETIT VIEUX (*se retournant vers sa femme que l'on ne voit pas*). — C'est pour l'autre. 10

BÉRENGER (*frappant*). — Jean.

LE PETIT VIEUX. — Je ne l'ai pas vu sortir. Je l'ai vu hier soir. Il n'avait pas l'air de bonne humeur.[2]

BÉRENGER. — Je sais pourquoi, c'est ma faute.

LE PETIT VIEUX. — Peut-être ne veut-il pas ouvrir. Essayez encore. 15

VOIX DE LA FEMME DU VIEUX. — Jean! ne bavarde pas, Jean.

BÉRENGER (*frappant*). — Jean!

LE PETIT VIEUX (*à sa femme*). — Une seconde. Ah là là...[3] (*Il referme la porte et disparaît*). 20

JEAN (*toujours couché, dos au public, d'une voix rauque*). — Qu'est-ce qu'il y a?

BÉRENGER. — Je suis venu vous voir, mon cher Jean.

JEAN. — Qui est là?

BÉRENGER. — Moi, Bérenger. Je ne vous dérange pas? 25

JEAN. — Ah, c'est vous? Entrez.

BÉRENGER (*essayant d'ouvrir*). — La porte est fermée.

---

[1] petite barbe pointue.
[2] Ce vieux monsieur, sans grand-chose à faire, s'intéresse au va-et-vient de son voisin.
[3] Il exprime son impatience envers sa femme.
[4] en désordre.
[5] murmure de mécontentement.
[6] ardeur furieuse.
[7] obstination, sans arrêt.

JEAN. — Une seconde. Ah là là... (*Jean se lève, d'assez mauvaise humeur en effet. Il a un pyjama vert, les cheveux ébouriffés.*[4]) Une seconde. (*Il tourne la clé dans la serrure.*) Une seconde. (*Il va se coucher de nouveau, se met sous la couverture, comme avant.*) Entrez.

5 BÉRENGER (*entrant*). — Bonjour, Jean.

JEAN (*dans son lit*). — Quelle heure est-il? Vous n'êtes pas au bureau?

BÉRENGER. — Vous êtes encore couché, vous n'êtes pas au bureau? Excusez-moi, je vous dérange peut-être.

10 JEAN (*toujours de dos*). — C'est curieux, je ne reconnaissais pas votre voix.

BÉRENGER. — Moi non plus, je ne reconnaissais pas votre voix.

JEAN (*toujours de dos*). — Asseyez-vous.

BÉRENGER. — Vous êtes malade? (*Jean répond par un grognement.*[5])

15 Vous savez, Jean, j'ai été stupide de me fâcher avec vous, pour une histoire pareille.

JEAN. — Quelle histoire?

BÉRENGER. — Hier...

JEAN. — Quand hier? Où hier?

20 BÉRENGER. — Vous avez oublié? C'était à propos de ce rhinocéros, de ce malheureux rhinocéros.

JEAN. — Quel rhinocéros?

BÉRENGER. — Le rhinocéros, ou si vous voulez, ces deux malheureux rhinocéros que nous avons aperçus.

25 JEAN. — Ah oui, je me souviens... Qui vous a dit que ces deux rhinocéros étaient malheureux?

BÉRENGER. — C'est une façon de parler.

JEAN. — Bon. N'en parlons plus.

BÉRENGER. — Vous êtes bien gentil.

30 JEAN. — Et alors?

BÉRENGER. — Je tiens quand même à vous dire que je regrette d'avoir soutenu... avec acharnement,[6] avec entêtement...[7] avec colère... oui, bref, bref... J'ai été stupide.

JEAN. — Ça ne m'étonne pas de vous.

BÉRENGER. — Excusez-moi.

JEAN. — Je ne me sens pas très bien. (*Il tousse.*)

BÉRENGER. — C'est la raison, sans doute, pour laquelle vous êtes au lit. (*Changeant de ton.*) Vous savez, Jean, nous avions raison tous les deux. 5

JEAN. — A quel propos?

BÉRENGER. — Au sujet de... la même chose. Encore une fois, excusez-moi d'y revenir, je ne m'y étendrai pas longtemps.[1] Je tiens donc à vous dire, mon cher Jean, que, chacun à sa façon, nous avions raison tous les deux. Maintenant, c'est 10 prouvé. Il y a, dans la ville, des rhinocéros à deux cornes, aussi bien que des rhinocéros à une corne.

JEAN. — C'est ce que je vous disais! Eh bien, tant pis.

BÉRENGER. — Oui, tant pis.

JEAN. — Ou tant mieux, c'est selon. 15

BÉRENGER (*continuant*). — D'où viennent les uns, d'où viennent les autres, ou, d'où viennent les autres, d'où viennent les uns, cela importe peu au fond. La seule chose qui compte à mes yeux, c'est l'existence du rhinocéros en soi, car...

JEAN (*se retournant et s'asseyant sur son lit défait,*[2] *face à Bérenger*). — 20 Je ne me sens pas très bien, je ne me sens pas très bien!

BÉRENGER. — J'en suis désolé! Qu'avez-vous donc?

Jean. — Je ne sais pas trop, un malaise,[3] des malaises...

BÉRENGER. — Des faiblesses?

JEAN. — Pas du tout. Ça bouillonne[4] au contraire. 25

---

[1] je n'en parlerai pas longtemps.
[2] en désordre.
[3] une sensation bizarre.
[4] Son corps est en pleine transformation et aussi agité qu'un liquide en train de bouillir.
[5] momentanée.
[6] C'est un orgueilleux. Jean ne veut pas admettre qu'il a des faiblesses.
[7] dérange.
[8] Votre voix est rauque.
[9] heurté contre quelque chose.

BÉRENGER. — Je veux dire... une faiblesse passagère.[5] Ça peut arriver à tout le monde.

JEAN. — A moi, jamais.[6]

BÉRENGER. — Peut-être un excès de santé, alors. Trop d'énergie, 5 ça aussi c'est mauvais parfois. Ça déséquilibre[7] le système nerveux.

JEAN. — J'ai un équilibre parfait. (*La voix de Jean se fait de plus en plus rauque.*) Je suis sain d'esprit et de corps. Mon hérédité...

BÉRENGER. — Bien sûr, bien sûr. Peut-être avez-vous pris froid 10 quand même. Avez-vous de la fièvre?

JEAN. — Je ne sais pas. Si, sans doute un peu de fièvre. J'ai mal à la tête.

BÉRENGER. — Une petite migraine. Je vais vous laisser, si vous voulez.

15 JEAN. — Restez. Vous ne me gênez pas.

BÉRENGER. — Vous êtes enroué,[8] aussi.

JEAN. — Enroué?

BÉRENGER. — Un peu enroué, oui. C'est pour cela que je ne reconnaissais pas votre voix.

20 JEAN. — Pourquoi serais-je enroué? Ma voix n'a pas changé, c'est plutôt la vôtre qui a changé.

BÉRENGER. — La mienne?

JEAN. — Pourquoi pas?

BÉRENGER. — C'est possible. Je ne m'en étais pas aperçu.

25 JEAN. — De quoi êtes-vous capable de vous apercevoir. (*Mettant la main à son front.*) C'est le front plus précisément qui me fait mal. Je me suis cogné,[9] sans doute! (*Sa voix est encore plus rauque.*)

BÉRENGER. — Quand vous êtes-vous cogné?

30 JEAN. — Je ne sais pas. Je ne m'en souviens pas.

BÉRENGER. — Vous auriez eu mal.

JEAN. — Je me suis peut-être cogné en dormant.

BÉRENGER. — Le choc vous aurait réveillé. Vous avez sans doute simplement rêvé que vous vous êtes cogné.

JEAN. — Je ne rêve jamais...

BÉRENGER (*continuant*). — Le mal de tête a dû vous prendre pendant votre sommeil, vous avez oublié d'avoir rêvé, ou plutôt vous vous en souvenez inconsciemment![1]

JEAN. — Moi, inconsciemment? Je suis maître de mes pensées, je ne me laisse pas aller à la dérive. Je vais tout droit, je vais toujours tout droit. 5

BÉRENGER. — Je le sais. Je ne me suis pas fait comprendre.

JEAN. — Soyez plus clair. Ce n'est pas la peine de me dire des choses désagréables. 10

BÉRENGER. — On a souvent l'impression qu'on s'est cogné, quand on a mal à la tête. (*S'approchant de Jean.*) Si vous vous étiez cogné, vous devriez avoir une bosse.[2] (*Regardant Jean.*) Si, tiens,[3] vous en avez une, vous avez une bosse en effet.

JEAN. — Une bosse? 15

BÉRENGER. — Une toute petite.

JEAN. — Où?

BÉRENGER (*montrant le front de Jean*). — Tenez, elle pointe[4] juste au-dessus de votre nez.

JEAN. — Je n'ai point de bosse. Dans ma famille, on n'en a jamais eu. 20

BÉRENGER. — Avez-vous une glace?

---

[1] sans vous en rendre compte.
[2] enflure, protubérance.
[3] exclamation de surprise.
[4] s'élève en pointe.
[5] On dirait bien qu'il y en a une.
[6] Stratagème ingénieux de la part de l'auteur pour que Jean puisse se maquiller dans la salle de bains.
[7] la couleur de sa peau.
[8] presque vert.
[9] inflammation de la gorge.
[10] Vous n'avez pas à en avoir honte.
[11] Prononcé [pu].
[12] ça ira bien.
[13] Cette réplique fait rire toujours à cause du nouveau caractère "rhinocérique" de Jean.

JEAN. — Ah ça alors! (*Se tâtant le front.*) — On dirait bien pourtant.[5] Je vais voir, dans la salle de bains.[6] (*Il se lève brusquement et se dirige vers la salle de bains. Bérenger le suit du regard. De la salle de bains:*) C'est vrai, j'ai une bosse. (*Il revient, son teint*[7] *est*
5 *devenu plus verdâtre.*[8]) Vous voyez bien que je me suis cogné.

BÉRENGER. — Vous avez mauvaise mine, votre teint est verdâtre.

JEAN. — Vous adorez me dire des choses désagréables. Et vous, vous êtes-vous regardé?

BÉRENGER. — Excusez-moi, je ne veux pas vous faire de la peine.

10 JEAN (*très ennuyé*). — On ne le dirait pas.

BÉRENGER. — Votre respiration est très bruyante. Avez-vous mal à la gorge? (*Jean va de nouveau s'asseoir sur son lit.*) Avez-vous mal à la gorge? C'est peut-être une angine.[9]

JEAN. — Pourquoi aurais-je une angine?

15 BÉRENGER.— Ça n'est pas infamant,[10] moi aussi j'ai eu des angines. Permettez que je prenne votre pouls.[11] (*Bérenger se lève, il va prendre le pouls de Jean.*)

JEAN (*d'une voix encore plus rauque*). — Oh, ça ira.[12]

BÉRENGER. — Votre pouls bat à un rythme tout à fait régulier.
20 Ne vous effrayez pas.

JEAN. — Je ne suis pas effrayé du tout, pourquoi le serais-je?

BÉRENGER. — Vous avez raison. Quelques jours de repos, et ce sera fini.

JEAN. — Je n'ai pas le temps de me reposer. Je dois chercher ma
25 nourriture.[13]

BÉRENGER. — Vous n'avez pas grand-chose, puisque vous avez faim. Cependant, vous devriez quand même vous reposer quelques jours. Ce sera plus prudent. Avez-vous fait venir le médecin?

30 JEAN. — Je n'ai pas besoin de médecin.

BÉRENGER. — Si, il faut faire venir le médecin.

JEAN. — Vous n'allez pas faire venir le médecin, puisque je ne veux pas faire venir le médecin. Je me soigne tout seul.

BÉRENGER. — Vous avez tort de ne pas croire à la médecine.

JEAN. — Les médecins inventent des maladies qui n'existent pas.

BÉRENGER. — Cela part d'un bon sentiment. C'est pour le plaisir de soigner les gens.

JEAN. — Ils inventent les maladies, ils inventent les maladies![1]

BÉRENGER. — Peut-être les inventent-ils. Mais ils guérissent les maladies qu'ils inventent.

JEAN. — Je n'ai confiance que dans les vétérinaires.

BÉRENGER (*qui avait lâché le poignet de Jean, le prend de nouveau*). — Vos veines ont l'air de se gonfler. Elles sont saillantes.

JEAN. — C'est un signe de force.

BÉRENGER. — Évidemment, c'est un signe de santé et de force. Cependant... (*Il observe de plus près l'avant-bras de Jean, malgré celui-ci, qui réussit à le retirer violemment.*)

JEAN. — Qu'avez-vous à m'examiner comme une bête curieuse?

BÉRENGER. — Votre peau...

JEAN. — Qu'est-ce qu'elle peut vous faire ma peau? Est-ce que je m'occupe de votre peau?

BÉRENGER. — On dirait... oui, on dirait qu'elle change de couleur à vue d'œil. Elle verdit.[2] (*Il veut reprendre la main de Jean.*) Elle durcit[3] aussi.

JEAN (*retirant de nouveau sa main*). — Ne me tâtez pas comme ça. Qu'est-ce qu'il vous prend?[4] Vous m'ennuyez.

BÉRENGER (*pour lui*). — C'est peut-être plus grave que je ne croyais. (*A Jean.*) Il faut appeler le médecin. (*Il se dirige vers le téléphone.*)

JEAN. — Laissez cet appareil tranquille. (*Il se précipite vers Bérenger*

---

[1] C'est une vieille tradition dans les comédies et dans les farces de se moquer des médecins. (Cf. surtout le théâtre de Molière.)

[2] devient verte.

[3] devient plus dure.

[4] Qu'avez-vous?

[5] est sur le point de tomber.

[6] ce qui est bon pour moi.

[7] Cette réplique rappelle inévitablement Alceste dans *Le Misanthrope* de Molière.

et le repousse. Bérenger chancelle.[5]) Mêlez-vous de ce qui vous regarde.

BÉRENGER. — Bon, bon. C'était pour votre bien.

JEAN (*toussant et respirant bruyamment*). — Je connais mon bien[6]
5 mieux que vous.

BÉRENGER. — Vous ne respirez pas facilement.

JEAN. — On respire comme on peut! Vous n'aimez pas ma respiration, moi, je n'aime pas la vôtre. Vous respirez trop faiblement, on ne vous entend même pas, on dirait que vous allez
10 mourir d'un instant à l'autre.

BÉRENGER. — Sans doute n'ai-je pas votre force.

JEAN. — Est-ce que je vous envoie, vous, chez le médecin pour qu'il vous en donne? Chacun fait ce qu'il veut!

BÉRENGER. — Ne vous mettez pas en colère contre moi. Vous
15 savez bien que je suis votre ami.

JEAN. — L'amitié n'existe pas. Je ne crois pas en votre amitié.

BÉRENGER. — Vous me vexez.

JEAN. — Vous n'avez pas à vous vexer.

BÉRENGER. — Mon cher Jean...

20 JEAN. — Je ne suis pas votre cher Jean.

BÉRENGER. — Vous êtes bien misanthrope aujourd'hui.

JEAN. — Oui, je suis misanthrope, misanthrope, misanthrope, ça me plaît d'être misanthrope.[7]

BÉRENGER. — Vous m'en voulez sans doute encore, pour notre
25 sotte querelle d'hier, c'était ma faute, je le reconnais. Et justement j'étais venu pour m'excuser...

JEAN. — De quelle querelle parlez-vous?

BÉRENGER. — Je viens de vous le rappeler. Vous savez, le rhinocéros!

30 JEAN (*sans écouter Bérenger*). — A vrai dire, je ne déteste pas les hommes, ils me sont indifférents, ou bien ils me dégoûtent, mais qu'ils ne se mettent pas en travers de ma route, je les écraserais.

BÉRENGER. — Vous savez bien que je ne serai jamais un obstacle...

JEAN. — J'ai un but, moi. Je fonce sur lui.

BÉRENGER. — Vous avez raison certainement. Cependant, je crois que vous passez par une crise morale. (*Depuis un instant, Jean parcourt la chambre, comme une bête en cage, d'un mur à l'autre. Bérenger l'observe, s'écarte de temps en temps, légèrement, pour l'éviter. La voix de Jean est toujours de plus en plus rauque.*) Ne vous énervez pas, ne vous énervez pas. 5

JEAN. — Je me sentais mal à l'aise dans mes vêtements, maintenant mon pyjama aussi me gêne! (*Il entrouvre et referme la veste de son pyjama.*) 10

BÉRENGER. — Ah mais, qu'est-ce qu'elle a votre peau?

JEAN. — Encore ma peau? C'est ma peau, je ne la changerai certainement pas contre la vôtre.

BÉRENGER. — On dirait du cuir.

JEAN. — C'est plus solide. Je résiste aux intempéries.[1] 15

BÉRENGER. — Vous êtes de plus en plus vert.

JEAN. — Vous avez la manie des couleurs[2] aujourd'hui. Vous avez des visions, vous avez encore bu.

BÉRENGER. — J'ai bu hier, plus aujourd'hui.

JEAN. — C'est le résultat de tout un passé de débauches. 20

BÉRENGER. — Je vous ai promis de m'amender,[3] vous le savez bien, car moi, j'écoute les conseils d'amis comme vous. Je ne m'en sens pas humilié, au contraire.

JEAN. — Je m'en fiche.[4] Brrr...[5]

BÉRENGER. — Que dites-vous? 25

JEAN. — Je ne dis rien. Je fais brrr... ça m'amuse.

BÉRENGER (*regardant Jean dans les yeux*). — Savez-vous ce qui est arrivé à Bœuf? Il est devenu rhinocéros.

JEAN. — Qu'est-il arrivé à Bœuf?

---

[1] mauvais temps.
[2] de parler des couleurs.
[3] me corriger.
[4] Je m'en moque.
[5] Onomatopée pour le bruit que fait un rhinocéros.

JEAN. — *A vrai dire, je ne déteste pas les hommes, ils me sont indifférents, ou bien ils me dégoûtent, mais qu'ils ne se mettent pas en travers de ma route, je les écraserais.*

BÉRENGER. — Il est devenu rhinocéros.

JEAN (*s'éventant avec les pans*[1] *de sa veste*). — Brrr...

BÉRENGER. — Ne plaisantez plus, voyons.

JEAN. — Laissez-moi donc souffler. J'en ai bien le droit. Je suis chez moi. 5

BÉRENGER. — Je ne dis pas le contraire.

JEAN. — Vous faites bien de ne pas me contredire. J'ai chaud, j'ai chaud. Brrr... Une seconde. Je vais me rafraîchir.

BÉRENGER (*tandis que Jean se précipite dans la salle de bains*). — C'est la fièvre. (*Jean est dans la salle de bains, on l'entend souffler, et on* 10 *entend aussi couler l'eau d'un robinet.*)

JEAN (*à côté*). — Brrr...

BÉRENGER. — Il a des frissons. Tant pis, je téléphone au médecin. (*Il se dirige de nouveau vers le téléphone, puis se retire brusquement, lorsqu'il entend la voix de Jean.*) 15

JEAN. — Alors, ce brave Bœuf est devenu rhinocéros. Ah, ah, ah... Il s'est moqué de vous, il s'est déguisé. (*Il sort sa tête par l'entrebâillement de la porte*[2] *de la salle de bains. Il est très vert. Sa bosse est un peu plus grande, au-dessus du nez.*) Il s'est déguisé.

BÉRENGER (*se promenant dans la pièce, sans regarder Jean*). — Je vous 20 assure que ça avait l'air très sérieux.

JEAN. — Eh bien, ça le regarde.

BÉRENGER (*se tournant vers Jean qui disparaît dans la salle de bains*). — Il ne l'a sans doute pas fait exprès. Le changement s'est fait contre sa volonté. 25

---

[1] parties tombantes de la veste de son pyjama.
[2] la porte qui est entr'ouverte.
[3] [ɛ]: interjection interrogative.
[4] Bœuf est un nom comique pour une grosse femme. L'actrice qui jouait ce rôle à l'Odéon était jolie et petite. Barrault n'a pas voulu une grosse dame. Dans les adaptations allemande et anglaise Madame Bœuf était tout à fait selon les indications de Ionesco.
[5] interjection marquant le doute.
[6] à la figure.
[7] me fait du bien.
[8] volontairement.

JEAN (*à côté*). — Qu'est-ce que vous en savez?
BÉRENGER. — Du moins, tout nous le fait supposer.
JEAN. — Et s'il l'avait fait exprès? Hein,[3] s'il l'avait fait exprès?
BÉRENGER. — Ça m'étonnerait. Du moins, Mme Bœuf n'avait pas
5 l'air du tout d'être au courant...
JEAN (*d'une voix très rauque*). — Ah, ah, ah! Cette grosse Mme Bœuf![4] Ah là là! c'est une idiote!
BÉRENGER. — Idiote ou non...
JEAN (*il entre rapidement, enlève sa veste qu'il jette sur le lit, tandis que*
10 *Bérenger se retourne discrètement. Jean, qui a la poitrine et le dos verts, rentre de nouveau dans la salle de bains. Rentrant et sortant*). — Bœuf ne mettait jamais sa femme au courant de ses projets...
BÉRENGER. — Vous vous trompez, Jean. C'était un ménage très uni, au contraire.
15 JEAN. — Très uni, vous en êtes sûr? Hum, hum.[5] Brrr...
BÉRENGER (*se dirigeant vers la salle de bains dont Jean lui claque la porte au nez*[6]). — Très uni. La preuve c'est que...
JEAN (*de l'autre côté*). — Bœuf avait sa vie personnelle. Il s'était réservé un coin secret, dans le fond de son cœur.
20 BÉRENGER. — Je ne devrais pas vous faire parler, ça a l'air de vous faire du mal.
JEAN. — Ça me dégage,[7] au contraire.
BÉRENGER. — Laissez-moi appeler le médecin, tout de même, je vous en prie.
25 JEAN. — Je vous l'interdis absolument. Je n'aime pas les gens têtus. (*Jean entre dans la chambre. Bérenger recule un peu effrayé, car Jean est encore plus vert, et il parle avec beaucoup de peine. Sa voix est méconnaissable.*) Et alors, s'il est devenu rhinocéros de plein gré[8] ou contre sa volonté, ça vaut peut-être mieux pour lui.
30 BÉRENGER. — Que dites-vous là, cher ami? Comment pouvez-vous penser...
JEAN. — Vous voyez le mal partout. Puisque ça lui fait plaisir de devenir rhinocéros, puisque ça lui fait plaisir! Il n'y a rien d'extraordinaire à cela.

BÉRENGER. — Évidemment, il n'y a rien d'extraordinaire à cela. Pourtant, je doute que ça lui fasse tellement plaisir.

JEAN. — Et pourquoi donc?

BÉRENGER. — Il m'est difficile de dire pourquoi. Ça se comprend.

JEAN. — Je vous dis que ce n'est pas si mal que ça! Après tout, les rhinocéros sont des créatures comme nous, qui ont droit à la vie au même titre que nous![1]

BÉRENGER. — A condition qu'elles ne détruisent pas la nôtre. Vous rendez-vous compte de la différence de mentalité?

JEAN (*allant et venant dans la pièce, entrant dans la salle de bains, et sortant*). — Pensez-vous que la nôtre soit préférable?

BÉRENGER. — Tout de même, nous avons notre morale à nous, que je juge incompatible avec celle de ces animaux.

JEAN. — La morale! Parlons-en de la morale, j'en ai assez de la morale, elle est belle la morale! Il faut dépasser la morale.

BÉRENGER. — Que mettriez-vous à la place?

JEAN (*même jeu*). — La nature!

BÉRENGER. — La nature?

JEAN (*même jeu*). — La nature a ses lois. La morale est antinaturelle.

BÉRENGER. — Si je comprends, vous voulez remplacer la loi morale par la loi de la jungle!

JEAN. — J'y[2] vivrai, j'y vivrai.

BÉRENGER. — Cela se dit. Mais dans le fond, personne...

JEAN (*l'interrompant, et allant et venant*). — Il faut reconstituer les fondements de notre vie. Il faut retourner à l'intégrité primordiale.

BÉRENGER. — Je ne suis pas du tout d'accord avec vous.

JEAN (*soufflant bruyamment*). — Je veux respirer.

---

[1] autant que nous. — Jean essaye de justifier son nouvel état.
[2] dans la jungle [ʒœ̃gl], dans la nature.
[3] tout ira mieux.
[4] culte de l'humanité.
[5] est mort!

BÉRENGER. — Réfléchissez, voyons, vous vous rendez bien compte que nous avons une philosophie que ces animaux n'ont pas, un système de valeurs irremplaçable. Des siècles de civilisation humaine l'ont bâti!...

5 JEAN (*toujours dans la salle de bains*). — Démolissons tout cela, on s'en portera mieux.[3]

BÉRENGER. — Je ne vous prends pas au sérieux. Vous plaisantez, vous faites de la poésie.

JEAN. — Brrr... (*Il barrit presque*).

10 BÉRENGER. — Je ne savais pas que vous étiez poète.

JEAN (*il sort de la salle de bains*). — Brrr... (*Il barrit de nouveau.*)

BÉRENGER. — Je vous connais trop bien pour croire que c'est là votre pensée profonde. Car, vous le savez aussi bien que moi, l'homme...

15 JEAN (*l'interrompant*). — L'homme... Ne prononcez plus ce mot!

BÉRENGER. — Je veux dire l'être humain, l'humanisme...[4]

JEAN. — L'humanisme est périmé![5] Vous êtes un vieux sentimental ridicule. (*Il entre dans la salle de bains.*)

BÉRENGER. — Enfin, tout de même, l'esprit...

20 JEAN (*dans la salle de bains*). — Des clichés! vous me racontez des bêtises.

BÉRENGER. — Des bêtises!

JEAN (*de la salle de bains, d'une voix très rauque difficilement compréhensible*). — Absolument.

25 BÉRENGER. — Je suis étonné de vous entendre dire cela, mon cher Jean! Perdez-vous la tête? Enfin, aimeriez-vous être rhinocéros?

JEAN. — Pourquoi pas! Je n'ai pas vos préjugés.

BÉRENGER. — Parlez plus distinctement. Je ne comprends pas.
30 Vous articulez mal.

JEAN (*toujours de la salle de bains*). — Ouvrez vos oreilles!

BÉRENGER. — Comment?

JEAN. — Ouvrez vos oreilles. J'ai dit, pourquoi pas ne pas être un rhinocéros? J'aime les changements.

BÉRENGER. — De telles affirmations venant de votre part... (*Bérenger s'interrompt, car Jean fait une apparition effrayante. En effet, Jean est devenu tout à fait vert. La bosse de son front est presque devenue une corne de rhinocéros.*) Oh! vous semblez vraiment perdre la tête! (*Jean se précipite vers son lit, jette les couvertures par terre, prononce des paroles furieuses et incompréhensibles, fait entendre des sons inouïs.*) Mais ne soyez pas si furieux, calmez-vous! Je ne vous reconnais plus. 5

JEAN (*à peine distinctement*). — Chaud... trop chaud. Démolir tout cela, vêtements, ça gratte, vêtements, ça gratte. (*Il fait tomber le pantalon de son pyjama.*) 10

BÉRENGER. — Que faites-vous? Je ne vous reconnais plus! Vous, si pudique[1] d'habitude!

JEAN. — Les marécages![2] les marécages!...

BÉRENGER. — Regardez-moi! Vous ne semblez plus me voir! Vous ne semblez plus m'entendre! 15

JEAN. — Je vous entends très bien! Je vous vois très bien! (*Il fonce sur Bérenger tête baissée. Celui-ci s'écarte.*)

BÉRENGER. — Attention!

JEAN (*soufflant bruyamment*). — Pardon! (*Puis il se précipite à toute vitesse dans la salle de bains.*) 20

BÉRENGER (*fait mine de fuir vers la porte à gauche puis fait demi-tour et va dans la salle de bains à la suite de Jean, en disant :*) Je ne peux tout de même pas le laisser comme cela, c'est un ami. (*De la salle de bains.*) Je vais appeler le médecin! c'est indispensable, indispensable, croyez-moi. 25

---

[1] décent.
[2] terrains humides, pleins de boue.
[3] grandit, augmente.
[4] bruit tumultueux.
[5] je suis furieux.
[6] terme vulgaire que l'on adresse à quelqu'un que l'on méprise.
[7] le bâtiment, la maison.
[8] Qu'est-ce que c'est que ces manières!
[9] logement.

JEAN (*dans la salle de bains*). — Non.

BÉRENGER (*dans la salle de bains*). — Si. Calmez-vous, Jean! Vous êtes ridicule. Oh, votre corne s'allonge[3] à vue d'œil!... Vous êtes rhinocéros!

5 JEAN (*dans la salle de bains*). — Je te piétinerai, je te piétinerai. (*Grand bruit dans la salle de bains, barrissements, bruit d'objets et d'une glace qui tombe et se brise; puis on voit apparaître Bérenger tout effrayé qui ferme avec peine la porte de la salle de bains, malgré la poussée contraire que l'on devine.*)

10 BÉRENGER (*poussant la porte*). — Il est rhinocéros, il est rhinocéros! (*Bérenger a réussi à fermer la porte. Son veston est troué par une corne. Au moment où Bérenger a réussi à fermer la porte, la corne du rhinocéros a traversé celle-ci. Tandis que la porte s'ébranle sous la poussée continuelle de l'animal, et que le vacarme*[4] *dans la salle de bains* 15 *continue et que l'on entend des barrissements mêlés à des mots à peine distincts, comme : je rage,*[5] *salaud,*[6] *etc., Bérenger se précipite vers la porte de droite.*) Jamais je n'aurais cru ça de lui! (*Il ouvre la porte donnant sur l'escalier, et va frapper à la porte sur le palier, à coups de poing répétés.*) Vous avez un rhinocéros dans l'im-20 meuble![7] Appelez la police! (*La porte s'ouvre.*)

LE PETIT VIEUX (*sortant sa tête*). — Qu'est-ce que vous avez?

BÉRENGER. — Appelez la police! Vous avez un rhinocéros dans la maison!...

VOIX DE LA FEMME DU PETIT VIEUX. — Qu'est-ce qu'il y a, Jean? 25 Pourquoi fais-tu du bruit?

LE PETIT VIEUX (*à sa femme*). — Je ne sais pas ce qu'il raconte. Il a vu un rhinocéros.

BÉRENGER. — Oui, dans la maison. Appelez la police!

LE PETIT VIEUX. — Qu'est-ce que vous avez à déranger les gens 30 comme cela? En voilà des manières![8] (*Il lui ferme la porte au nez.*)

BÉRENGER (*se précipitant dans l'escalier*). — Concierge, concierge, vous avez un rhinocéros dans la maison, appelez la police! Concierge! (*On voit s'ouvrir le haut de la porte de la loge*[9] *de la concierge; apparaît une tête de rhinocéros.*) Encore un! (*Bérenger remonte à toute allure les marches de l'escalier. Il veut entrer dans la chambre de Jean, hésite, puis se dirige de nouveau vers la porte du Petit Vieux. A ce moment la porte du Petit Vieux s'ouvre et apparaissent deux petites têtes de rhinocéros.*[1]) Mon Dieu! Ciel! (*Bérenger entre dans la chambre de Jean tandis que la porte de la salle de bains continue* 5 *d'être secouée. Bérenger se dirige vers la fenêtre, qui est indiquée par un simple encadrement, sur le devant de la scène face au public. Il est à bout de force, manque de défaillir,*[2] *bredouille :*[3]) Ah mon Dieu! Ah mon Dieu! (*Il fait un grand effort, se met à enjamber la fenêtre, passe presque de l'autre côté, c'est-à-dire vers la salle, et remonte* 10 *vivement, car au même instant on voit apparaître, de la fosse d'orchestre, la parcourant à toute vitesse, une grande quantité de cornes de rhinocéros à la file. Bérenger remonte le plus vite qu'il peut et regarde un instant par la fenêtre.*) Il y en a tout un troupeau maintenant dans la rue! Une armée de rhinocéros, ils dévalent[4] l'avenue en 15 pente!... (*Il regarde de tous les côtés.*) Par où sortir, par où sortir!... Si encore ils se contentaient du milieu de la rue! Ils

---

[1] Ces détails étaient éliminés à l'Odéon. Pendant les répétitions, on avait toutes les têtes de rhinocéros indiquées par Ionesco, et même d'autres. Mais finalement quelques-unes furent supprimées. Ionesco raconte, à sa façon pince-sans-rire — c'est-à-dire, il raconte sans rire — que quelque part dans les coulisses de l'Odéon il doit y avoir une quantité de têtes de rhinocéros de trop!

[2] est sur le point de s'évanouir.

[3] parle d'une manière précipitée et peu distincte.

[4] descendent à toute allure.

[5] envahissent.

[6] crier des insultes.

[7] efforts inutiles.

[8] sans ordre.

[9] Un autre moment très impressionnant de la pièce. Jean est devenu rhinocéros et Bérenger en voit partout. A l'Odéon, le mur de fond se levait, révélant une rue dans laquelle Barrault (Bérenger), grâce à un habile jeu de jambes, donnait l'impression de s'enfuir à toute vitesse.

[10] Cette fameuse scène de la transformation de Jean en rhinocéros sous les yeux du public rappelle les tours de force des grands acteurs tels que Richard Mansfield (1857-1907), célèbre homme de théâtre américain. En jouant "Dr. Jekyll et Mr. Hyde" de Stevenson, Mansfield se transformait complètement d'un personnage à l'autre avec un minimum de maquillage et un maximum de jeu. William Sabatier, qui jouait le rôle de Jean à l'Odéon, fut très applaudi pour l'habileté de son jeu et de son interprétation.

débordent sur[5] le trottoir, par où sortir, par où partir! (*Affolé, il se dirige vers toutes les portes, et vers la fenêtre, tour à tour, tandis que la porte de la salle de bains continue de s'ébranler et que l'on entend Jean barrir et proférer des injures*[6] *incompréhensibles. Le jeu continue quelques instants: chaque fois que dans ses tentatives*[7] *désordonnées*[8] *de fuite, Bérenger se trouve devant la porte des Vieux, ou sur les marches de l'escalier, il est accueilli par des têtes de rhinocéros qui barrissent et le font reculer. Il va une dernière fois vers la fenêtre, regarde.*) Tout un troupeau de rhinocéros! Et on disait que c'est un animal solitaire! C'est faux, il faut reviser cette conception! Ils ont démoli tous les bancs de l'avenue. (*Il se tord les mains.*) Comment faire? (*Il se dirige de nouveau vers les différentes sorties, mais la vue des rhinocéros l'en empêche. Lorsqu'il se trouve de nouveau devant la porte de la salle de bains, celle-ci menace de céder. Bérenger se jette contre le mur du fond qui cède; on voit la rue dans le fond, il s'enfuit en criant.*[9]) Rhinocéros! Rhinocéros! (*Bruits, la porte de la salle de bains va céder.*)[10]

Rideau

ACTE III

DÉCOR

A peu près la même plantation[1] qu'au tableau précédent. C'est la chambre de Bérenger, qui ressemble étonnamment à celle de Jean. Quelques détails seulement, un ou deux meubles en plus indiqueront qu'il s'agit d'une autre chambre. L'escalier à gauche, palier. Porte au fond du palier. Il n'y a pas la loge de la concierge. Divan au fond. Bérenger est allongé sur son divan, dos au public. Un fauteuil, une petite table avec téléphone. Une table supplémentaire, peut-être, et une chaise. Fenêtre au fond, ouverte. Encadrement d'une fenêtre à l'avant-scène. Bérenger est habillé sur son divan. Il a la tête bandée.[2] Il doit faire de mauvais rêves, car il s'agite dans son sommeil.

*

BÉRENGER. — Non. (*Pause.*) Les cornes, gare aux cornes![3] (*Pause. On entend les bruits d'un assez grand nombre de rhinocéros qui passent sous la fenêtre du fond.*) Non! (*Il tombe par terre, en se débattant*[4] *contre ce qu'il voit en rêve et se réveille. Il met la main à son front,*
5 *l'air effrayé, puis se dirige vers la glace, soulève son bandage tandis que les bruits s'éloignent. Il pousse un soupir de soulagement car il s'aperçoit qu'il n'a pas de bosse. Il hésite, va vers le divan, s'allonge, puis se relève tout de suite. Il se dirige vers la table d'où il prend une bouteille de cognac et un verre, fait mine de se verser à boire. Puis, après un*
10 *court débat muet, il va de nouveau poser la bouteille et le verre à leur*

---

[1] installation du décor.
[2] entourée d'un bandage.
[3] attention aux cornes!
[4] en luttant.

place.) De la volonté, de la volonté. (*Il veut se diriger de nouveau vers son divan, mais on entend de nouveau la course des rhinocéros sous la fenêtre du fond. Bérenger met la main à son cœur.*) Oh! (*Il se dirige vers la fenêtre du fond, regarde un instant, puis, avec énervement,*[1] *la ferme. Les bruits cessent, il se dirige vers la petite table,* 5 *hésite un instant, puis, avec un geste qui signifie: «tant pis», il se verse un grand verre de cognac qu'il boit d'un trait. Il remet la bouteille et le verre en place. Il tousse. Sa propre toux a l'air de l'inquiéter, il tousse encore, et s'écoute tousser. Il se regarde de nouveau une seconde dans la glace, en toussant, ouvre la fenêtre, les souffles des* 10 *fauves s'entendent plus fort, il tousse de nouveau.*) Non. Pas pareil![2] (*Il se calme, ferme la fenêtre, se tâte le front par-dessus son bandage, va vers son divan, a l'air de s'endormir. On voit Dudard monter les dernières marches de l'escalier, arriver sur le palier, et frapper à la porte de Bérenger.*) 15

BÉRENGER (*sursautant*).[3] — Qu'est-ce qu'il y a![4]

DUDARD. — Je suis venu vous voir, Bérenger, je suis venu vous voir.

BÉRENGER. — Qui est là?

DUDARD. — C'est moi, c'est moi. 20

BÉRENGER. — Qui ça, moi?

DUDARD. — Moi, Dudard.

BÉRENGER. — Ah! c'est vous, entrez.

DUDARD. — Je ne vous dérange pas? (*Il essaye d'ouvrir.*) La porte est fermée. 25

BÉRENGER. — Une seconde. Ah! là là. (*Il va ouvrir; Dudard entre.*)

---

[1] irritation.
[2] Ce n'est pas la même chose!
[3] se réveillant brusquement.
[4] Les premières répliques de l'Acte III sont à peu près les mêmes que celles que l'on trouve au commencement du Deuxième Tableau, Acte II. Pourquoi l'auteur se répète-t-il? Mais cette fois-ci c'est Bérenger qui semble prendre le rôle de Jean. Bérenger va-t-il aussi se transformer en rhinocéros?
[5] en train de.
[6] Qu'avez-vous? Qu'est-ce qui vous inquiète?

DUDARD. — Bonjour, Bérenger.

BÉRENGER. — Bonjour, Dudard, quelle heure est-il ?

DUDARD. — Alors, toujours là, à[5] rester barricadé chez vous. Allez-vous mieux, mon cher ?

5 BÉRENGER. — Excusez-moi, je ne reconnaissais pas votre voix. (*Bérenger va aussi ouvrir la fenêtre.*) Oui, oui, ça va un peu mieux, j'espère.

DUDARD. — Ma voix n'a pas changé. Moi, j'ai bien reconnu la vôtre.

10 BÉRENGER. — Excusez-moi, il m'avait semblé... en effet, votre voix est bien la même. Ma voix non plus n'a pas changé, n'est-ce pas ?

DUDARD. — Pourquoi aurait-elle changé ?

BÉRENGER. — Je ne suis pas un peu... un peu enroué ?

15 DUDARD. — Je n'ai pas du tout cette impression.

BÉRENGER. — Tant mieux. Vous me rassurez.

DUDARD. — Qu'est-ce qui vous prend ?[6]

BÉRENGER. — Je ne sais pas, on ne sait jamais. Une voix peut changer, cela arrive, hélas !

20 DUDARD. — Auriez-vous attrapé froid aussi ?

BÉRENGER. — J'espère bien que non... j'espère bien que non, mais asseyez-vous, Dudard, installez-vous. Prenez le fauteuil.

DUDARD (*s'installant dans le fauteuil.*) — Vous ne vous sentez toujours pas bien ? Vous avez toujours mal à la tête ? (*Il*
25 *montre le bandage de Bérenger.*)

BÉRENGER. — Mais oui, j'ai toujours mal à la tête. Mais je n'ai pas de bosse, je ne me suis pas cogné !... n'est-ce pas ? (*Il soulève son bandage, montre son front à Dudard.*)

DUDARD. — Non, vous n'avez pas de bosse. Je n'en vois pas.

30 BÉRENGER. — Je n'en aurai jamais, j'espère. Jamais.

DUDARD. — Si vous ne vous cognez pas, comment pourriez-vous en avoir ?

BÉRENGER. — Si on ne veut vraiment pas se cogner, on ne se cogne pas !

DUDARD. — Évidemment. Il s'agit de faire attention. Qu'est-ce que vous avez donc? Vous êtes nerveux, agité. C'est évidemment à cause de votre migraine. Ne bougez plus, vous aurez moins mal.

BÉRENGER. — Une migraine? ne me parlez pas de migraine! N'en parlez pas. 5

DUDARD. — C'est explicable que vous ayez des migraines, après votre émotion.[1]

BÉRENGER. — J'ai du mal à me remettre!

DUDARD. — Alors, il n'y a rien d'extraordinaire à ce que vous ayez mal à la tête. 10

BÉRENGER (*se précipitant devant la glace, soulevant son bandage*). — Non, rien... Vous savez, c'est comme cela que ça peut commencer.

DUDARD. — Qu'est-ce qui peut commencer? 15

BÉRENGER. — ... J'ai peur de devenir un autre.[2]

DUDARD. — Tranquillisez-vous[3] donc, asseyez-vous. A parcourir la pièce d'un bout à l'autre, cela ne peut que vous énerver davantage.

BÉRENGER. — Oui, vous avez raison, du calme.[4] (*Il va s'asseoir.*) Je n'en reviens pas,[5] vous savez. 20

DUDARD. — A cause de Jean, je le sais.

---

[1] C'est-à-dire, l'émotion que Bérenger a éprouvée en voyant son meilleur ami se transformer en rhinocéros.
[2] Barrault donnait à ce mot "un autre" une signification profonde et inquiétante.
[3] Calmez-vous.
[4] soyons calmes.
[5] J'ai peine à croire tout ceci.
[6] Bérenger veut dire que ce n'est pas étonnant qu'il ait été choqué.
[7] changement complet.
[8] désappointé.
[9] changé (qu'il se serait transformé).
[10] se contrôler.
[11] disque servant d'objectif (au tir); ici, centre de l'univers.
[12] d'être raisonnable.
[13] note, retiens.
[14] choses étranges ou bizarres.

BÉRENGER. — Oui. A cause de Jean, bien sûr, à cause des autres aussi.

DUDARD. — Je comprends que vous ayez été choqué.

BÉRENGER. — On le serait à moins,[6] vous l'admettez!

DUDARD. — Enfin, tout de même, il ne faut pourtant pas exagérer, ce n'est pas une raison pour vous de...

BÉRENGER. — J'aurais voulu vous y voir. Jean était mon meilleur ami. Et ce revirement[7] qui s'est produit sous mes yeux, sa colère!

DUDARD. — D'accord. Vous avez été déçu,[8] c'est entendu. N'y pensez plus.

BÉRENGER. — Comment pourrais-je ne pas y penser! Ce garçon si humain, grand défenseur de l'humanisme! Qui l'eût cru! Lui, lui! On se connaissait depuis... depuis toujours. Jamais je ne me serais douté qu'il aurait évolué[9] de cette façon. J'étais plus sûr de lui que de moi-même!... Me faire ça, à moi.

DUDARD. — Cela n'était sans doute pas dirigé spécialement contre vous!

BÉRENGER. — Cela en avait bien l'air pourtant. Si vous aviez vu dans quel état... l'expression de sa figure...

DUDARD. — C'est parce que c'est vous qui vous trouviez par hasard chez lui. Avec n'importe qui cela se serait passé de la même façon.

BÉRENGER. — Devant moi, étant donné notre passé commun, il aurait pu se retenir.[10]

DUDARD. — Vous vous croyez le centre du monde, vous croyez que tout ce qui arrive vous concerne personnellement! Vous n'êtes pas la cible[11] universelle!

BÉRENGER. — C'est peut-être juste. Je vais tâcher de me raisonner.[12] Cependant le phénomène en soi est inquiétant. Moi, à vrai dire, cela me bouleverse. Comment l'expliquer?

DUDARD. — Pour le moment, je ne trouve pas encore une explication satisfaisante. Je constate les faits, je les enregistre.[13] Cela existe, donc cela doit pouvoir s'expliquer. Des curiosités de la nature, des bizarreries, des extravagances,[14] un jeu, qui sait?

BÉRENGER. — *Comment pourrais-je ne pas y penser ! Ce garçon si humain, grand défenseur de l'humanisme ! Qui l'eût cru ! Lui, lui !*

BÉRENGER. — Jean était très orgueilleux. Moi, je n'ai pas d'ambition. Je me contente de ce que je suis.

DUDARD. — Peut-être aimait-il l'air pur, la campagne, l'espace... peut-être avait-il besoin de se détendre. Je ne dis pas ça pour l'excuser... 5

BÉRENGER. — Je vous comprends, enfin j'essaye. Pourtant, même si on m'accusait de ne pas avoir l'esprit sportif ou d'être un petit bourgeois, figé[1] dans son univers clos,[2] je resterais sur mes positions.[3]

DUDARD. — Nous resterons tous les mêmes, bien sûr. Alors 10 pourquoi vous inquiétez-vous pour quelques cas de rhinocérite?[4] Cela peut être aussi une maladie.

BÉRENGER. — Justement, j'ai peur de la contagion.

DUDARD. — Oh, n'y pensez plus. Vraiment, vous attachez trop d'importance à la chose. L'exemple de Jean n'est pas sympto- 15 matique, n'est pas représentatif, vous avez dit vous-même que Jean était orgueilleux. A mon avis, excusez-moi de dire du mal de votre ami, c'était un excité, un peu sauvage, un excentrique, on ne prend pas en considération les originaux.[5] C'est la moyenne[6] qui compte. 20

BÉRENGER. — Alors cela s'éclaire.[7] Vous voyez, vous ne pouviez pas expliquer le phénomène. Eh bien, voilà, vous venez de me donner une explication plausible. Oui, pour s'être mis dans cet état, il a certainement dû avoir une crise, un accès de folie...

---

1 immobilisé.
2 fermé.
3 Bérenger veut dire qu'il ne changerait pas d'attitude, qu'il resterait ce qu'il est.
4 Mot très expressif inventé par l'auteur. Comparer avec "appendicite."
5 personnes singulières.
6 l'homme moyen.
7 devient plus clair.
8 réfléchi longtemps à.
9 On a déjà vu.
10 ce que vous dites est raisonnable.
11 (*nom:* obsession, *verbe:* obséder).
12 Ils en guériront.

Et pourtant il avait des arguments, il semblait avoir réfléchi à la question, mûri[8] sa décision... Mais Bœuf, Bœuf, était-il fou lui aussi?... et les autres, les autres?...

DUDARD. — Il reste l'hypothèse de l'épidémie. C'est comme la
5 grippe. Ça c'est déjà vu[9] des épidémies.

BÉRENGER. — Elles n'ont jamais ressemblé à celle-ci. Et si ça venait des colonies?

DUDARD. — En tout cas, vous ne pouvez pas prétendre que Bœuf et les autres, eux aussi, ont fait ce qu'ils ont fait, ou sont
10 devenus ce qu'ils sont devenus, exprès pour vous ennuyer. Ils ne se seraient pas donné ce mal.

BÉRENGER. — C'est vrai, c'est sensé ce que vous dites,[10] c'est une parole rassurante... ou peut-être au contraire cela est-il plus grave encore? (*On entend des rhinocéros galoper sous la fenêtre du*
15 *fond.*) Tenez, vous entendez? (*Il se précipite vers la fenêtre.*)

DUDARD. — Laissez-les donc tranquilles! (*Bérenger referme la fenêtre.*) En quoi vous gênent-ils? Vraiment, ils vous obsèdent.[11] Ce n'est pas bien. Vous vous épuisez nerveusement. Vous avez eu un choc, c'est entendu! N'en cherchez pas d'autres. Main-
20 tenant, tâchez tout simplement de vous rétablir.

BÉRENGER. — Je me demande si je suis bien immunisé.

DUDARD. — De toute façon, ce n'est pas mortel. Il y a des maladies qui sont saines. Je suis convaincu qu'on en guérit si on veut. Ça leur passera,[12] allez.

25 BÉRENGER. — Ça doit certainement laisser des traces! Un tel déséquilibre organique ne peut pas ne pas en laisser...

DUDARD. — C'est passager, ne vous en faites pas.

BÉRENGER. — Vous en êtes convaincu?

DUDARD. — Je le crois, oui, je le suppose.

30 BÉRENGER. — Mais si on ne veut vraiment pas, n'est-ce pas, si on ne veut vraiment pas attraper ce mal, qui est un mal nerveux, on ne l'attrape pas, on ne l'attrape pas!... Voulez-vous un verre de cognac? (*Il se dirige vers la table où se trouve la bouteille.*)

DUDARD. — Ne vous dérangez pas, je n'en prends pas, merci.

Qu'à cela ne tienne,[1] si vous voulez en prendre, allez-y, ne vous gênez pas pour moi, mais attention, vous aurez encore plus mal à la tête après.

BÉRENGER. — L'alcool est bon contre les épidémies. Ça m'immunise. Par exemple, ça tue les microbes de la grippe. 5

DUDARD. — Ça ne tue peut-être pas tous les microbes de toutes les maladies. Pour la rhinocérite, on peut pas encore savoir.

BÉRENGER. — Jean ne buvait jamais d'alcool. Il le prétendait. C'est peut-être pour cela qu'il... c'est peut-être cela qui explique son attitude. (*Il tend un verre plein à Dudard.*) Vous n'en voulez 10 vraiment pas?

DUDARD. — Non, non, jamais avant le déjeuner. Merci.

BÉRENGER (*il vide son verre, continuant de le tenir à la main ainsi que la bouteille; il tousse*).

DUDARD. — Vous voyez, vous voyez, vous ne le supportez pas. 15 Ça vous fait tousser.

BÉRENGER (*inquiet*). — Oui, ça m'a fait tousser. Comment ai-je toussé?

DUDARD. — Comme tout le monde, quand on boit quelque chose d'un peu fort. 20

BÉRENGER (*allant déposer le verre et la bouteille sur la table*). — Ce n'était pas une toux[2] étrange? C'était bien une véritable toux humaine?

---

[1] Cela ne doit pas vous influencer.
[2] action de tousser.
[3] Que vous imaginez-vous?
[4] absurdes.
[5] cela me protège contre la chose la plus terrible qui puisse m'arriver.
[6] Je la remets à plus tard.
[7] en attendant!
[8] cela n'a aucun rapport.
[9] Vous croyez que le fait de boire me prédispose à devenir rhinocéros!
[10] ça fait du bien.
[11] Bérenger craint de plus en plus de devenir rhinocéros et en même temps essaye de justifier son besoin de boire de l'alcool.
[12] Je me moquais (amicalement) de vous.
[13] tomber malade de dépression nerveuse.

DUDARD. — Qu'allez-vous chercher?[3] C'était une toux humaine. Quel autre genre de toux cela aurait-il pu être?

BÉRENGER. — Je ne sais pas... Une toux d'animal, peut-être... Est-ce que ça tousse un rhinocéros?

5 DUDARD. — Voyons, Bérenger, vous êtes ridicule, vous vous créez des problèmes, vous vous posez des questions saugrenues...[4] Je vous rappelle que vous précisiez vous-même que la meilleure façon de se défendre contre la chose c'est d'avoir de la volonté.

10 BÉRENGER. — Oui, bien sûr.

DUDARD. — Eh bien, prouvez que vous en avez.

BÉRENGER. — Je vous assure que j'en ai...

DUDARD. — ... Prouvez-le à vous-même, tenez, ne buvez plus de cognac... vous serez plus sûr de vous.

15 BÉRENGER. — Vous ne voulez pas me comprendre. Je vous répète que c'est tout simplement parce que cela préserve du pire[5] que j'en prends, oui, c'est calculé. Quand il n'y aura plus d'épidémie, je ne boirai plus. J'avais déjà pris cette décision avant les événements. Je la reporte,[6] provisoi-
20 rement![7]

DUDARD. — Vous vous donnez des excuses.

BÉRENGER. — Ah oui, vous croyez?... En tout cas, cela n'a rien à voir[8] avec ce qui se passe.

DUDARD. — Sait-on jamais?

25 BÉRENGER (*effrayé*). — Vous le pensez vraiment? Vous croyez que cela prépare le terrain![9] Je ne suis pas alcoolique. (*Il se dirige vers la glace; s'y observe.*) Est-ce que par hasard... (*Il met la main sur sa figure, tâte son front par-dessus le bandage.*) Rien n'est changé, ça ne m'a pas fait de mal, c'est la preuve que ça a du
30 bon...[10] ou du moins que c'est inoffensif.[11]

DUDARD. — Je plaisantais, Bérenger, voyons. Je vous taquinais.[12] Vous voyez tout en noir, vous allez devenir neurasthénique,[13] attention. Lorsque vous serez tout à fait rétabli de votre choc, de votre dépression, et que vous pourrez sortir, prendre un peu d'air, ça ira mieux, vous allez voir. Vos idées sombres s'évanouiront.

BÉRENGER. — Sortir? Il faudra bien. J'appréhende ce moment. Je vais certainement en rencontrer...

DUDARD. — Et alors? Vous n'avez qu'à éviter de vous mettre sur leur passage. Ils ne sont pas tellement nombreux d'ailleurs. 5

BÉRENGER. — Je ne vois qu'eux. Vous allez dire que c'est morbide, de ma part.

DUDARD. — Ils ne vous attaquent pas. Si on les laisse tranquilles, ils vous ignorent. Dans le fond, ils ne sont pas méchants. Il y a même chez eux une certaine innocence naturelle, oui; de la candeur. D'ailleurs, j'ai parcouru moi-même, à pied, toute l'avenue pour venir chez vous. Vous voyez, je suis sain et sauf, je n'ai eu aucun ennui. 10 15

BÉRENGER. — Rien qu'à les voir, moi, ça me bouleverse. C'est nerveux. Ça ne me met pas en colère, non, on ne doit pas se mettre en colère, ça peut mener loin, la colère, je m'en préserve,[1] mais cela me fait quelque chose, là, (*Il montre son cœur.*) cela me serre le cœur.[2] 20

DUDARD. — Jusqu'à un certain point, vous avez raison d'être impressionné. Vous l'êtes trop, cependant. Vous manquez d'humour, c'est votre défaut, vous manquez d'humour.

---

[1] je m'en garde.
[2] cela me fait beaucoup de peine.
[3] Je me sens en partie responsable de.
[4] Subjonctif plus-que-parfait (*apprendre*) après la conjonction *que* qui tient la place de *si*.
[5] L'expression rappelle un des chefs-d'œuvre de Molière: *Les Femmes savantes*.
[6] Des hommes choisis au hasard dans les rues.
[7] émouvant.
[8] on ne peut pas s'empêcher d'être concerné.
[9] toute sa présence d'esprit.
[10] une bonne chose.
[11] Je suis dans un demi-sommeil.
[12] quand je suis trop fatigué.
[13] médicaments qui font dormir.

Il faut prendre les choses à la légère, avec détachement.

BÉRENGER. — Je me sens solidaire de[3] tout ce qui arrive. Je prends part, je ne peux pas rester indifférent.

DUDARD. — Ne jugez pas les autres, si vous ne voulez pas être
5 jugé. Et puis si on se faisait des soucis pour tout ce qui se passe, on ne pourrait plus vivre.

BÉRENGER. — Si cela s'était passé ailleurs, dans un autre pays et qu'on eût appris[4] cela par les journaux, on pourrait discuter paisiblement de la chose, étudier la question sur toutes ses
10 faces, en tirer objectivement des conclusions. On organiserait des débats académiques, on ferait venir des savants, des écrivains, des hommes de loi, des femmes savantes,[5] des artistes. Des hommes de la rue[6] aussi, ce serait intéressant, passionnant,[7] instructif. Mais quand vous êtes pris vous-même dans
15 l'événement, quand vous êtes mis tout à coup devant la réalité brutale des faits, on ne peut pas ne pas se sentir concerné[8] directement, on est trop violemment surpris pour garder tout son sang-froid.[9] Moi, je suis surpris, je suis surpris, je suis surpris! Je n'en reviens pas.

20 DUDARD. — Moi aussi, j'ai été surpris, comme vous. Je commence déjà à m'habituer.

BÉRENGER. — Vous avez un système nerveux mieux équilibré que le mien. Je vous en félicite. Mais vous ne trouvez pas que c'est malheureux...

25 DUDARD (*l'interrompant*). — Je ne dis certainement pas que c'est un bien.[10] Et ne croyez pas que je prenne parti à fond pour les rhinocéros... (*Nouveaux bruits de rhinocéros passant, cette fois, sous l'encadrement de la fenêtre à l'avant-scène.*)

BÉRENGER (*sursautant*). — Les voilà encore! Les voilà encore!
30 Ah non, rien à faire, moi je ne peux pas m'y habituer. J'ai tort peut-être. Ils me préoccupent tellement malgré moi que cela m'empêche de dormir. J'ai des insomnies. Je somnole[11] dans la journée quand je suis à bout de fatigue.[12]

DUDARD. — Prenez des somnifères.[13]

BÉRENGER. — Ce n'est pas une solution. Si je dors, c'est pire. J'en rêve la nuit, j'ai des cauchemars.[1]

DUDARD. — Voilà ce que c'est que de prendre les choses trop à cœur. Vous aimez bien vous torturer. Avouez-le.

BÉRENGER. — Je vous jure que je ne suis pas masochiste.[2] 5

DUDARD. — Alors, assimilez[3] la chose et dépassez-la. Puisqu'il en est ainsi, c'est qu'il ne peut en être autrement.

BÉRENGER. — C'est du fatalisme.

DUDARD. — C'est de la sagesse. Lorsqu'un tel phénomène se produit, il a certainement une raison de se produire. C'est cette 10 cause qu'il faut discerner.

BÉRENGER (*se levant*). — Eh bien, moi, je ne veux pas accepter cette situation.

DUDARD. — Que pouvez-vous faire? Que comptez-vous faire?

BÉRENGER. — Pour le moment, je ne sais pas. Je réfléchirai. 15 J'enverrai des lettres aux journaux, j'écrirai des manifestes, je solliciterai une audience au maire,[4] à son adjoint,[5] si le maire est trop occupé.

DUDARD. — Laissez les autorités réagir d'elles-mêmes! Après tout je me demande si, moralement, vous avez le droit de vous 20 mêler de l'affaire. D'ailleurs, je continue de penser que ce n'est pas grave. A mon avis, il est absurde de s'affoler pour

---

[1] rêves pénibles.
[2] [mazɔʃist]: celui qui aime se torturer.
[3] absorbez.
[4] je demanderai au maire de me recevoir.
[5] conseiller municipal qui remplace le maire.
[6] sans signification réelle.
[7] les citoyens de notre pays.
[8] de notre pays.
[9] Visionnaire comme Don Quichotte. Ce dernier est le héros d'un roman espagnol, *Don Quichotte de la Manche*, par Cervantes (1547-1616), un des chefs-d'œuvre de la littérature universelle.
[10] avec méchanceté.
[11] idées folles.
[12] Cliché entendu de tous les côtés ces jours-ci.
[13] s'inscrire pour travailler.
[14] manque de travail!

quelques personnes qui ont voulu changer de peau. Ils ne se sentaient pas bien dans la leur. Ils sont bien libres, ça les regarde.

BÉRENGER. — Il faut couper le mal à la racine.

DUDARD. — Le mal, le mal! Parole creuse![6] Peut-on savoir où est le mal, où est le bien? Nous avons des préférences, évidemment. Vous craignez surtout pour vous. C'est ça la vérité, mais vous ne deviendrez jamais rhinocéros, vraiment... vous n'avez pas la vocation!

BÉRENGER. — Et voilà, et voilà! Si les dirigeants et nos concitoyens[7] pensent tous comme vous, ils ne se décideront pas à agir.

DUDARD. — Vous n'allez tout de même pas demander l'aide de l'étranger. Ceci est une affaire intérieure,[8] elle concerne uniquement notre pays.

BÉRENGER. — Je crois à la solidarité internationale...

DUDARD. — Vous êtes un Don Quichotte![9] Ah, je ne dis pas cela méchamment,[10] je ne veux pas vous offenser. C'est pour votre bien, vous le savez, car, décidément, vous devez vous calmer.

BÉRENGER. — Je n'en doute pas, excusez-moi. Je suis trop anxieux. Je me corrigerai. Je m'excuse aussi de vous retenir, de vous obliger à écouter mes divagations.[11] Vous avez sans doute du travail. Avez-vous reçu ma demande de congé de maladie?

DUDARD. — Ne vous inquiétez pas. C'est en ordre. D'ailleurs, le bureau n'a pas repris son activité.

BÉRENGER. — On n'a pas encore réparé l'escalier? Quelle négligence! C'est pour cela que tout va mal.

DUDARD. — On est en train de réparer. Ça ne va pas vite. Il n'est pas facile de trouver des ouvriers.[12] Ils viennent s'embaucher,[13] ils travaillent un jour ou deux, et puis ils s'en vont. On ne les voit plus. Il faut en chercher d'autres.

BÉRENGER. — Et on se plaint du chômage![14] J'espère au moins qu'on aura un escalier en ciment.

DUDARD. — Non, en bois toujours, mais du bois neuf.

BÉRENGER. — Ah! la routine des administrations. Elles gaspillent[1] de l'argent et quand il s'agit d'une dépense utile, elles prétendent qu'il n'y a pas de fonds[2] suffisants. M. Papillon ne doit pas être content. Il y tenait beaucoup à son escalier en ciment. Qu'est-ce qu'il en pense? 5

DUDARD. — Nous n'avons plus de chef. M. Papillon a donné sa démission.[3]

BÉRENGER. — Pas possible!

DUDARD. — Puisque je vous le dis. 10

BÉRENGER. — Cela m'étonne... C'est à cause de cette histoire d'escalier?

DUDARD. — Je ne crois pas. En tout cas, ce n'est pas la raison qu'il en a donnée.

BÉRENGER. — Pourquoi donc alors? Qu'est-ce qu'il lui prend? 15

DUDARD. — Il veut se retirer à la campagne.

BÉRENGER. — Il prend sa retraite? Il n'a pourtant pas l'âge, il pouvait encore devenir directeur.

DUDARD. — Il y a renoncé. Il prétendait qu'il avait besoin de repos. 20

BÉRENGER. — La Direction générale doit être bien ennuyée de ne plus l'avoir, il faudra le remplacer. C'est tant mieux pour vous, avec vos diplômes, vous avez votre chance.

DUDARD. — Pour ne rien vous cacher... c'est assez drôle, il est devenu rhinocéros. (*Bruits lointains de rhinocéros.*) 25

BÉRENGER. — Rhinocéros! M. Papillon est devenu rhinocéros! Ah, ça par exemple! Ça par exemple!... Moi, je ne trouve

---

[1] Elles dépensent follement.
[2] somme d'argent.
[3] a quitté son poste.
[4] d'après ce que je sais de vous.
[5] Terme rencontré dans le jargon psychanalytique [psikanalitik] — un acte qui n'exprime pas la vraie nature de son auteur, ou qui l'exprime malgré lui.
[6] déplacement de complexe sur un autre objet.
[7] Bérenger est plus inquiet que jamais.

pas cela drôle! Pourquoi ne me l'avez-vous pas dit plus tôt?

DUDARD.— Vous voyez bien que vous n'avez pas d'humour. Je ne voulais pas vous le dire... je ne voulais pas vous le dire parce que, tel que je vous connais,[4] je savais que vous ne trouveriez pas cela drôle, et que cela vous frapperait. Impressionnable comme vous l'êtes!

BÉRENGER (*levant les bras au ciel*). — Ah ça, ah ça!... M. Papillon!... Et il avait une si belle situation.

DUDARD. — Cela prouve tout de même la sincérité de sa métamorphose.

BÉRENGER. — Il n'a pas dû le faire exprès, je suis convaincu qu'il s'agit là d'un changement involontaire.

DUDARD. — Qu'en savons-nous? Il est difficile de connaître les raisons secrètes des décisions des gens.

BÉRENGER. — Ça doit être un acte manqué.[5] Il avait des complexes cachés. Il aurait dû se faire psychanaliser.

DUDARD. — Même si c'est un transfert,[6] cela peut être révélateur. Chacun trouve la sublimation qu'il peut.

BÉRENGER. — Il s'est laissé entraîner, j'en suis sûr.

DUDARD. — Cela peut arriver à n'importe qui!

BÉRENGER (*effrayé*). — A n'importe qui? Ah non, pas à vous, n'est-ce pas, pas à vous? Pas à moi!

DUDARD. — Je l'espère.

BÉRENGER. — Puisqu'on ne veut pas... n'est-ce pas... n'est-ce pas... dites? n'est-ce pas, n'est-ce pas?[7]

DUDARD. — Mais oui, mais oui...

BÉRENGER (*se calmant un peu*). — Je pensais tout de même que M. Papillon aurait eu la force de mieux résister. Je croyais qu'il avait un peu plus de caractère!... D'autant plus que je ne vois pas quel est son intérêt, son intérêt matériel, son intérêt moral...

DUDARD. — Son geste est désintéressé. C'est évident.

BÉRENGER. — Bien sûr. C'est une circonstance atténuante... ou aggravante? Aggravante plutôt, je crois, car s'il a fait cela par goût... Vous voyez, je suis convaincu que Botard a dû juger son comportement[1] avec sévérité. Qu'est-ce qu'il en pense, lui, qu'est-ce qu'il en pense de son chef?

DUDARD. — Ce pauvre M. Botard, il était indigné, il était outré.[2] J'ai rarement vu quelqu'un de plus exaspéré.

BÉRENGER. — Eh bien, cette fois je ne lui donne pas tort.[3] Ah, Botard c'est tout de même quelqu'un. Un homme sensé. Et moi qui le jugeais mal. 5

DUDARD. — Lui aussi vous jugeait mal.

BÉRENGER. — Cela prouve mon objectivité dans l'affaire actuelle. D'ailleurs, vous aviez vous-même une mauvaise opinion de lui. 10

DUDARD. — Une mauvaise opinion... ce n'est pas le mot. Je dois dire que je n'étais pas souvent d'accord avec lui. Son scepticisme, son incrédulité, sa méfiance me déplaisaient. Cette fois non plus, je ne lui ai pas donné toute mon approbation.

BÉRENGER. — Pour des raisons opposées, à présent. 15

DUDARD. — Non. Ce n'est pas exactement cela, mon raisonnement est tout de même un peu plus nuancé que vous ne semblez le croire. C'est parce qu'en fait Botard n'avait guère d'arguments précis et objectifs. Je vous répète que je n'approuve pas non plus les rhinocéros, non, pas du tout, ne pensez pas cela. 20 Seulement, l'attitude de Botard était comme toujours trop passionnelle,[4] donc simpliste.[5] Sa prise de position[6] me semble uniquement dictée par la haine de ses supérieurs. Donc, com-

---

[1] sa conduite.
[2] profondément choqué.
[3] je ne dis pas qu'il a tort.
[4] le résultat de ses passions politiques.
[5] d'une simplicité exagérée.
[6] L'attitude qu'il a prise.
[7] quoi que vous en pensiez.
[8] et qui n'ont pas (l'esprit) dans les nuages.
[9] repos.
[10] la qualité particulière.
[11] Comme les juges de l'Inquisition: tribunaux établis, surtout au Moyen Age, pour la recherche et le châtiment des hérétiques. En Espagne, des milliers de personnes furent envoyées au bûcher.

plexe d'infériorité, ressentiment. Et puis, il parle en clichés, les lieux communs ne me touchent pas.

BÉRENGER. — Eh bien, cette fois, je suis tout à fait d'accord avec Botard, ne vous en déplaise.[7] C'est un brave type. Voilà.

DUDARD. — Je ne le nie pas, mais cela ne veut rien dire.

BÉRENGER. — Oui, un brave type! Ça ne se trouve pas souvent les braves types, et pas dans les nuages.[8] Un brave type avec ses quatre pieds sur terre; pardon, ses deux pieds, je veux dire. Je suis heureux de me sentir en parfait accord avec lui. Quand je le verrai, je le féliciterai. Je condamne M. Papillon. Il avait le devoir de ne pas succomber.

DUDARD. — Que vous êtes intolérant! Peut-être Papillon a-t-il senti le besoin d'une détente[9] après tant d'années de vie sédentaire.

BÉRENGER (*ironique*). — Vous, vous êtes trop tolérant, trop large d'esprit!

DUDARD. — Mon cher Bérenger, il faut toujours essayer de comprendre. Et lorsqu'on veut comprendre un phénomène et ses effets, il faut remonter jusqu'à ses causes, par un effort intellectuel honnête. Mais il faut tâcher de le faire, car nous sommes des êtres pensants. Je n'ai pas réussi, je vous le répète, je ne sais pas si je réussirai. De toute façon, on doit avoir, au départ, un préjugé favorable, ou sinon, au moins une neutralité, une ouverture d'esprit qui est le propre[10] de la mentalité scientifique. Tout est logique. Comprendre, c'est justifier.

BÉRENGER. — Vous allez bientôt devenir un sympathisant des rhinocéros.

DUDARD. — Mais non, mais non. Je n'irai pas jusque-là. Je suis tout simplement quelqu'un qui essaye de voir les choses en face, froidement. Je veux être réaliste. Je me dis aussi qu'il n'y a pas de vices véritables dans ce qui est naturel. Malheur à celui qui voit le vice partout. C'est le propre des inquisiteurs.[11]

BÉRENGER. — Vous trouvez, vous, que c'est naturel?

DUDARD. — Quoi de plus naturel qu'un rhinocéros?

BÉRENGER. — Oui, mais un homme qui devient rhinocéros, c'est indiscutablement anormal.

DUDARD. — Oh, indiscutablement!... vous savez...

BÉRENGER. — Oui, indiscutablement anormal, absolument anormal!

DUDARD. — Vous me semblez bien sûr de vous. Peut-on savoir où s'arrête le normal, où commence l'anormal? Vous pouvez définir ces notions, vous, normalité, anormalité? Philosophiquement et médicalement, personne n'a pu résoudre le problème. Vous devriez être au courant de la question.

BÉRENGER. — Peut-être ne peut-on pas trancher[1] philosophiquement cette question. Mais pratiquement, c'est facile. On vous démontre que le mouvement n'existe pas... et on marche, on marche, on marche... (*Il se met à marcher d'un bout à l'autre de la pièce.*) ... on marche ou alors on se dit à soi-même, comme Galilée : « E pur si muove... »[2]

DUDARD. — Vous mélangez tout dans votre tête! Ne confondez pas, voyons. Dans le cas de Galilée, c'était au contraire la pensée théorique et scientifique qui avait raison contre le sens commun et le dogmatisme.

BÉRENGER (*perdu*). — Qu'est-ce que c'est que ces histoires! Le sens commun, le dogmatisme, des mots, des mots! Je mélange peut-être tout dans ma tête, mais vous, vous la[3] perdez. Vous ne savez plus ce qui est normal, ce qui ne l'est pas! Vous m'assommez[4] avec votre Galilée... Je m'en moque de Galilée.

DUDARD. — C'est vous-même qui l'avez cité et qui avez soulevé la question, en prétendant que la pratique avait toujours le dernier mot. Elle l'a peut-être, mais lorsqu'elle procède de la théorie! L'histoire de la pensée et de la science le prouve bien.

---

[1] résoudre définitivement.

[2] Mots italiens attribués à Galilée (1564-1642), mathématicien, physicien et astronome italien, forcé d'abjurer à genoux devant l'Inquisition pour avoir proclamé que la terre tournait sur elle-même.

[3] C'est-à-dire, vous perdez la tête.

[4] Vous m'ennuyez.

DUDARD. — *...Malheur à celui qui voit le vice partout. C'est le propre des inquisiteurs.*

BÉRENGER (*de plus en plus furieux*). — Ça ne prouve rien du tout! C'est du charabia,[1] c'est de la folie!

DUDARD. — Encore faut-il savoir ce que c'est que la folie...[2]

BÉRENGER. — La folie, c'est la folie, na![3] La folie, c'est la folie tout court![4] Tout le monde sait ce que c'est, la folie. Et les rhinocéros, c'est de la pratique, ou de la théorie?

DUDARD. — L'un et l'autre.

BÉRENGER. — Comment l'un et l'autre!

DUDARD. — L'un et l'autre ou l'un ou l'autre. C'est à débattre!

BÉRENGER. — Alors là, je... je refuse de penser!

DUDARD. — Vous vous mettez hors de vous. Nous n'avons pas tout à fait les mêmes opinions, nous en discutons paisiblement. On doit discuter.

BÉRENGER (*affolé*). — Vous croyez que je suis hors de moi? On dirait que je suis Jean. Ah, non, non, je ne veux pas devenir comme Jean. Ah non, je ne veux pas lui ressembler. (*Il se calme.*) Je ne suis pas calé[5] en philosophie. Je n'ai pas fait d'études; vous, vous avez des diplômes. Voilà pourquoi vous êtes plus à l'aise dans la discussion; moi, je ne sais quoi vous répondre, je suis maladroit. (*Bruits plus forts des rhinocéros, passant d'abord sous la fenêtre du fond, puis sous la fenêtre d'en face.*) Mais je sens, moi, que vous êtes dans votre tort... je le sens instinctivement, ou plutôt non, c'est le rhinocéros qui a de l'instinct, je le sens intuitivement, voilà le mot, intuitivement.

DUDARD. — Qu'entendez-vous par intuitivement?

BÉRENGER. — Intuitivement, ça veut dire: ... comme ça, na! Je

---

[1] langage inintelligible.
[2] Dudard fait penser au Logicien.
[3] Interjection enfantine servant à affirmer: Là! c'est ça; ce n'est pas autre chose.
[4] c'est la folie tout simplement.
[5] fort, savant.
[6] il vous sera facile de me battre à ce jeu.
[7] je me comprends. Bérenger sait bien ce qu'il veut dire, mais il ne peut pas l'exprimer.
[8] vous discuterez tout cela.

sens, comme ça, que votre tolérance excessive, votre généreuse indulgence... en réalité, croyez-moi, c'est de la faiblesse... de l'aveuglement...

DUDARD. — C'est vous qui le prétendez, naïvement.

BÉRENGER. — Avec moi, vous aurez toujours beau jeu.[6] Mais écoutez, je vais tâcher de retrouver le Logicien...

DUDARD. — Quel logicien?

BÉRENGER. — Le Logicien, le philosophe, un logicien quoi... vous savez mieux que moi ce que c'est qu'un logicien. Un logicien que j'ai connu, qui m'a expliqué...

DUDARD. — Que vous a-t-il expliqué?

BÉRENGER. — Qui a expliqué que les rhinocéros asiatiques étaient africains, et que les rhinocéros africains étaient asiatiques.

DUDARD. — Je saisis difficilement.

BÉRENGER. — Non... non... Il nous a démontré le contraire, c'est-à-dire que les africains étaient asiatiques et que les asiatiques... je m'entends.[7] Ce n'est pas ce que je voulais dire. Enfin, vous vous débrouillerez[8] avec lui. C'est quelqu'un dans votre genre, quelqu'un de bien, un intellectuel subtil, érudit. (*Bruits grandissants des rhinocéros. Les paroles des deux personnages sont couvertes par les bruits des fauves qui passent sous les deux fenêtres; pendant un court instant, on voit bouger les lèvres de Dudard et Bérenger, sans qu'on puisse les entendre.*) Encore eux! Ah, ça n'en finira pas! (*Il court à la fenêtre du fond.*) Assez! Assez! Salauds! (*Les rhinocéros s'éloignent, Bérenger montre le poing dans leur direction.*)

DUDARD (*assis*). — Je veux bien le connaître, votre Logicien. S'il veut m'éclairer sur ces points délicats, délicats et obscurs... Je ne demande pas mieux, ma foi.

BÉRENGER (*tout en courant à la fenêtre face à la scène*). — Oui, je vous l'amènerai, il vous parlera. Vous verrez, c'est une personnalité distinguée. (*En direction des rhinocéros, à la fenêtre:*) Salauds! (*Même jeu que tout à l'heure.*)

DUDARD. — Laissez-les courir. Et soyez plus poli. On ne parle pas de la sorte à des créatures...

BÉRENGER (*toujours à la fenêtre*). — En revoilà! (*De la fosse d'orchestre, sous la fenêtre, on voit émerger un canotier transpercé par une corne de rhinocéros qui, de gauche, disparaît très vite vers la droite.*) Un canotier empalé sur[1] la corne du rhinocéros! Ah, c'est le canotier du Logicien! Le canotier du Logicien! Mille fois merde,[2] le Logicien est devenu rhinocéros!

DUDARD. — Ce n'est pas une raison pour être grossier![3]

BÉRENGER. — A qui se fier, mon Dieu, à qui se fier! Le Logicien est rhinocéros!

DUDARD (*allant vers la fenêtre*). — Où est-il?

BÉRENGER (*montrant du doigt*). — Là, celui-là, vous voyez!

DUDARD. — C'est le seul rhinocéros à canotier. Cela vous laisse rêveur. C'est bien votre Logicien!...

BÉRENGER. — Le Logicien... rhinocéros!

DUDARD. — Il a tout de même conservé un vestige de son ancienne individualité!

BÉRENGER (*il montre de nouveau le poing en direction du rhinocéros à canotier qui a disparu*). — Je ne vous suivrai pas! je ne vous suivrai pas!

DUDARD. — Si vous dites que c'était un penseur authentique, il n'a pas dû se laisser emporter. Il a dû bien peser le pour et le contre, avant de choisir.

BÉRENGER (*toujours criant à la fenêtre en direction de l'ex-Logicien et des autres rhinocéros qui se sont éloignés*). — Je ne vous suivrai pas!

DUDARD (*s'installant dans son fauteuil*). — Oui, cela donne à

---

[1] transpercé par.

[2] Expression moins forte en français que son équivalent en anglais. Selon l'auteur, l'expression veut dire ici à peu près: "Zut alors!" C'est donc une interjection triviale exprimant une forte émotion.

[3] rude, impoli.

[4] sans doute.

réfléchir! (*Bérenger ferme la fenêtre en face, se dirige vers la fenêtre du fond, par où passent d'autres rhinocéros qui, vraisemblablement,*[4] *font le tour de la maison. Il ouvre la fenêtre, leur crie.*)

BÉRENGER. — Non, je ne vous suivrai pas!

5 DUDARD (*à part dans son fauteuil*). — Ils tournent autour de la maison. Ils jouent! De grands enfants! (*Depuis quelques instants on a pu voir Daisy monter les dernières marches de l'escalier, à gauche. Elle frappe à la porte de Bérenger. Elle porte un panier sous son bras.*) On frappe, Bérenger, il y a quelqu'un! (*Il tire par la*
10 *manche Bérenger qui est toujours à la fenêtre.*)

BÉRENGER (*criant en direction des rhinocéros*). — C'est une honte! une honte, votre mascarade.

DUDARD. — On frappe à votre porte, Bérenger, vous n'entendez pas?

15 BÉRENGER. — Ouvrez, si vous voulez! (*Il continue de regarder les rhinocéros dont les bruits s'éloignent, sans plus rien dire. Dudard va ouvrir la porte.*)

DAISY (*entrant*). — Bonjour, monsieur Dudard.

DUDARD. — Tiens, vous, mademoiselle Daisy!

20 DAISY. — Bérenger est là? est-ce qu'il va mieux?

DUDARD. — Bonjour, chère Mademoiselle, vous venez donc bien souvent chez Bérenger?

DAISY. — Où est-il?

DUDARD (*le montrant du doigt*). — Là.

25 DAISY. — Le pauvre, il n'a personne. Il est un peu malade aussi en ce moment, il faut bien l'aider un peu.

DUDARD. — Vous êtes une bien bonne camarade, mademoiselle Daisy.

DAISY. — Mais oui, je suis une bonne camarade, en effet.

30 DUDARD. — Vous avez bon cœur.

DAISY. — Je suis une bonne camarade, c'est tout.

BÉRENGER (*se retournant; laissant la fenêtre ouverte*). — Oh, chère mademoiselle Daisy! Que c'est gentil à vous d'être venue, comme vous êtes aimable.

DUDARD. — On ne peut le nier.

BÉRENGER. — Vous savez, mademoiselle Daisy, le Logicien est rhinocéros!

DAISY. — Je sais, je viens de l'apercevoir dans la rue, en arrivant. Il courait bien vite, pour quelqu'un de son âge! Vous allez mieux, monsieur Bérenger?

BÉRENGER (*à Daisy*). — La tête, encore la tête! mal à la tête! C'est effrayant. Qu'est-ce que vous en pensez?

DAISY. — Je pense que vous devez vous reposer... rester chez vous encore quelques jours, calmement.

DUDARD (*à Bérenger et à Daisy*). — J'espère que je ne vous gêne pas!

BÉRENGER (*à Daisy*). — Je parle du Logicien...

DAISY (*à Dudard*). — Pourquoi nous gêneriez-vous? (*A Bérenger.*) Ah, le Logicien? Je n'en pense rien du tout!

DUDARD (*à Daisy*). — Je suis peut-être de trop?

DAISY (*à Bérenger*). — Que voulez-vous que j'en pense! (*A Bérenger et à Dudard.*) J'ai une nouvelle fraîche à vous donner : Botard est devenu rhinocéros.

DUDARD. — Tiens![1]

BÉRENGER. — Ce n'est pas possible! Il était contre. Vous devez confondre.[2] Il avait protesté. Dudard vient de me le dire, à l'instant. N'est-ce pas, Dudard?

DUDARD. — C'est exact.

DAISY. — Je sais qu'il était contre. Pourtant, il est devenu tout de même rhinocéros, vingt-quatre heures après la transformation de M. Papillon.

---

[1] Remarquez la très faible surprise de Dudard quand il apprend que Botard, qui était sceptique et ne croyait pas du tout au phénomène "rhinocérique," est devenu rhinocéros lui-même.

[2] Vous devez vous tromper.

[3] Je l'ai vu se transformer.

[4] mot pour mot, littéralement.

[5] C'est la logique de beaucoup de gens qui veulent défendre leurs actions.

[6] la décision surprenante et spontanée.

DUDARD. — Voilà! il a changé d'idée! Tout le monde a le droit d'évoluer.

BÉRENGER. — Mais alors, alors on peut s'attendre à tout!

DUDARD (*à Bérenger*). — C'est un brave homme, d'après ce que vous affirmiez tout à l'heure.

BÉRENGER (*à Daisy*). — J'ai du mal à vous croire. On vous a menti.

DAISY. — Je l'ai vu faire.[3]

BÉRENGER. — Alors, c'est lui qui a menti, il a fait semblant.

DAISY. — Il avait l'air sincère, la sincérité même.

BÉRENGER. — A-t-il donné une raison?

DAISY. — Il a dit textuellement:[4] il faut suivre son temps![5] Ce furent ses dernières paroles humaines!

DUDARD (*à Daisy*). — J'étais presque sûr que j'allais vous rencontrer ici, mademoiselle Daisy.

BÉRENGER. — ... Suivre son temps! Quelle mentalité! (*Il fait un grand geste.*)

DUDARD (*à Daisy*). — Impossible de vous rencontrer nulle part ailleurs, depuis la fermeture du bureau.

BÉRENGER (*continuant à part*). — Quelle naïveté! (*Même geste.*)

DAISY (*à Dudard*). — Si vous vouliez me voir, vous n'aviez qu'à me téléphoner!

DUDARD (*à Daisy*). — ... Oh, je suis discret, discret, Mademoiselle, moi.

BÉRENGER. — Eh bien, réflexion faite, le coup de tête[6] de Botard ne m'étonne pas. Sa fermeté n'était qu'apparente. Ce qui ne l'empêche pas, bien sûr, d'être ou d'avoir été un brave homme. Les braves hommes font les braves rhinocéros. Hélas! C'est parce qu'ils sont de bonne foi, on peut les duper.

DAISY. — Permettez-moi de mettre ce panier sur la table. (*Elle met le panier sur la table.*)

BÉRENGER. — Mais c'était un brave homme qui avait des ressentiments...

DUDARD (*à Daisy, s'empressant de l'aider à déposer son panier*). —

Excusez-moi, excusez-nous, on aurait dû vous débarrasser plus tôt.

BÉRENGER (*continuant*). — ... Il a été déformé[1] par la haine de ses chefs, un complexe d'infériorité...

DUDARD (*à Bérenger*). — Votre raisonnement est faux puisqu'il a suivi son chef justement, l'instrument même de ses exploitants, c'était son expression. Au contraire, chez lui, il me semble que c'est l'esprit communautaire[2] qui l'a emporté sur[3] ses impulsions anarchiques.

BÉRENGER. — Ce sont les rhinocéros qui sont anarchiques puisqu'ils sont en minorité.

DUDARD. — Ils le sont encore, pour le moment.

DAISY. — C'est une minorité déjà nombreuse qui va croissant. Mon cousin est devenu rhinocéros, et sa femme. Sans compter les personnalités : le cardinal de Retz...

DUDARD. — Un prélat![4]

DAISY. — Mazarin.

DUDARD. — Vous allez voir que ça va s'étendre dans d'autres pays.

BÉRENGER. — Dire que[5] le mal vient de chez nous!

DAISY. — ... Et des aristocrates : le duc de Saint-Simon.[6]

BÉRENGER (*bras au ciel*). — Nos classiques!

---

[1] changé, transformé.
[2] de communauté, de groupe.
[3] qui a gagné sur.
[4] ecclésiastique.
[5] Quand on pense que.
[6] Comique de l'absurde. Tous vécurent à une époque lointaine: *le cardinal de Retz*, 1613-1679; *Mazarin*, 1602-1661; *le duc de Saint-Simon*, 1675-1755.
[7] puissants.
[8] de trop.
[9] Notice qui indique ordinairement des améliorations. Mais ici c'est à cause des dégâts produits par les rhinocéros. L'expression donne à entendre aussi la transformation des boutiquiers.
[10] enfermer.
[11] impliqué dans l'affaire.

DAISY. — Et d'autres encore. Beaucoup d'autres. Peut-être un quart des habitants de la ville.

BÉRENGER. — Nous sommes encore les plus nombreux. Il faut en profiter. Il faut faire quelque chose avant d'être submergés.

DUDARD. — Ils sont très efficaces,[7] très efficaces.

DAISY. — Pour le moment, on devrait déjeuner. J'ai apporté de quoi manger.

BÉRENGER. — Vous êtes très gentille, mademoiselle Daisy.

DUDARD (*à part*). — Oui, très gentille.

BÉRENGER (*à Daisy*). — Je ne sais comment vous remercier.

DAISY (*à Dudard*). — Voulez-vous rester avec nous ?

DUDARD. — Je ne voudrais pas être importun.[8]

DAISY (*à Dudard*). — Que dites-vous là, monsieur Dudard ? Vous savez bien que vous nous feriez plaisir.

DUDARD. — Vous savez bien que je ne veux pas gêner...

BÉRENGER (*à Dudard*). — Mais bien sûr, Dudard, bien sûr. Votre présence est toujours un plaisir.

DUDARD. — C'est que je suis un peu pressé. J'ai un rendez-vous.

BÉRENGER. — Tout à l'heure, vous disiez que vous aviez tout votre temps.

DAISY (*sortant les provisions du panier*). — Vous savez, j'ai eu du mal à trouver de quoi manger. Les magasins sont ravagés : ils dévorent tout. Une quantité d'autres boutiques sont fermées : « Pour cause de transformation »,[9] est-il écrit sur les écriteaux.

BÉRENGER.— On devrait les parquer[10] dans de vastes enclos, leur imposer des résidences surveillées.

DUDARD. — La mise en pratique de ce projet ne me semble pas possible. La société protectrice des animaux serait la première à s'y opposer.

DAISY. — D'autre part, chacun a parmi les rhinocéros un parent proche, un ami, ce qui complique encore les choses.

BÉRENGER. — Tout le monde est dans le coup,[11] alors !

DUDARD. — Tout le monde est solidaire.

BÉRENGER. — Mais comment peut-on être rhinocéros? C'est impensable, impensable! (*A Daisy.*) Voulez-vous que je vous aide à mettre la table?

DAISY (*à Bérenger*). — Ne vous dérangez pas. Je sais où sont les assiettes. (*Elle va chercher dans un placard, d'où elle rapportera les couverts.*)

DUDARD (*à part*). — Oh, mais elle connaît très bien la maison...

DAISY (*à Dudard*). — Alors trois couverts, n'est-ce pas, vous restez avec nous?

BÉRENGER (*à Dudard*). — Restez, voyons, restez.

DAISY (*à Bérenger*). — On s'y habitue, vous savez. Plus personne ne s'étonne des troupeaux de rhinocéros parcourant les rues à toute allure. Les gens s'écartent sur leur passage, puis reprennent leur promenade, vaquent à[1] leurs affaires, comme si de rien n'était.[2]

DUDARD. — C'est ce qu'il y a de plus sage.

BÉRENGER. — Ah non, moi, je ne peux pas m'y faire.

DUDARD (*réfléchissant*). — Je me demande si ce n'est pas une expérience à tenter.[3]

DAISY. — Pour le moment, déjeunons.

BÉRENGER. — Comment, vous, un juriste, vous pouvez prétendre que... (*On entend du dehors un grand bruit d'un troupeau de rhinocéros, allant à une cadence très rapide. On entend aussi des trompettes, des tambours.*) Qu'est-ce que c'est? (*Ils se précipitent tous vers*

---

[1] s'occupent de.
[2] comme si rien ne se passait.
[3] A l'Odéon, l'acteur qui jouait le rôle de Dudard portait, pendant cette scène, une canne dont la poignée était en forme de corne. De temps en temps, il la soulevait au niveau du front, de telle façon que, vue de profil, la poignée ressemblait à une corne de rhinocéros.
[4] bâtiment où logent les pompiers.
[5] se répandent.
[6] supportable.
[7] Il y en a qui sortent.
[8] A l'Odéon, on supprimait tout ce jeu de scène.
[9] la majorité.
[10] (mot inventé) faire des statistiques.

la fenêtre de face.) Qu'est-ce que c'est? (*On entend le bruit d'un mur qui s'écroule. De la poussière envahit une partie du plateau, les personnages, si cela est possible, sont cachés par cette poussière. On les entend parler.*)

BÉRENGER. — On ne voit plus rien, que se passe-t-il?

DUDARD. — On ne voit plus rien, mais on entend.

BÉRENGER. — Ça ne suffit pas!

DAISY. — La poussière va salir les assiettes.

BÉRENGER. — Quel manque d'hygiène.

DAISY. — Dépêchons-nous de manger. Ne pensons plus à tout cela. (*La poussière se disperse.*)

BÉRENGER (*montrant du doigt dans la salle*). — Ils ont démoli les murs de la caserne des pompiers.[4]

DUDARD. — En effet. Ils sont démolis.

DAISY (*qui s'était éloignée de la fenêtre et se trouvait près de la table, une assiette à la main qu'elle était en train de nettoyer, se précipite près des deux autres personnages*). — Ils sortent.

BÉRENGER. — Tous les pompiers, tout un régiment de rhinocéros, tambours en tête.

DAISY. — Ils se déversent[5] sur les boulevards!

BÉRENGER. — Ce n'est plus tenable,[6] ce n'est plus tenable!

DAISY. — D'autres rhinocéros sortent des cours!

BÉRENGER. — Il en sort[7] des maisons...

DUDARD. — Par les fenêtres aussi!

DAISY. — Ils vont rejoindre les autres. (*On voit sortir de la porte du palier, à gauche, un homme qui descend les escaliers à toute allure; puis un autre homme, ayant une grande corne au-dessus du nez; puis une femme ayant toute la tête d'un rhinocéros.*)[8]

DUDARD. — Nous n'avons déjà plus le nombre[9] pour nous.

BÉRENGER. — Combien y a-t-il d'unicornus, combien de bicornus parmi eux?

DUDARD. — Les statisticiens doivent certainement être en train de statistiquer[10] là-dessus. Quelle occasion de savantes controverses!

BÉRENGER. — Ça va trop vite. Ils n'ont plus le temps. Ils n'ont plus le temps de calculer!

DAISY. — Laissons les statisticiens à leurs travaux. Allons, mon cher Bérenger, venez déjeuner. Cela vous calmera. Ça va vous remonter.[1] (*A Dudard.*) Et vous aussi. (*Ils s'écartent de la fenêtre, Bérenger, dont Daisy a pris le bras, se laisse entraîner facilement. Dudard s'arrête à mi-chemin.*[2])

DUDARD. — Je n'ai pas très faim, ou plutôt, je n'aime pas tellement les conserves. J'ai envie de manger sur l'herbe.[3]

BÉRENGER. — Ne faites pas ça. Savez-vous ce que vous risquez?

DUDARD. — Je ne veux pas vous gêner, vraiment.

BÉRENGER. — Puisqu'on vous dit que...

DUDARD (*interrompant Bérenger*). — C'est sans façon.[4]

DAISY (*à Dudard*). — Si vous voulez nous quitter absolument, écoutez, on ne peut vous obliger de...

DUDARD. — Ce n'est pas pour vous vexer.

BÉRENGER (*à Daisy*). — Ne le laissez pas partir, ne le laissez pas partir.

DAISY. — Je voudrais bien qu'il reste... cependant, chacun est libre.

BÉRENGER (*à Dudard*). — L'homme est supérieur au rhinocéros!

DUDARD. — Je ne dis pas le contraire. Je ne vous approuve pas non plus. Je ne sais pas, c'est l'expérience qui le prouve.

BÉRENGER (*à Dudard*). — Vous aussi, vous êtes un faible, Dudard. C'est un engouement[5] passager, que vous regretterez.

---

[1] rendre des forces.
[2] à moitié chemin.
[3] Dans la mise en scène de Barrault il y avait une petite plante verte sur la table de Bérenger. Dudard en mordait une branche de temps en temps. Ce jeu amusait beaucoup le public.
[4] sans cérémonie.
[5] une admiration exagérée.
[6] nous ne pouvons rien y faire.
[7] Ici l'acteur tournait en rond en faisant le pas de l'oie et sortait, tenant le pommeau de sa canne de telle façon qu'il ressemblait à une corne de rhinocéros.

DAISY. — Si, vraiment, c'est un engouement passager, le danger n'est pas grave.

DUDARD. — J'ai des scrupules! Mon devoir m'impose de suivre mes chefs et mes camarades, pour le meilleur et pour le pire.

BÉRENGER. — Vous n'êtes pas marié avec eux.

DUDARD. — J'ai renoncé au mariage, je préfère la grande famille universelle à la petite.

DAISY (*mollement*). — Nous vous regretterons beaucoup, Dudard, mais nous n'y pouvons rien.[6]

DUDARD. — Mon devoir est de ne pas les abandonner, j'écoute mon devoir.

BÉRENGER. — Au contraire, votre devoir est de... vous ne connaissez pas votre devoir véritable... votre devoir est de vous opposer à eux, lucidement, fermement.

DUDARD. — Je conserverai ma lucidité. (*Il se met à tourner en rond sur le plateau.*) Toute ma lucidité. S'il y a à critiquer, il vaut mieux critiquer du dedans que du dehors. Je ne les abandonnerai pas, je ne les abandonnerai pas.[7]

DAISY. — Il a bon cœur!

BÉRENGER. — Il a trop bon cœur. (*A Dudard, puis se précipitant vers la porte.*) Vous avez trop bon cœur, vous êtes humain. (*A Daisy.*) Retenez-le. Il se trompe. Il est humain.

DAISY. — Que puis-je y faire? (*Dudard ouvre la porte et s'enfuit; on le voit descendre les escaliers à toute vitesse, suivi par Bérenger qui crie après Dudard, du haut du palier.*)

BÉRENGER. — Revenez, Dudard. On vous aime bien, n'y allez pas! Trop tard! (*Il rentre.*) Trop tard!

DAISY. — On n'y pouvait rien. (*Elle ferme la porte derrière Bérenger, qui se précipite vers la fenêtre, en face.*)

BÉRENGER. — Il les a rejoints, où est-il maintenant?

DAISY (*venant à la fenêtre*). — Avec eux.

BÉRENGER. — Lequel est-ce?

DAISY. — On ne peut plus savoir. On ne peut déjà plus le reconnaître!

BÉRENGER. — *L'homme est supérieur au rhinocéros !*

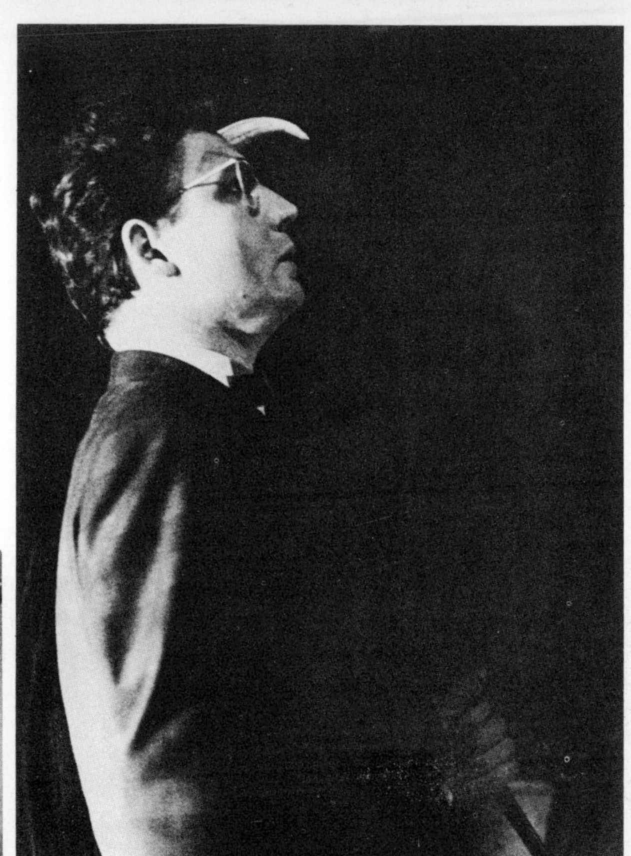

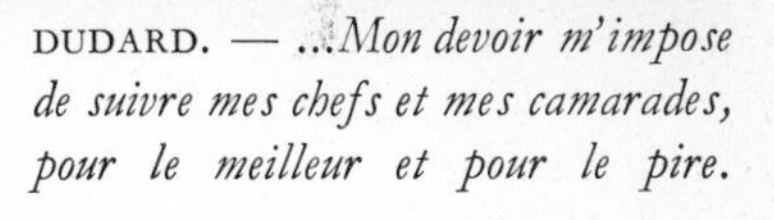

DUDARD. — ...*Mon devoir m'impose de suivre mes chefs et mes camarades, pour le meilleur et pour le pire.*

BÉRENGER. — Ils sont tous pareils, tous pareils! (*A Daisy.*) Il a flanché.[1] Vous auriez dû le retenir de force.

DAISY. — Je n'ai pas osé.

BÉRENGER. — Vous auriez dû être plus ferme, vous auriez dû insister, il vous aimait, n'est-ce pas?

DAISY. — Il ne m'a jamais fait de déclaration officielle.

BÉRENGER. — Tout le monde le savait. C'est par dépit amoureux,[2] qu'il a fait cela. C'était un timide! Il a voulu faire une action d'éclat,[3] pour vous impressionner. N'êtes-vous pas tentée de le suivre?

DAISY. — Pas du tout. Puisque je suis là.

BÉRENGER (*regardant par la fenêtre*). — Il n'y a plus qu'eux, dans les rues. (*Il se précipite vers la fenêtre du fond.*) Il n'y a plus qu'eux! Vous avez eu tort, Daisy. (*Il regarde de nouveau par la fenêtre de face.*) A perte de vue, pas un être humain. Ils ont la rue. Des unicornus, des bicornus, moitié moitié, pas d'autres signes distinctifs! (*On entend les bruits puissants de la course des rhinocéros. Ces bruits sont musicalisés cependant. On voit apparaître, puis disparaître sur le mur du fond, des têtes de rhinocéros stylisées qui, jusqu'à la fin de l'acte, seront de plus en plus nombreuses. A la fin, elles s'y fixeront de plus en plus longtemps puis, finalement, remplissant le mur du fond, s'y fixeront définitivement. Ces têtes devront être de plus en plus belles malgré leur monstruosité.*) Vous n'êtes pas déçue, Daisy? n'est-ce pas? Vous ne regrettez rien?

DAISY. — Oh, non, non.

BÉRENGER. — Je voudrais tellement vous consoler. Je vous aime, Daisy, ne me quittez plus.

DAISY. — Ferme[4] la fenêtre, chéri. Ils font trop de bruit. Et la poussière monte jusqu'ici. Ça va tout salir.

---

[1] Il n'a pas résisté.
[2] Cette expression rappelle *Le Dépit amoureux,* comédie de Molière.
[3] brillante.
[4] Après la déclaration de Bérenger, Daisy commence à le tutoyer. Il continue de même.
[5] parlant avec hésitation et difficulté.

BÉRENGER. — Oui, oui. Tu as raison. (*Il ferme la fenêtre de face, Daisy, celle du fond. Ils se rejoignent au milieu du plateau.*) Tant que nous sommes ensemble, je ne crains rien, tout m'est égal. Ah! Daisy, je croyais que je n'allais plus jamais pouvoir devenir
5 amoureux d'une femme. (*Il lui serre les mains, les bras.*)

DAISY. — Tu vois, tout est possible.

BÉRENGER. — Comme je voudrais te rendre heureuse! Peux-tu l'être avec moi?

DAISY. — Pourquoi pas? Si tu l'es, je le suis. Tu dis que tu ne
10 crains rien, et tu as peur de tout! Que peut-il nous arriver?

BÉRENGER (*balbutiant*[5]). — Mon amour, ma joie! ma joie, mon amour... donne-moi tes lèvres, je ne me croyais plus capable de tant de passion!

DAISY. — Sois plus calme, sois plus sûr de toi, maintenant.

15 BÉRENGER. — Je le suis, donne-moi tes lèvres.

DAISY. — Je suis très fatiguée, mon chéri. Calme-toi, repose-toi. Installe-toi dans le fauteuil. (*Bérenger va s'installer dans le fauteuil, conduit par Daisy.*)

BÉRENGER. — Ce n'était pas la peine, dans ce cas, que Dudard
20 se soit querellé avec Botard.

DAISY. — Ne pense plus à Dudard. Je suis près de toi. Nous n'avons pas le droit de nous mêler de la vie des gens.

BÉRENGER. — Tu te mêles bien de la mienne. Tu sais être ferme avec moi.

25 DAISY. — Ça n'est pas la même chose.

BÉRENGER. — Je te comprends. S'il était resté là, il aurait été tout le temps un obstacle entre nous. Eh oui, le bonheur est égoïste.

DAISY. — Il faut défendre son bonheur. N'ai-je pas raison?

30 BÉRENGER. — Je t'adore, Daisy. Je t'admire.

DAISY. — Quand tu me connaîtras mieux, tu ne me le diras plus peut-être.

BÉRENGER. — Tu gagnes à être connue, et tu es si belle, tu es si belle. (*On entend de nouveau un passage de rhinocéros.*) ... Surtout, quand on te compare à ceux-ci... (*Il montre de la main en direction de la fenêtre.*) Tu vas me dire que ce n'est pas un compliment, mais ils font encore mieux ressortir ta beauté...[1]

DAISY. — Tu as été bien sage aujourd'hui? Tu n'as pas pris de cognac?

BÉRENGER. — Oui, oui, j'ai été sage.

DAISY. — C'est bien vrai?

BÉRENGER. — Ah ça oui, je t'assure.

DAISY. — Dois-je te croire?

BÉRENGER (*un peu confus*). — Oh oui, crois-moi, oui.

DAISY. — Alors, tu peux en prendre un petit verre. Ça va te remonter. (*Bérenger veut se précipiter.*) Reste assis, mon chéri. Où est la bouteille?

BÉRENGER (*indiquant l'endroit*). — Là, sur la petite table.

DAISY (*se dirigeant vers la petite table d'où elle prendra le verre et la bouteille*). — Tu l'as bien cachée.

BÉRENGER. — C'est pour ne pas être tenté d'y toucher.

DAISY (*après avoir versé un petit verre à Bérenger, qu'elle lui tend*). — Tu es vraiment bien sage. Tu fais des progrès.

BÉRENGER. — Avec toi, j'en ferai encore davantage.

DAISY (*tendant le verre*). — Tiens, c'est ta récompense.

BÉRENGER (*boit le verre d'un trait*). — Merci. (*Il tend de nouveau son verre.*)

DAISY. — Ah, non, mon chéri. Ça suffit pour ce matin. (*Elle prend le verre de Bérenger, va le porter avec la bouteille sur la petite table.*)

---

[1] mettre ta beauté en relief.
[2] bandage.
[3] pessimistes.
[4] moins de monde.
[5] L'action de la pièce a lieu dans une ville de province. Mais Bérenger et Daisy, comme tout le monde, rêvent d'aller à Paris un beau jour. Le Luxembourg est un grand jardin public au centre de Paris, pas bien loin de la Seine, fleuve qui traverse la ville.
[6] Parc où se trouvent rassemblés des animaux sauvages.
[7] ne crains rien.

je ne veux pas que ça te fasse du mal. (*Elle revient vers Bérenger.*) Et la tête, comment va-t-elle ?

BÉRENGER. — Beaucoup mieux, mon amour.

DAISY. — Alors, nous allons enlever ce pansement.[2] Ça ne te va pas très bien.

BÉRENGER. — Ah non, n'y touche pas.

DAISY. — Mais si, on va l'enlever.

BÉRENGER. — J'ai peur qu'il n'y ait quelque chose dessous.

DAISY (*enlevant le pansement, malgré l'opposition de Bérenger*). — Toujours tes peurs, tes idées noires.[3] Tu vois, il n'y a rien. Ton front est lisse.

BÉRENGER (*se tâtant le front*). — C'est vrai, tu me libères de mes complexes. (*Daisy embrasse Bérenger sur le front.*) Que deviendrais-je sans toi ?

DAISY. — Je ne te laisserai plus jamais seul.

BÉRENGER. — Avec toi, je n'aurai plus d'angoisses.

DAISY. — Je saurai les écarter.

BÉRENGER. — Nous lirons des livres ensemble. Je deviendrai érudit.

DAISY. — Et surtout, aux heures où il y a moins d'affluence,[4] nous ferons de longues promenades.

BÉRENGER. — Oui, sur les bords de la Seine, au Luxembourg...[5]

DAISY. — Au Jardin zoologique.[6]

BÉRENGER. — Je serai fort et courageux. Je te défendrai, moi aussi, contre tous les méchants.

DAISY. — Tu n'auras pas à me défendre, va.[7] Nous ne voulons de mal à personne. Personne ne nous veut du mal, chéri.

BÉRENGER. — Parfois, on fait du mal sans le vouloir. Ou bien, on le laisse se répandre. Tu vois, tu n'aimais pas non plus ce pauvre Monsieur Papillon. Mais tu n'aurais peut-être pas dû lui dire, si crûment, le jour de l'apparition de Bœuf en rhinocéros, qu'il avait les paumes des mains rugueuses.

DAISY. — C'était vrai. Il les avait.

BÉRENGER. — Bien sûr, chérie. Pourtant, tu aurais pu lui faire remarquer cela avec moins de brutalité, avec plus de ménagement.[1] Il en a été impressionné.

DAISY. — Tu crois?

BÉRENGER. — Il ne l'a pas fait voir, car il a de l'amour-propre. Il a certainement été touché en profondeur. C'est cela qui a dû précipiter sa décision. Peut-être aurais-tu sauvé une âme!

DAISY. — Je ne pouvais pas prévoir ce qui allait lui arriver... Il a été mal élevé.

BÉRENGER. — Moi, pour ma part, je me reprocherai toujours de ne pas avoir été plus doux avec Jean. Je n'ai jamais pu lui prouver, de façon éclatante, toute l'amitié que j'avais pour lui. Et je n'ai pas été assez compréhensif avec lui.[2]

DAISY. — Ne te tracasse pas.[3] Tu as tout de même fait de ton mieux. On ne peut faire l'impossible. A quoi bon les remords? Ne pense donc plus à tous ces gens-là. Oublie-les. Laisse les mauvais souvenirs de côté.

BÉRENGER. — Ils se font entendre ces souvenirs, ils se font voir. Ils sont réels.

DAISY. — Évade-toi[4] dans l'imaginaire.

BÉRENGER. — Facile à dire!

DAISY. — Est-ce que je ne te suffis pas?

BÉRENGER. — Oh si!

DAISY. — Tu vas tout gâcher[5] avec tes cas de conscience![6] Nous

---

[1] avec plus d'égards, plus de délicatesse.
[2] je ne l'ai pas assez bien compris.
[3] Ne te tourmente pas.
[4] Échappe-toi.
[5] gâter.
[6] avec tes hésitations morales.
[7] divinité.
[8] qui est vrai.
[9] ils ont changé de décision.

avons tous des fautes, peut-être. Pourtant, toi et moi, nous en avons moins que tant d'autres.

BÉRENGER. — Tu crois vraiment?

DAISY. — Nous sommes relativement meilleurs que la plupart des gens. Nous sommes bons, tous les deux.

BÉRENGER. — C'est vrai, tu es bonne et je suis bon. C'est vrai.

DAISY. — Alors, nous avons le droit de vivre. Nous avons même le devoir, vis-à-vis de nous-mêmes, d'être heureux, indépendamment de tout. La culpabilité est un symptôme dangereux. C'est un signe de manque de pureté.

BÉRENGER. — Ah oui, cela peut mener à ça... (*Il montre du doigt en direction des fenêtres sous lesquelles passent des rhinocéros, du mur du fond où apparaît une tête de rhinocéros.*) ... Beaucoup d'entre eux ont commencé comme ça!

DAISY. — Essayons de ne plus nous sentir coupables.

BÉRENGER. — Comme tu as raison, ma joie, ma déesse,[7] mon soleil... Je suis avec toi, n'est-ce pas? Personne ne peut nous séparer. Il y a notre amour, il n'y a que cela de vrai.[8] Personne n'a le droit et personne ne peut nous empêcher d'être heureux, n'est-ce pas? (*On entend la sonnerie du téléphone.*) Qui peut nous appeler?

DAISY (*appréhensive*). — Ne réponds pas!...

BÉRENGER. — Pourquoi?

DAISY. — Je ne sais pas. Cela vaut peut-être mieux.

BÉRENGER. — C'est peut-être M. Papillon ou Botard, ou Jean, ou Dudard qui veulent nous annoncer qu'ils sont revenus sur leur décision.[9] Puisque tu disais que ce n'était, de leur part, qu'un engouement passager!

DAISY. — Je ne crois pas. Ils n'ont pas pu changer d'avis si vite. Ils n'ont pas eu le temps de réfléchir. Ils iront jusqu'au bout de leur expérience.

BÉRENGER. — Ce sont peut-être les autorités qui réagissent et qui nous demandent de les aider dans les mesures qu'ils vont prendre.

DAISY. — Cela m'étonnerait. (*Nouvelle sonnerie du téléphone.*)

BÉRENGER. — Mais si, mais si, c'est la sonnerie des autorités, je la reconnais. Une sonnerie longue! Je dois répondre à leur appel. Ça ne peut plus être personne d'autre. (*Il décroche l'appareil.*) Allô? (*Pour toute réponse, des barrissements se font entendre venant de l'écouteur.*[1]) Tu entends? Des barrissements! Écoute! (*Daisy met le récepteur à l'oreille, a un recul,*[2] *raccroche*[3] *précipitamment l'appareil.*)

DAISY (*effrayée*). — Que peut-il bien se passer!

BÉRENGER. — Ils nous font des farces[4] maintenant!

DAISY. — Des farces de mauvais goût.

BÉRENGER. — Tu vois, je te l'avais bien dit!

DAISY. — Tu ne m'as rien dit!

BÉRENGER. — Je m'y attendais, j'avais prévu.

DAISY. — Tu n'avais rien prévu du tout. Tu ne prévois jamais rien. Tu ne prévois les événements que lorsqu'ils sont déjà arrivés.

BÉRENGER. — Oh si, je prévois, je prévois.

DAISY. — Ils ne sont pas gentils. C'est méchant. Je n'aime pas qu'on se moque de moi.

BÉRENGER. — Ils n'oseraient pas se moquer de toi. C'est de moi qu'ils se moquent.

DAISY. — Et comme je suis avec toi, bien entendu, j'en prends ma part. Ils se vengent. Mais qu'est-ce qu'on leur a fait? (*Nouvelle sonnerie du téléphone.*) Enlève les plombs.[5]

---

[1] le récepteur.
[2] elle recule.
[3] accroche de nouveau.
[4] grosses plaisanteries.
[5] fils de plomb qui servent à établir le courant électrique.
[6] Abréviation de *Postes, Télégraphes et Téléphones.*
[7] (Abréviation de *télégraphie* ou *téléphonie sans fil*) — poste de radio.
[8] où en est la situation.
[9] la station.
[10] Dans la mise en scène d'Orson Welles à Londres, on voyait momentanément un troupeau de rhinocéros sur l'écran de télévision que regardait Bérenger.

BÉRENGER. — Les P.T.T.[6] ne permettent pas!

DAISY. — Ah, tu n'oses rien, et tu veux me défendre! (*Daisy enlève les plombs, la sonnerie cesse.*)

BÉRENGER (*se précipitant vers le poste de T.S.F.*[7]) Faisons marcher le poste, pour connaître les nouvelles.

DAISY. — Oui, il faut savoir où nous en sommes![8] (*Des barrissements partent du poste. Bérenger tourne vivement le bouton. Le poste s'arrête. On entend cependant encore, dans le lointain, comme des échos de barrissements.*) Ça devient vraiment sérieux! Je n'aime pas cela, je n'admets pas! (*Elle tremble.*)

BÉRENGER (*très agité*). — Du calme! du calme!

DAISY. — Ils ont occupé les installations[9] de la radio![10]

BÉRENGER (*tremblant et agité*). — Du calme! du calme! du calme! (*Daisy court vers la fenêtre du fond, regarde, puis vers la fenêtre de face et regarde; Bérenger fait la même chose en sens inverse, puis tous deux se retrouvent au milieu du plateau, l'un en face de l'autre.*)

DAISY. — Ça n'est plus du tout de la plaisanterie. Ils se sont vraiment pris au sérieux!

BÉRENGER. — Il n'y a plus qu'eux, il n'y a plus qu'eux. Les autorités sont passées de leur côté. (*Même jeu que tout à l'heure de Daisy et Bérenger vers les deux fenêtres, puis les deux personnages se rejoignent de nouveau au milieu du plateau.*)

DAISY. — Il n'y a plus personne nulle part.

BÉRENGER. — Nous sommes seuls, nous sommes restés seuls.

DAISY. — C'est bien ce que tu voulais.

BÉRENGER. — C'est toi qui le voulais!

DAISY. — C'est toi.

BÉRENGER. — Toi! (*Les bruits s'entendent de partout. Les têtes de rhinocéros remplissent le mur du fond. De droite, et de gauche, dans la maison on entend des pas précipités, des souffles bruyants de fauves. Tous ces bruits effrayants sont, cependant, rythmés, musicalisés. C'est aussi et surtout d'en haut que viennent, le plus fort, les bruits des piétinements. Du plâtre tombe du plafond. La maison s'ébranle violemment.*)

DAISY. — La terre tremble ! (*Elle ne sait où courir.*)

BÉRENGER. — Non, ce sont nos voisins, les Périssodactyles ! (*Il montre le poing à droite, à gauche, partout.*) Arrêtez donc ! Vous nous empêchez de travailler ! Les bruits sont défendus ! Défendu de faire du bruit.

DAISY. — Ils ne t'écouteront pas ! (*Cependant, les bruits diminuent, et ne constituent plus qu'une sorte de fond sonore et musical.*)

BÉRENGER (*effrayé, lui aussi*). — N'aie pas peur, mon amour. Nous sommes ensemble, n'es-tu pas bien avec moi ? Est-ce que je ne te suffis pas ? J'écarterai de toi toutes les angoisses.

DAISY. — C'est peut-être notre faute.

BÉRENGER. — N'y pense plus. Il ne faut pas avoir de remords. Le sentiment de la culpabilité est dangereux. Vivons notre vie, soyons heureux. Nous avons le devoir d'être heureux. Ils ne sont pas méchants, on ne leur fait pas de mal. Ils nous laisseront tranquilles. Calme-toi. Repose-toi. Installe-toi dans le fauteuil. (*Il la conduit jusqu'au fauteuil.*) Calme-toi ! (*Daisy s'installe dans le fauteuil.*) Veux-tu un verre de cognac, pour te remonter ?

DAISY. — J'ai mal à la tête.

BÉRENGER (*prenant le pansement de tout à l'heure et bandageant la tête de Daisy*). — Je t'aime, mon amour. Ne t'en fais pas,[1] ça leur passera. Un engouement passager.

DAISY. — Ça ne leur passera pas. C'est définitif.

BÉRENGER. — Je t'aime, je t'aime follement.

DAISY (*enlevant son bandage*). — Advienne que pourra.[2] Que veux-tu qu'on y fasse ?

BÉRENGER. — Ils sont tous devenus fous. Le monde est malade. Ils sont tous malades.

DAISY. — Ce n'est pas nous qui les guérirons.

BÉRENGER. — Comment vivre dans la maison, avec eux ?

---

[1] Ne te fais pas de soucis.

[2] C'est-à-dire, nous sommes prêts à subir toutes les conséquences.

BÉRENGER. — *N'aie pas peur, mon amour. Nous sommes ensemble, n'es-tu pas bien avec moi ? Est-ce que je ne te suffis pas ? J'écarterai de toi toutes les angoisses.*

DAISY (*se calmant*). — Il faut être raisonnable. Il faut trouver un *modus vivendi,*[1] il faut tâcher de s'entendre avec.[2]

BÉRENGER. — Ils ne peuvent pas nous entendre.

DAISY. — Il le faut pourtant. Pas d'autre solution.

BÉRENGER. — Tu les comprends, toi?

DAISY. — Pas encore. Mais nous devrions essayer de comprendre leur psychologie, d'apprendre leur langage.[3]

BÉRENGER. — Ils n'ont pas de langage! Écoute... tu appelles ça un langage?

DAISY. — Qu'est-ce que tu en sais? Tu n'es pas polyglotte![4]

BÉRENGER.—Nous en parlerons plus tard. Il faut déjeuner d'abord.

DAISY. — Je n'ai plus faim. C'est trop. Je ne peux plus résister.

BÉRENGER. — Mais tu es plus forte que moi. Tu ne vas pas te laisser impressionner. C'est pour ta vaillance que je t'admire.

DAISY. — Tu me l'as déjà dit.

BÉRENGER. — Tu es sûre de mon amour?

DAISY. — Mais oui.

BÉRENGER. — Je t'aime.

DAISY. — Tu te répètes, mon chou.[5]

BÉRENGER. — Écoute, Daisy, nous pouvons faire quelque chose. Nous aurons des enfants, nos enfants en auront d'autres, cela mettra du temps,[6] mais à nous deux nous pourrons régénérer l'humanité.

---

[1] (*latin*) accommodement, manière de vivre.
[2] s'entendre avec (eux).
[3] Enfin, Daisy à son tour commence à subir la contagion.
[4] personne qui parle plusieurs langues.
[5] mon chéri.
[6] cela prendra du temps.
[7] Autrefois.
[8] Bérenger se montre idéaliste.
[9] (Le sens dépend de l'interprétation de l'acteur): Les gens sont comme ça. (Ou bien, en montrant les têtes de rhinocéros): C'est ça les gens.
[10] C'est-à-dire, leur peau ne les gêne pas.
[11] (en geste de supplication).
[12] Daisy suit à peu près le même raisonnement que Botard avant la transformation de ce dernier.

DAISY. — Régénérer l'humanité?

BÉRENGER. — Nous serons les nouveaux Adam et Ève.

DAISY. — Dans le temps[7]... ils avaient beaucoup de courage.

BÉRENGER. — Nous aussi, nous pouvons avoir du courage. Il n'en faut pas tellement d'ailleurs. Cela se fait tout seul, avec du temps, de la patience.

DAISY. — A quoi bon?

BÉRENGER. — Si, si, un peu de courage, un tout petit peu.

DAISY. — Je ne veux pas avoir d'enfants. Ça m'ennuie.

BÉRENGER. — Comment veux-tu sauver le monde alors?

DAISY. — Pourquoi le sauver?

BÉRENGER. — Quelle question.... Fais ça pour moi, Daisy. Sauvons le monde.[8]

DAISY. — Après tout, c'est peut-être nous qui avons besoin d'être sauvés. C'est nous, peut-être, les anormaux.

BÉRENGER. — Tu divagues, Daisy, tu as de la fièvre.

DAISY. — En vois-tu d'autres de notre espèce?

BÉRENGER. — Daisy, je ne veux pas t'entendre dire cela! (*Daisy regarde de tous les côtés, vers tous les rhinocéros dont on voit les têtes sur les murs, à la porte du palier, et aussi apparaissant sur le bord de la rampe.*)

DAISY. — C'est ça les gens.[9] Ils ont l'air gais. Ils se sentent bien dans leur peau.[10] Ils n'ont pas l'air d'être fous. Ils sont très naturels. Ils ont eu des raisons.

BÉRENGER (*joignant les mains*[11] *et regardant Daisy désespérément*). — C'est nous qui avons raison, Daisy, je t'assure.

DAISY. — Quelle prétention!...

BÉRENGER. — Tu sais bien que j'ai raison.

DAISY. — Il n'y a pas de raison absolue. C'est le monde qui a raison, ce n'est pas toi, ni moi.[12]

BÉRENGER. — Si, Daisy, j'ai raison. La preuve c'est que tu me comprends quand je te parle.

DAISY. — Ça ne prouve rien.

BÉRENGER. — La preuve, c'est que je t'aime autant qu'un homme puisse aimer une femme.

DAISY. — Drôle d'argument!

BÉRENGER. — Je ne te comprends plus, Daisy. Ma chérie, tu ne sais plus ce que tu dis! L'amour! l'amour, voyons, l'amour...

DAISY. — J'en ai un peu honte, de ce que tu appelles l'amour, ce sentiment morbide, cette faiblesse de l'homme. Et de la femme. Cela ne peut se comparer avec l'ardeur, l'énergie extraordinaire que dégagent tous ces êtres qui nous entourent.

BÉRENGER. — De l'énergie? Tu veux de l'énergie? Tiens, en voilà de l'énergie! (*Il lui donne une gifle.*[1])

DAISY. — Oh! Jamais je n'aurais cru... (*Elle s'effondre dans le fauteuil.*)

BÉRENGER. — Oh, pardonne-moi, ma chérie, pardonne-moi! (*Il veut l'embrasser, elle se dégage.*) Pardonne-moi, ma chérie. Je n'ai pas voulu. Je ne sais pas ce qui m'est arrivé, comment ai-je pu me laisser emporter!

DAISY. — C'est parce que tu n'as plus d'arguments; c'est simple.

BÉRENGER. — Hélas! En quelques minutes, nous avons donc vécu vingt-cinq années de mariage.

DAISY. — J'ai pitié de toi aussi, je te comprends.

BÉRENGER (*tandis que Daisy pleure*). — Eh bien, je n'ai plus d'arguments sans doute. Tu les crois plus forts que moi, plus forts que nous, peut-être.

DAISY. — Sûrement.

BÉRENGER. — Eh bien, malgré tout, je te le jure, je n'abdiquerai pas, moi, je n'abdiquerai pas.

DAISY (*elle se lève, va vers Bérenger, entoure son cou de ses bras*). — Mon pauvre chéri, je résisterai avec toi, jusqu'au bout.

---

[1] un coup sur la joue. — Bérenger ne peut pas supporter l'idée que la seule femme qu'il ait jamais aimée est sur le point de devenir comme les autres.

[2] nous quereller.

[3] d'un esprit si étroit.

[4] se regarde très attentivement.

BÉRENGER. — Le pourras-tu ?

DAISY. — Je tiendrai parole. Aie confiance. (*Bruits devenus mélodieux des rhinocéros.*) Ils chantent, tu entends ?

BÉRENGER. — Ils ne chantent pas, ils barrissent.

DAISY. — Ils chantent.

BÉRENGER. — Ils barrissent, je te dis.

DAISY. — Tu es fou, ils chantent.

BÉRENGER. — Tu n'as pas l'oreille musicale, alors !

DAISY. — Tu n'y connais rien en musique, mon pauvre ami, et puis, regarde, ils jouent, ils dansent.

BÉRENGER. — Tu appelles ça de la danse ?

DAISY. — C'est leur façon. Ils sont beaux.

BÉRENGER. — Ils sont ignobles !

DAISY. — Je ne veux pas qu'on en dise du mal. Ça me fait de la peine.

BÉRENGER. — Excuse-moi. Nous n'allons pas nous chamailler[2] à cause d'eux.

DAISY. — Ce sont des dieux.

BÉRENGER. — Tu exagères, Daisy, regarde-les bien.

DAISY. — Ne sois pas jaloux, mon chéri. Pardonne-moi aussi. (*Elle se dirige de nouveau vers Bérenger, veut l'entourer de ses bras. C'est Bérenger maintenant qui se dégage.*)

BÉRENGER. — Je constate que nos opinions sont tout à fait opposées. Il vaut mieux ne plus discuter.

DAISY. — Ne sois pas mesquin,[3] voyons.

BÉRENGER. — Ne sois pas sotte.

DAISY (*à Bérenger, qui lui tourne le dos. Il se regarde dans la glace, se dévisage[4]*). — La vie en commun n'est plus possible. (*Tandis que Bérenger continue à se regarder dans la glace, elle se dirige doucement vers la porte en disant :* « Il n'est pas gentil, vraiment, il n'est pas gentil. » *Elle sort, on la voit descendre lentement le haut de l'escalier.*)

BÉRENGER (*se regardant toujours dans la glace*). — Ce n'est tout de même pas si vilain que ça, un homme. Et pourtant, je ne suis pas parmi les plus beaux! Crois-moi, Daisy! (*Il se retourne.*) Daisy! Daisy! Où es-tu, Daisy? Tu ne vas pas faire ça! (*Il se précipite vers la porte.*) Daisy! (*Arrivé sur le palier, il se penche sur la balustrade.*) Daisy! remonte! reviens, ma petite Daisy! Tu n'as même pas déjeuné! Daisy, ne me laisse pas tout seul! Qu'est-ce que tu m'avais promis! Daisy! Daisy! (*Il renonce à l'appeler, fait un geste désespéré et rentre dans sa chambre.*) Évidemment.[1] On ne s'entendait plus. Un ménage désuni. Ce n'était plus viable.[2] Mais elle n'aurait pas dû me quitter sans s'expliquer. (*Il regarde partout.*) Elle ne m'a pas laissé un mot. Ça ne se fait pas. Je suis tout à fait seul maintenant. (*Il va fermer la porte à clé, soigneusement, mais avec colère.*) On ne m'aura pas, moi. (*Il ferme soigneusement les fenêtres.*) Vous ne m'aurez pas, moi. (*Il s'adresse à toutes les têtes de rhinocéros.*) Je ne vous suivrai pas, je ne vous comprends pas! Je reste ce que je suis. Je suis un être humain. Un être humain. (*Il va s'asseoir dans le fauteuil.*) La situation est absolument intenable. C'est ma faute, si elle est partie. J'étais tout pour elle. Qu'est-ce qu'elle va devenir? Encore quelqu'un sur la conscience. J'imagine le pire, le pire est possible. Pauvre enfant abandonnée dans cet univers de monstres! Personne ne peut m'aider à la retrouver, personne, car il n'y a plus personne. (*Nouveaux barrissements, courses éperdues,[3] nuages de poussière.*) Je ne veux pas les entendre. Je vais mettre du coton dans les oreilles. (*Il se met du coton dans les oreilles et se parle à lui-même, dans la glace.*) Il n'y a

---

[1] Naturellement.

[2] Cela ne pouvait plus durer.

[3] folles.

[4] Le plus célèbre des héros de la mythologie grecque; il se distingua par sa taille et sa force extraordinaires et exécuta douze œuvres périlleuses, connues sous le nom des *Douze travaux d'Hercule.*

[5] Éliminés dans les versions française et allemande mais gardés dans la version anglaise. (Orson Welles, metteur en scène de cette dernière, faisait sortir une petite tête de rhinocéros d'une pendule à coucou!)

[6] pour redonner de la vigueur à.

[7] il se trouve plus laid.

[8] légèrement humides.

pas d'autre solution que de les convaincre, les convaincre, de quoi? Et les mutations sont-elles réversibles? Hein, sont-elles réversibles? Ce serait un travail d'Hercule,[4] au-dessus de mes forces. D'abord, pour les convaincre, il faut leur parler. Pour leur parler, il faut que j'apprenne leur langue. Ou qu'ils apprennent la mienne? Mais quelle langue est-ce que je parle? Quelle est ma langue? Est-ce du français, ça? Ce doit bien être du français? Mais qu'est-ce que du français? On peut appeler ça du français, si on veut, personne ne peut le contester, je suis seul à le parler. Qu'est-ce que je dis? Est-ce que je me comprends, est-ce que je me comprends? (*Il va vers le milieu de la chambre.*) Et si, comme me l'avait dit Daisy, si c'est eux qui ont raison? (*Il retourne vers la glace.*) Un homme n'est pas laid, un homme n'est pas laid! (*Il se regarde en passant la main sur sa figure.*) Quelle drôle de chose! A quoi je ressemble alors? A quoi? (*Il se précipite vers un placard, en sort des photos, qu'il regarde.*) Des photos! Qui sont-ils tous ces gens-là? M. Papillon, ou Daisy plutôt? Et celui-là, est-ce Botard ou Dudard, ou Jean? ou moi, peut-être! (*Il se précipite de nouveau vers le placard d'où il sort deux ou trois tableaux.*) Oui, je me reconnais; c'est moi, c'est moi! (*Il va raccrocher les tableaux sur le mur du fond, à côté des têtes des rhinocéros.*) C'est moi, c'est moi. (*Lorsqu'il accroche les tableaux, on s'aperçoit que ceux-ci représentent un vieillard, une grosse femme, un autre homme. La laideur de ces portraits*[5] *contraste avec les têtes des rhinocéros qui sont devenues très belles. Bérenger s'écarte pour contempler les tableaux.*) Je ne suis pas beau, je ne suis pas beau. (*Il décroche les tableaux, les jette par terre avec fureur, il va vers la glace.*) Ce sont eux qui sont beaux. J'ai eu tort! Oh, comme je voudrais être comme eux. Je n'ai pas de corne, hélas! Que c'est laid, un front plat. Il m'en faudrait une ou deux, pour rehausser[6] mes traits tombants.[7] Ça viendra peut-être, et je n'aurai plus honte, je pourrai aller tous les retrouver. Mais ça ne pousse pas! (*Il regarde les paumes de ses mains.*) Mes mains sont moites.[8] Deviendront-elles rugueuses?

(*Il enlève son veston, défait sa chemise, contemple sa poitrine dans la glace.*) J'ai la peau flasque. Ah, ce corps trop blanc, et poilu![1] Comme je voudrais avoir une peau dure et cette magnifique couleur d'un vert sombre, une nudité décente, sans poils, comme la leur![2] (*Il écoute les barrissements.*) Leurs chants[3] ont du charme, un peu âpre,[4] mais un charme certain! Si je pouvais faire comme eux. (*Il essaye de les imiter.*) Ahh, Ahh, Brr! Non, ça n'est pas ça! Essayons encore, plus fort! Ahh, Ahh, Brr! non, non, ce n'est pas ça, que c'est faible, comme cela manque de vigueur! Je n'arrive pas à barrir. Je hurle[5] seulement. Ahh, Ahh, Brr! Les hurlements ne sont pas des barrissements! Comme j'ai mauvaise conscience, j'aurais dû les suivre à temps. Trop tard maintenant! Hélas, je suis un monstre, je suis un monstre. Hélas, jamais je ne deviendrai rhinocéros, jamais, jamais! Je ne peux plus changer. Je voudrais bien, je voudrais tellement, mais je ne peux pas. Je ne peux plus me voir. J'ai trop honte! (*Il tourne le dos à la glace.*) Comme je suis laid! Malheur à celui qui veut conserver sa personnalité! (*Il a un brusque sursaut.*[6]) Eh bien tant pis![7] Je me défendrai contre tout le monde! Ma carabine, ma carabine! (*Il se retourne face au mur du fond où sont fixées les têtes des rhinocéros, tout en criant:*) Contre tout le monde, je me défendrai, contre tout le monde, je me défendrai! Je suis le dernier homme, je le resterai jusqu'au bout! Je ne capitule pas!

Rideau

---

[1] couvert de poils (petits cheveux sur la peau).
[2] Tout seul, Bérenger lui-même est terriblement tenté de suivre tout le monde.
[3] Quelques thèmes, comme celui de "Lily Marlène," des chants nazis s'entendaient çà et là dans la musique concrète du dernier acte.
[4] rude à l'oreille.
[5] crie (de détresse, de peur).
[6] Il fait un mouvement brusque de tout le corps.
[7] Changement soudain. Comme Denis de Rougemont, qui a donné à Ionesco l'idée de son *Rhinocéros,* Bérenger résiste du plus profond de lui-même à cette contagion du collectivisme, et sans savoir pourquoi.

BÉRENGER. — ...*Contre tout le monde, je me défendrai, contre tout le monde, je me défendrai !*

QUESTIONNAIRE

QUESTIONNAIRE

I. P. 35, l. 1 — p. 41, l. 6

1. Qu'est-ce que l'on vend dans une épicerie?
2. Combien d'étages l'épicerie a-t-elle?
3. Qu'est-ce que l'on aperçoit au loin?
4. Quel bruit entend-on au lever du rideau?
5. De quoi le seul arbre est-il couvert?
6. Quel jour de la semaine sommes-nous? Comment le sait-on?
7. Pourquoi Barrault a-t-il ajouté plusieurs personnages?
8. Qu'est-ce que c'est qu'un *tableau vivant*?
9. Sur quel ton l'Épicière dit-elle : « Ah, celle-là! »?
10. Pourquoi y a-t-il un tel contraste entre les vêtements de Jean et ceux de Bérenger?
11. Quelle raison Jean donne-t-il, lui aussi, de son retard?
12. Pourquoi Bérenger bâille-t-il tout le temps?
13. Qu'est-ce que Jean a « en réserve »?
14. Pourquoi est-il si sévère pour son ami?
15. A combien de jours de vacances Bérenger a-t-il droit?
16. Qu'est-ce que Bérenger a dû faire à ses vêtements? A ses épaules? A ses cheveux? A ses souliers?
17. A quoi est-ce que Bérenger ne se fait pas?
18. Que fait l'homme supérieur, d'après Jean?
19. Qu'est-ce que Bérenger avait fêté la veille?
20. Quels bruits entend-on au loin, mais se rapprochant très vite?

II. P. 41, l. 7 — p. 50, l. 23

1. Pourquoi Bérenger ne perçoit-il pas les bruits, même quand ils sont devenus énormes?
2. Quels sont ces bruits?

3. Que fait le rhinocéros en courant?
4. Qu'est-ce qu'il y a de comique dans tous ces : « oh! un rhinocéros! »?
5. Pourquoi l'auteur nous dit-il deux fois ce que la Ménagère a laissé tomber et ce qu'elle ne lâche pas?
6. Quel est le sens de « Ça alors! » dit par presque tout le monde?
7. Quel service le Vieux Monsieur rend-il à la Ménagère?
8. Pourquoi y a-t-il tant de poussière maintenant sur la scène?
9. Comment appelle-t-on souvent un chat?
10. Que dit-on quand on est présenté à quelqu'un?
11. Pourquoi l'Épicière en veut-elle à la Ménagère?
12. Comment appelle-t-on les bouteilles qui ne peuvent se casser?
13. Combien l'Épicier vend-il son vin?
14. Comment le Logicien veut-il que l'on remette les provisions? Pourquoi?
15. Qu'est-ce que la Ménagère achète enfin à l'Épicier?
16. Qu'est-ce qu'elle dit qu'elle ne risquera plus?
17. Que pense la Ménagère des jeunes d'aujourd'hui?
18. Jean reçoit-il la boisson qu'il avait commandée?
19. Quelle opinion le Vieux Monsieur a-t-il de la Ménagère?
20. Que font le Logicien et le Vieux Monsieur en sortant?

III. P. 50, l. 24 — p. 57, l. 9

1. Comment le Logicien explique-t-il le syllogisme?
2. De quoi Jean dit-il qu'il ne revient pas?
3. Que doit-on faire quand on bâille?
4. Pourquoi Jean critique-t-il tout ce que Bérenger dit?
5. Comment Bérenger explique-t-il le fait qu'un rhinocéros court par les rues de la ville?
6. Pourquoi est-il impossible qu'il y ait des bois marécageux aux alentours?
7. Bérenger se croit-il spirituel?
8. Pourquoi fait-il des répliques si fantaisistes?
9. Qu'est-ce que Bérenger dit qu'il n'a jamais prétendu dire?
10. Est-ce qu'il insulte Jean? L'estime-t-il beaucoup?

11. Qu'est-ce qu'il y a de si dangereux à laisser courir un rhinocéros dans la ville un dimanche matin?
12. Pourquoi Jean veut-il se quereller avec son ami?
13. Comment Bérenger cherche-t-il à changer le sujet de la conversation?
14. Pourquoi Bérenger veut-il finir son verre de pastis? Pourquoi ne le fait-il pas?
15. Quel petit accident est causé par l'entrée en scène de Daisy?
16. Pourquoi Bérenger ne veut-il pas que Daisy le voie?
17. Quelle raison Bérenger donne-t-il pour excuser son besoin de boire? Aime-t-il l'alcool?
18. De quoi a-t-il peur?
19. Expliquez le sens de : « Vous vous oubliez! »
20. Pourquoi Jean dit-il qu'il se sent léger?

IV. P. 57, l. 10 — p. 69, l. 29

1. Quelles raisons Jean donne-t-il pour expliquer pourquoi il a de la force?
2. Comment arrive-t-on à dire qu'un chien est devenu un chat?
3. Le Logicien est-il vraiment logique? Expliquez.
4. Les deux conversations simultanées sont pleines de contradictions amusantes. Nommez-en quelques-unes.
5. Il y a cependant des suggestions de pensées assez profondes et philosophiques. Essayez d'en nommer plusieurs.
6. Bérenger est-il amoureux de Daisy? Qu'est-ce qui le prouve?
7. Qui est-ce que Jean nomme comme rival de Bérenger? Quelles sont les qualités de ce rival?
8. Jean offre-t-il un bon exemple de ce qu'il conseille? Pourquoi?
9. Comment peut-on se mettre à la page?
10. Nommez quelques articles vestimentaires.
11. Citez quelques clichés prononcés par Jean.
12. Est-ce que vous en utilisez dans la conversation? Lesquels?
13. Que pensez-vous d'un auteur qui fait parler de lui-même dans une de ses propres pièces?
14. Que pensez-vous d'un chat à une patte?
15. Où va Jean ce soir-là? Et Bérenger?

16. Trouvez-vous quelque chose de symbolique dans le fait qu'au début personne ne remarque les bruits faits par le rhinocéros ?
17. Que fait-on de ses mains pour mieux écouter ?
18. Bérenger est-il un ivrogne ?
19. Qu'est-ce qui éveille enfin l'attention de Bérenger ?
20. Quelle sorte d'animal le rhinocéros est-il ? De quoi est-il le symbole dans cette pièce ?

V. P. 69, l. 30 — p. 75, l. 21

1. Si vous voyiez un rhinocéros sur le trottoir d'en face, que feriez-vous ?
2. Qu'est-ce que la Serveuse a fait ?
3. Qui pense plus aux verres cassés qu'au rhinocéros ? Pourquoi ?
4. Décrivez la réaction de Bérenger.
5. Du Vieux Monsieur.
6. Du Patron.
7. Du Logicien.
8. Comment ces réactions sont-elles typiques du caractère de chaque personnage ?
9. Où faut-il que la Serveuse porte les brisures de verre ?
10. De combien de rhinocéros s'agit-il ?
11. Pourquoi Bérenger commence-t-il à avoir le courage de contredire Jean ?
12. Qui offre à boire à la Ménagère ? Est-ce qu'elle accepte ?
13. Qui est-ce qui paye le cognac ?
14. Pourquoi l'Épicière offre-t-elle un autre chat à la Ménagère ?
15. Qu'est-ce que Bérenger pense maintenant des idées de Jean ?
16. Jean est-il un prétentieux ? Qu'est-ce qui indique cela ?
17. Sur quel sujet Bérenger veut-il parier avec Jean ?
18. Pourquoi l'Épicier doit-il savoir quelle espèce de rhinocéros n'a qu'une corne ?
19. Pourquoi le Patron craint-il le scandale ?
20. Que veut dire Bérenger quand il affirme qu'il n'a pas de corne et qu'il n'en portera jamais ?

VI. P. 75, l. 22 — p. 85

1. Pourquoi Jean crie-t-il: « Ils sont jaunes! »?
2. Pourquoi est-il donc si fâché contre Bérenger?
3. A qui ne manquait-il que la parole?
4. Où va-t-on le mettre?
5. Pourquoi Bérenger commence-t-il déjà à regretter sa dispute avec Jean?
6. Dans quels termes loue-t-il son ami Jean?
7. Mais quels sont ses défauts tout de même?
8. Quelles preuves le Vieux Monsieur demande-t-il à Jean?
9. Que veut dire « élucider un problème »?
10. Quelle preuve de ses qualités le Logicien présente-t-il?
11. De quelle façon le Logicien complique-t-il la question?
12. Que pense Bérenger de la logique du Logicien?
13. Pour le Logicien, qu'est-ce qui est plus important que de trouver une solution au problème?
14. Quel cortège voit-on sortir du café?
15. Après tant de discussions ridicules et inutiles, c'est l'Épicier qui exprime le vrai problème. Quel est-il?
16. Est-il naturel que tout le monde répète tout le temps ce qu'un autre a dit?
17. Quels regrets viennent maintenant à Jean?
18. Où ne va-t-on pas ce jour-là?
19. Que fera-t-il une autre fois?
20. Son caractère est-il en train de redevenir ce qu'il était au commencement?

VII. P. 89, l. 1 — p. 94, l. 8

1. Que voit-on sur la table de Daisy?
2. Et sur celle de Botard et de Bérenger?
3. A quoi sert un portemanteau?
4. Quelle heure est-il?
5. Qu'est-ce qui fait *tableau vivant* au lever du rideau?
6. Qui est Monsieur Papillon?
7. Pourquoi Botard n'aime-t-il pas Dudard?
8. Quel âge a Botard?
9. Pourquoi porte-t-on des manches de lustrine?

10. Que pense Botard des journalistes ?
11. Sous quelle rubrique rapporte-t-on la nouvelle du chat écrasé ?
12. Comment Botard exprime-t-il son mépris ?
13. Quelle opinion a-t-il de lui-même ?
14. Comment le sujet du racisme est-il introduit dans la conversation ?
15. Qu'est-ce que Botard appelle le racisme ?
16. Pourquoi est-il si incrédule au sujet du rhinocéros ?
17. Quelle réputation les Méridionaux ont-ils ?
18. Qu'est-ce que Monsieur Papillon essaye de faire ?
19. Y réussit-il ? Pourquoi pas ?
20. De quoi Botard rit-il ?

VIII. P. 94, l. 9 — p. 101, l. 26

1. Pourquoi Botard n'écoute-t-il pas les curés ?
2. D'où viennent ses idées à ce sujet ?
3. Pourquoi Daisy dit-elle qu'elle n'a pas la berlue ?
4. Botard respecte-t-il les religions ?
5. Que doit-on signer en arrivant ? Qui est en retard en la signant ?
6. Qu'est-ce que les Facultés et l'Université ne valent pas ?
7. Trouvez-vous cette affirmation ridicule ? Pourquoi ?
8. Qu'est-ce qui manque aux universitaires, d'après Botard ?
9. Quel changement de vêtements Bérenger fait-il avant de commencer son travail ?
10. Pourquoi tout le monde est-il galant avec Mademoiselle Daisy ?
11. Quel sujet discuté dans le premier acte revient ensuite ?
12. Qu'est-ce que Monsieur Papillon essaye vainement de faire faire ?
13. Que veut dire Botard par « psychose collective » ?
14. Qu'est-ce que c'est qu'une soucoupe volante ?
15. Est-ce une fiction ? Qu'en pensez-vous ?
16. Comment Monsieur Papillon essaye-t-il de ramener tout le monde au travail ?
17. Y réussit-il ?
18. Comment comprenez-vous l'expression « répression antialcoolique » ?
19. Que signifie « appellation contrôlée » sur une bouteille de vin ?
20. De tout le personnel du bureau, qui a le plus de bon sens ?

IX. P. 101, l. 27 — p. 112, l. 24

1. Qu'est-ce que Botard et Bérenger sont en train de faire?
2. Quel sujet revient tout de suite?
3. Qu'est-ce que Botard appelle l'histoire du rhinocéros? Pourquoi?
4. Pourquoi Botard est-il rouge de colère?
5. Pourquoi le silence se fait-il subitement?
6. De quoi Monsieur Bœuf est-il menacé?
7. Dans quel état Madame Bœuf est-elle en arrivant?
8. Pourquoi l'escalier s'effondre-t-il?
9. Qu'est-ce que l'on voit et entend tout de suite après?
10. Botard est-il convaincu, même quand il y a un rhinocéros en bas?
11. Ce rhinocéros a-t-il une corne ou deux cornes? Alors, est-il africain ou asiatique?
12. Comment Madame Bœuf sait-elle que c'est son mari?
13. Que fait Daisy pour appeler le rhinocéros?
14. Pourquoi le personnel du bureau est-il dans de beaux draps?
15. Comment le Chef de Service veut-il profiter de l'accident?
16. Qu'est-ce que Botard propose de faire?
17. A qui téléphone-t-on? Pourquoi?
18. Quelle grande décision Madame Bœuf prend-elle?
19. Quel en est le résultat?
20. Qu'est-ce qui reste dans les mains de Bérenger?

X. P. 112, l. 25 — p. 118

1. Pourquoi Daisy a-t-elle eu du mal à avoir les pompiers?
2. Combien de rhinocéros y a-t-il maintenant dans la ville?
3. Quelles sont les réactions (typiques de leur caractère): De Monsieur Papillon?
4. De Bérenger?
5. De Botard?
6. De Dudard?
7. Que veut dire Botard par les « dessous de l'histoire »?
8. S'il nommait les « instigateurs, » qui seraient-ils, d'après vous?
9. Que propose-t-il de faire?

10. Quels bruits font les pompiers en arrivant ?
11. Quel est le système d'interprétation infaillible de Botard ?
12. Pourquoi les pompiers sont-ils si pressés ?
13. Si quelqu'un se cassait une jambe, quel ennui serait créé à la direction ?
14. Comment Daisy disparaît-elle ?
15. A quoi pense Monsieur Papillon en ce moment hallucinant ?
16. Et Botard ?
17. Que propose Dudard à Bérenger de faire cet après-midi-là ?
18. Ce dernier accepte-t-il ? Pourquoi ?
19. Qu'est-ce qu'il y a de comique dans les dernières répliques de Dudard et de Bérenger ?
20. Décrivez ce que Barrault a inventé pour rendre la fin de la scène encore plus comique.

XI. P. 119, l. 1 — p. 127, l. 23

1. Qu'est-ce qui sépare le plateau en deux ? Que voit-on de chaque côté ?
2. Nous allons voir deux aspects de Jean. Lesquels ?
3. Comment est Jean au commencement de cet acte ?
4. Pourquoi se recouche-t-il avant de dire à Bérenger d'entrer ?
5. Qu'est-ce que Bérenger tient à dire à son ami ?
6. En quels termes Bérenger fait-il ses excuses ?
7. Pourquoi Bérenger ne reconnaît-il pas la voix de son ami ?
8. Quelle maladie semble avoir atteint Jean ?
9. Maintenant qu'il est clair qu'il y a deux sortes de rhinocéros dans la ville, y voyez-vous un certain symbolisme ?
10. Pourquoi Bérenger est-il si fidèle à son ami qui devient de plus en plus désagréable ?
11. Pourquoi le front de Jean lui fait-il mal ?
12. Quelle explication Bérenger donne-t-il ?
13. Que représente la bosse en réalité ?
14. Pourquoi le teint de Jean devient-il plus verdâtre ?
15. Quelle nourriture Jean dit-il qu'il doit chercher ?
16. Pourquoi Jean n'a-t-il plus confiance dans les médecins ? En qui a-t-il confiance, alors ?

17. Décrivez le contraste de plus en plus frappant entre le caractère de Jean et celui de Bérenger.
18. Comment est la peau de Jean maintenant?
19. Et sa respiration?
20. Pourquoi Jean est-il nécessairement devenu misanthrope?

XII. P. 127, l. 24 — p. 137

1. Que pense Jean des hommes maintenant?
2. Et comment est sa peau?
3. Pourquoi a-t-il si chaud?
4. A quoi l'acteur qui joue le rôle de Jean doit-il s'occuper furieusement chaque fois qu'il quitte la scène?
5. Pourquoi Jean n'aime-t-il pas les gens têtus?
6. Comment Jean défend-il les rhinocéros?
7. Qu'est-ce qui doit dépasser la morale, d'après Jean?
8. A quoi veut-il retourner?
9. Comment Bérenger défend-il la civilisation humaine?
10. Que veut-il dire par l'humanisme?
11. Dans quel sens Bérenger peut-il dire que Jean fait de la poésie?
12. Quels actes de Jean prouvent qu'il est devenu entièrement rhinocéros?
13. Jean est-il dangereux pour son ami? Bérenger est-il vraiment effrayé? Pourquoi?
14. De quelle façon le rhinocéros est-il emprisonné dans la salle de bains?
15. Qu'est-il arrivé au concierge?
16. Et au Petit Vieux? Et à sa femme?
17. Qu'est-ce que Bérenger voit par la fenêtre?
18. Que font les rhinocéros dans les rues, les avenues?
19. Que symbolisent tous ces troupeaux de rhinocéros?
20. A part le côté animal sauvage, que veut nous suggérer l'auteur par toutes ces transformations en rhinocéros?

XIII. P. 141, l. 1 — p. 152, l. 15

1. Pourquoi Bérenger a-t-il de mauvais rêves?
2. Quelle découverte lui fait pousser un soupir de soulagement?
3. Pourquoi boit-il? Pour quelle raison s'écoute-t-il tousser?
4. Comparez les questions posées par Dudard avec celles de Bérenger au début du Deuxième Tableau, Acte II. Pourquoi l'auteur a-t-il créé une situation si parallèle?
5. De quoi Bérenger a-t-il peur?
6. Pourquoi n'en revient-il pas?
7. Bérenger dit que son ami était un grand défenseur de l'humanisme. L'était-il vraiment?
8. Pourquoi Bérenger se sent-il déçu par son ami?
9. Jean aurait-il pu se retenir?
10. Dudard essaye de justifier l'action de Jean, mais le peut-il vraiment?
11. Sur quelles positions Bérenger reste-t-il?
12. Dudard voit-il plus clairement que Bérenger le vrai caractère de Jean?
13. Dudard a une explication pour tout. Comment explique-t-il que Bœuf et tant d'autres sont devenus rhinocéros?
14. Est-il vrai scientifiquement que l'alcool tue les microbes ou est-ce l'argument d'un ivrogne?
15. Pourquoi Bérenger veut-il savoir si sa toux est une véritable toux humaine?
16. Dudard dit que la meilleure façon de se défendre c'est d'avoir de la volonté. La volonté de Dudard est-elle forte?
17. Dudard semble prétendre que Bérenger est égoïste. Est-ce vrai?
18. Lorsque Bérenger sera tout à fait rétabli de son choc, que pourra-t-il faire, selon Dudard?
19. Comment peut-on échapper à l'attention des rhinocéros, d'après Dudard?
20. Pourquoi commence-t-il à les défendre, à les admirer presque?

XIV. P. 152, l. 16 — p. 165, l. 17

1. Quel défaut Dudard trouve-t-il chez Bérenger pour expliquer pourquoi ce dernier est si profondément touché par les événements récents?

2. Dudard vante le détachement et conseille de prendre les choses à la légère. Pourquoi Bérenger trouve-t-il cette attitude impossible ?
3. Pourquoi ne peut-il s'habituer à la réalité brutale des faits ?
4. Selon Bérenger, pour quelle raison les somnifères n'offrent-ils pas une solution ?
5. Quand Dudard conseille d'assimiler la chose, Bérenger s'y refuse en appelant cela du fatalisme. Que propose-t-il de faire ?
6. Les points de vue très divergents de Bérenger et de Dudard font penser aux arguments qui s'opposent dans la discussion de bien des problèmes — le conformisme, l'acceptation du mal dans la société, en politique, etc. Doit-on lutter, même tout seul, ou doit-on accepter ce qui arrive ?
7. Pourquoi l'escalier du bureau n'est-il pas encore réparé ?
8. Bérenger est-il un vrai Don Quichotte ?
9. Qu'est devenu le Chef de Service ?
10. Son changement a-t-il été volontaire ou involontaire ?
11. La psychanalyse aurait-elle pu aider Monsieur Papillon ? Aurait-elle aidé Jean ?
12. Dudard analyse longuement le caractère et les mobiles de Botard. Êtes-vous d'accord avec son analyse ? Pourquoi ?
13. Comment Dudard peut-il dire qu'il n'approuve pas les rhinocéros quand il vient de les défendre ?
14. Bérenger accuse Dudard d'être trop tolérant. Comment Dudard se défend-il ?
15. Au fond, que veut nous dire l'auteur en mettant dans la bouche de Dudard tous ces clichés sur la neutralité, l'ouverture d'esprit, etc. ?
16. Expliquez ce que Bérenger veut dire en accusant Dudard de ne prononcer que des mots, de tout « perdre ».
17. Enfin, Bérenger, affolé, semble trancher la question en disant qu'il sent intuitivement que Dudard a tort. Est-ce à dire que l'intuition vaut mieux que la logique, la pensée et tout ce que Dudard avait cité ?
18. Qui Bérenger veut-il retrouver pour l'aider à critiquer les arguments de Dudard ? Pourquoi est-ce déjà trop tard ?
19. Quel est l'effet de cette révélation sur Dudard ?
20. Pensez-vous que Bérenger puisse continuer à résister ?

XV. P. 165, l. 18 — p. 173

1. Quelle nouvelle Bérenger a-t-il pour Daisy?
2. Et Daisy pour Bérenger?
3. Pour le moment Dudard pense un peu plus à la situation entre Bérenger et Daisy qu'aux rhinocéros. Que pense-t-il?
4. Pourquoi Dudard défend-il le droit de Botard de devenir rhinocéros?
5. Quelle raison Botard avait-il donnée en devenant rhinocéros?
6. Expliquez ce que Bérenger pense quand il dit: « Suivre son temps! Quelle mentalité! »
7. Dudard et Bérenger ont des explications très différentes de la transformation de Botard. Lequel a raison? Pourquoi?
8. Pourquoi Ionesco situe-t-il cette « contagion rhinocérique » en France, puis fait dire à Dudard: « ...ça va s'étendre dans d'autres pays »?
9. Et à quoi Bérenger pense-t-il en répliquant: « Dire que le mal vient de chez nous! »?
10. Serait-il déjà impossible de contenir les rhinocéros? Pourquoi?
11. De quelle façon les habitants de la ville s'habituent-ils aux troupeaux de rhinocéros?
12. Est-il possible que l'auteur veuille faire penser à certains occupants de la France? Quand? Lesquels?
13. Quelles indications Dudard donne-t-il d'une transformation prochaine?
14. Quels événements prouvent que les rhinocéros seront bientôt en majorité?
15. Pourquoi mentionner la statistique sur les unicornus et les bicornus à un moment pareil?
16. Quel est le vrai désir de Dudard quand il dit qu'il a envie de manger sur l'herbe?
17. Est-ce que ce sont des raisons ou des excuses que Dudard présente en voulant quitter Daisy et Bérenger?
18. Ces dernières répliques de Dudard sont des remarques que l'on entend assez souvent. Vous en êtes-vous jamais servi? A quel propos?

19. Pourquoi Daisy ne fait-elle aucun effort pour retenir Dudard dans sa fuite?
20. A part le racisme et le conformisme déjà mentionnés, quels autres maux de notre siècle sont suggérés par cette pièce?

XVI. P. 176, l. 1 — p. 183, l. 3

1. Bérenger accuse Daisy de ne pas avoir été assez ferme avec Dudard. Comment se défend-elle?
2. Quelle est la véritable explication de la défection de Dudard, d'après Bérenger?
3. Quel est le nombre de rhinocéros maintenant?
4. Quelle est la signification du fait que les bruits des rhinocéros sont maintenant musicalisés?
5. Et les têtes de rhinocéros stylisées?
6. Et les têtes de rhinocéros de plus en plus belles?
7. L'auteur sympathise-t-il, lui aussi, avec les rhinocéros?
8. Le passage de « vous » à « tu » s'accomplit-il trop rapidement? Pourquoi?
9. Bérenger est-il très amoureux de Daisy?
10. Et Daisy de Bérenger? Comment le savez-vous?
11. Pourquoi Daisy permet-elle à Bérenger de prendre un peu de cognac?
12. Que pensez-vous du passage tendre entre Daisy et Bérenger?
13. La réplique de Daisy, « Au Jardin zoologique, » fait toujours rire. Pourquoi?
14. De quoi Bérenger blâme-t-il Daisy? Et de quoi s'accuse-t-il lui-même?
15. Pourquoi Daisy conseille-t-elle à Bérenger de s'évader dans l'imaginaire?
16. Dans plusieurs répliques, Daisy définit assez clairement sa philosophie de la vie. Quelle est-elle?
17. Cette philosophie suffit-elle à Bérenger? Pourquoi?
18. Qu'est-ce qui ramène tout de suite les amoureux à la réalité du moment?
19. Quel en est l'effet sur Daisy et sur Bérenger?
20. Pourquoi cette première dispute entre les deux amoureux?

XVII. P. 183, l. 4 — p. 192

1. Quel est le symbolisme du bruit des rhinocéros, d'abord effrayant, puis diminué en une sorte de fond sonore et musical ?
2. Pourquoi l'auteur fait-il échanger pendant un instant leurs points de vue respectifs à Daisy et à Bérenger ? (Bérenger cite Daisy sur le sentiment de culpabilité, le devoir d'être heureux, etc.)
3. Pourquoi Daisy dit-elle: « Mais nous devrions essayer de comprendre leur psychologie, d'apprendre leur langage » ?
4. Que signifie « régénérer l'humanité » ?
5. Pourquoi Daisy ne veut-elle pas sauver le monde ?
6. De qui parle-t-elle en disant « pourquoi le sauver » ?
7. Pourquoi Daisy a-t-elle honte de l'amour ?
8. Que veut dire Bérenger par: « En quelques minutes, nous avons donc vécu vingt-cinq années de mariage. » ?
9. Cette réplique fait toujours rire. Pourquoi ?
10. Daisy serait-elle restée avec Bérenger s'il ne lui avait pas tourné le dos ?
11. Bérenger a-t-il raison de dire que Daisy n'aurait pas dû le quitter sans s'expliquer ? Pourquoi ?
12. Qu'est-ce que Bérenger implique par « les mutations sont-elles réversibles » ?
13. Que pensez-vous de l'idée de Bérenger qu'il est la dernière personne sur terre à parler français ?
14. En disant que la laideur des portraits humains contraste avec la beauté des têtes de rhinocéros, que veut nous dire l'auteur ?
15. Quelle est la réaction de Bérenger devant cette révélation ?
16. Est-ce que le désir de Bérenger d'être « comme eux » est un moment de faiblesse ou un vœu sincère ?
17. Qu'est-ce qui prouve qu'il est tenté, cependant ?
18. Quels dangers pour les non-conformistes sont suggérés par: « Malheur à celui qui veut conserver son originalité ! » ?
19. Quelle est votre interprétation des dernières phrases de la pièce ?
20. « Je ne capitule pas ! » Est-ce un cri de désespoir ? de triomphe ? de défi ? Expliquez.

XVIII. *Questions Générales*

1. Dans une conférence à la Sorbonne Jean-Paul Sartre a dit : « Dans son *Rhinocéros* Ionesco ne nous dit pas qui sont les autres. » Commentez cette critique.
2. Avez-vous jamais vu un vieux film de Charlot (Charlie Chaplin) ? Si vous avez vu un de ses films, pensez-vous que le petit homme qu'il nous présente ressemble à Bérenger ? Comment ?
3. Combien de catégories de critiques y a-t-il pour le théâtre de Ionesco ? Contre ? Nommez-les. (Voir l'Introduction.)
4. Bérenger est-il un héros classique ? Si non, pourquoi pas ?
5. Ionesco s'est déclaré formellement contre « l'engagement » dans la littérature. Peut-on le prendre en flagrant délit de contradiction dans *Rhinocéros* ?
6. Ionesco a écrit l'acte II et l'acte III avant l'acte premier. Pouvez-vous trouver une preuve quelconque de ce fait dans la pièce ?
7. Après avoir lu *Rhinocéros,* voyez-vous une signification particulière dans le fait que la création mondiale a eu lieu en Allemagne et que la pièce a été jouée dans 60 villes allemandes différentes ?
8. Avez-vous jamais souffert de rhinocérite ?
9. Les rhinocéros dont nous parle Ionesco existent-ils ailleurs qu'en France ?
10. On a appelé *Rhinocéros* une « farce idéologique ». Qu'en pensez-vous ?
11. Jacques Lemarchand, critique dramatique, a dit que *Rhinocéros* est « un drame intérieur ». Justifiez son opinion.
12. Le rideau de scène de *Rhinocéros* à Londres reproduisait le fameux rhinocéros de Dürer, peintre et graveur allemand. Cherchez une reproduction de ce dessin (1515) à la bibliothèque. Pourquoi pensez-vous qu'on l'a choisi ?
13. Pierre-Aimé Touchard, critique littéraire, croit que Jean représente d'une façon symbolique l'attitude des accusateurs de Ionesco, ceux qui font partie d' « un monde cédant au terrorisme intellectuel ».[1] Qu'en pensez-vous ?

---

[1] "Un Nouveau Fabuliste," *Cahiers Renaud-Barrault,* No. 29, février 1960, p. 10.

14. Au Vieux-Colombier, petit théâtre de Paris, Ionesco a lu, le 25 novembre 1958, le dernier acte de *Rhinocéros*. Devant une salle comble l'auteur a dit avant de commencer sa lecture: «Une pièce est faite pour être jouée, non pour être lue. A votre place, je ne serais pas venu». Êtes-vous d'accord avec Ionesco? Pourquoi?

Sujets de devoirs

1. On dit qu'il y a trente-six « recettes » du comique de Ionesco.[1] Cherchez dans le premier acte de *Rhinocéros* autant d'exemples de ces recettes que vous pourrez.
2. Dans le deuxième acte.
3. Dans le troisième acte.
4. Lisez une autre pièce de Ionesco. (Voir l'Introduction pour une liste complète de ses pièces.) Dans cette pièce comparez la technique avec celle de *Rhinocéros*. L'humour en est-il différent?

---

[1] J. S. Doubrovsky, "Le Rire d'Eugène Ionesco," *La N. R. F.*, No. 86, 1er février 1960, p. 320.

VOCABULAIRE

This vocabulary is complete (including most cognates) and idioms are cross-referenced. Regular plurals of nouns and adjectives and the feminine form of adjectives are generally omitted. Phonetic transcriptions are given for a few of the more difficult words. The asterisk * indicates an aspirate *h*.

ABBREVIATIONS

adj.	adjective	*m.*	masculine
adv.	adverb	*n.*	noun
art.	article	*p.p.*	past participle
conj.	conjunction	*pl.*	plural
def.	definite	*poss.*	possessive
demon.	demonstrative	*prep.*	preposition
indef.	indefinite	*pr. p.*	present participle
f.	feminine	*pron.*	pronoun
interj.	interjection	*rel.*	relative
inter.	interrogative		

A

à, au, aux, *prep.*, to, to the; toward; at; on; in; with; by; for
abandonner, to abandon; to quit, forsake
abdiquer, to abdicate
abjurer, to abjure
abominablement, *adv.*, abominably
abord: d'abord, *adv.*, at first
abréviation, *f.*, abbreviation
abri, *m.*, shelter; **se mettre à l'abri,** to take shelter
abriter: s'abriter, to be sheltered
abrutir, to brutalize
absence, *f.*, absence
absent, *adj.*, absent
absolu, *adj.*, absolute; **absolument,** *adv.*, absolutely
absorber, to absorb; to swallow
abstrait, *adj.*, abstract, abstracted
absurde, *adj.*, absurd
abuser, to abuse
académique, *adj.*, academic
académisme, *m.*, academic spirit, literary formalism and conservatism
accabler, to crush, overcome, overwhelm
accélérer, to accelerate
accent, *m.*, accent; **mettre l'accent,** to accentuate
acceptation, *f.*, acceptance
accepter, to accept
accès, *m.*, attack, fit (of illness)
accident, *m.*, accident
acclamer, to acclaim
accommodement, *m.*, accommodation, compromise
accompagner, to accompany, escort
accomplir: s'accomplir, to happen, take place
accord, *m.*, agreement; harmony
accord: d'accord, *adv.*, agreed, in agreement; **se mettre d'accord,** to come to an agreement
accrocher, to hook, hang on; to hang up (telephone)
accueillir, to receive, welcome
accusateur, *m.*, accuser
accuser, to accuse, charge (with)
acharnement, *m.*, obstinacy; rage
acheter, to buy, purchase
acte, *m.*, act; deed
acteur, *m.*, actor
actif, *adj.*, active
action, *f.*, action, act, deed; **action d'éclat,** brilliant exploit; **comité d'action,** executive committee
activité, *f.*, activity
actrice, *f.*, actress
actuel, *adj.*, present
adaptation, *f.*, adaptation
adapter: s'adapter, to adapt; to fasten
adieu, *m. and interj.*, farewell, goodbye
adjectif, *m.*, adjective
adjoint, *adj. and m. n.*, assistant, deputy
admettre, to admit; to allow
administratif, *adj.*, administrative
administration, *f.*, administration, management; government bureau
administrer, to administrate
admiratif, *adj.*, admiring; wondering
admiration, *f.*, admiration
admission, *f.*, admittance
adorer, to adore
adresser, to address, direct; **s'adresser,** to address, speak to
adulte, *m. or f.*, adult

advenir, to occur; **advienne que pourra,** come what may
aérien, *adj.*, aerial
affaire, *f.*, affair, thing, matter; **affaires,** business; **avoir affaire à,** to deal with; **se tirer d'affaire,** to get out of trouble, get along
affaler: s'affaler, to fall down; to slump down
affirmation, *f.*, affirmation, statement
affirmer, to affirm, assert, state
affliger, to afflict
affluence, *f.*, crowd
affoler, to madden; **s'affoler,** to be distracted; to lose one's head
affreux, *adj.*, frightful, fearful
africain, *adj.*, African
Afrique, *f.*, Africa
agacer, to provoke; to get on (some)one's nerves
âge, *m.*, age; **Quel âge a-t-il?** How old is he?
aggraver, to aggravate
agile, *adj.*, agile
agir, to act; **s'agir de,** to be a question of
agiter, to agitate; **s'agiter,** to be excited; to stir, toss
ahuri, *adj.*, confused
aide, *f.*, aid, help; **à l'aide de,** *prep.*, with the help of
aider, to aid, help
aigrir, to embitter
ailleurs, *adv.*, elsewhere; anywhere (else); **d'ailleurs,** *adv.*, besides
aimable, *adj.*, amiable, kind
aimer, to love; to like
ainsi, *adv.*, thus, so; **il en est ainsi,** that's the way it is
air, *m.*, air; look, appearance; manner; **avoir l'air de,** to appear to, to look like
aise, *f.*, ease, comfort; **à l'aise,** *adv.*, at ease, comfortable; **mal à l'aise,** *adv.*, uncomfortable, uneasy
ajouter, to add
alcool, *m.*, alcohol
alcoolique, *adj. and m. n.*, alcoholic
alcooliser, to alcoholize
alentours, *m. pl.*, surroundings, neighborhood; **aux alentours,** *adv.*, in the neighborhood
aliéner, to deprive of
alimentation, *f.*, food
aliments, *m. pl.*, food
Allemagne, *f.*, Germany
allemand, *adj. and n.* German
aller, to go; to feel; to fit; to be becoming to; to suit; **allez!** *interj.*, come, come! go ahead!; **allons donc!** *interj.*, come now!; nonsense!; **aller (bien),** to be (well), in good health; **s'en aller,** to go away; **aller à la dérive,** to drift; **Qu'allez-vous chercher?** What do you mean? What are you getting at?
allergique, *adj.*, allergic
allô, *interj.*, Hello! (telephone)
allonger, to lengthen, stretch out; **s'allonger,** to grow longer
allure, *f.*, gait, pace; **à toute allure,** *adv.*, at top speed
allusion, *f.*, allusion
alors, *adv.*, then; **Ça alors!** *interj.*, Unbelievable! Well, what do you know!
amazone, *f.*, Amazon
ambitieux, *adj. and m. n.* ambitious (person)
ambulant, *adj.*, wandering, travelling

âme, *f.*, soul
amélioration, *f.*, improvement
amende, *f.*, fine
amender: s'amender, to improve, change (one's ways)
amener, to bring
américain, *adj.*, American
ami, *m.*, friend
amicalement, *adv.*, in a friendly way, kindly
amidonner, to starch
amitié, *f.*, friendship; affection
amour, *m.*, love
amoureusement, *adv.*, amorously
amoureux, *adj.*, in love (with)
amplement, *adv.*, amply, fully
amuser, to amuse, entertain; **s'amuser,** to be amused, have a good time
an, *m.*, year
analyse, *f.*, analysis
analyser, to analyze
anarchique, *adj.*, anarchic
ancien, *adj.*, old; former
âne, *m.*, donkey, ass
angine, *f.*, inflammation of the throat
anglais, *adj.*, English
angoisse, *f.*, torment, fear
angoissé, *adj.*, anguished
animalité, *f.*, animality
année, *f.*, year
anniversaire, *m.*, birthday
annoncer, to announce
anormal, *adj.*, abnormal
anormalité, *f.*, abnormality
antialcoolique, *adj.*, antialcoholic
anticlérical, *adj.*, anticlerical
anti-intellectualiste, *adj.*, anti-intellectualistic
antinaturel, *adj.*, antinatural
antiraciste, *adj.*, antiracialist
anxieux, *adj.*, anxious
apathie, *f.*, apathy
apathique, *adj.*, apathetic
apercevoir, to perceive; to notice; **s'apercevoir de,** to remark, notice
apéritif, *m.*, apéritif, appetizer (drink taken before meals)
apparaître, to appear, become visible
appareil, *m.*, apparatus; equipment; device; instrument
apparemment, *adv.*, apparently
apparence, *f.*, appearance
apparent, *adj.*, apparent
apparition, *f.*, appearance, apparition
appartement, *m.*, apartment
appel, *m.*, call; summons, appeal
appeler, to call; to name; **s'appeler,** to be called, named
appellation contrôlée, *f.*, (recognized) name brand (of quality wine)
applaudir, to applaud; to praise
appliquer: s'appliquer, to apply oneself
apporter, to bring
appréhender, to apprehend
appréhensif, *adj.*, apprehensive
apprendre, to teach; to learn
apprivoiser, to tame
approbation, *f.*, approval
approcher: s'approcher, to approach
approuver, to approve
approximativement, *adv.*, approximately
appui, *m.*, support
appuyer, to support; to lean on; **appuyer du regard,** to be on

one's side, support; **s'appuyer,** to lean on
âpre, *adj.*, harsh
après, *prep.*, after; **d'après,** *prep.*, according to
après-guerre, *m.*, postwar period
après-midi, *m. or f.*, afternoon
arbre, *m.*, tree
ardeur, *f.*, ardor, fervor
argent, *m.*, money
argument, *m.*, argument
aridité, *f.*, aridity, dryness
aristocrate, *m.*, aristocrat
arme, *f.*, arm; weapon
armée, *f.*, army
armer, to arm
armoire, *f.*, cupboard
armure, *f.*, armor
arpenter, to pace (up and down)
arrangement, *m.*, arrangement
arranger: s'arranger, to turn out all right
arrêt, *m.*, stop, pause
arrêter, to stop; **s'arrêter,** to stop, pause
arrière: en arrière, *adv.*, backwards; **en arrière de,** *prep.*, behind
arrière-bouche, *f.*, back of the mouth; gullet
arrière-fond, *m.*, distant sound; **arrière-fond sonore,** distant chorus, distant sound
arrivée, *f.*, arrival
arriver, to arrive, come; to manage; to succeed (in)
arrondi, *adj.*, rounded, cupped
article, *m.*, article
articuler, to articulate
artificiellement, *adv.*, artificially
artistique, *adj.*, artistic
Asiatique, *m. and f. n. and adj.*, Asiatic
aspect, *m.*, aspect, look
aspirer, to aspire, yearn
assaillir, to assail, assault
asseoir: s'asseoir, to sit down
assez (de), *adv.*, enough, rather; *interj.* Enough ! Stop !
assiette, *f.*, plate, dish
assimiler, to assimilate
assis, (*p.p. of* **asseoir**), seated, sitting
assistants, *m. pl.*, those present, spectators
assommer, to overwhelm, confuse
assurances, *f. pl.*, insurance
assuré, *adj.*, sure, certain
assurément, *adv.*, certainly
assurer, to assure; to insure
astronome, *m.*, astronomer
atroce, *adj.*, atrocious
attacher, to attach, fasten (to)
attaquer, to attack
atteindre, to attain, reach, arrive at; to inflict; to infect
atteinte, *f.*, reach
attendant: en attendant, *adv.*, in the meanwhile
attendre, to await; to expect; **s'attendre,** to expect
attention, *f.*, attention; *interj.*, Look out ! Pay attention !
attentivement, *adv.*, attentively
atténuer, to attenuate
atterrir, to land
attirer, to draw, attract
attitude, *f.*, attitude
attraper, to catch
attribuer, to attribute
aucun, *adj.*, any; **ne...aucun,** *adj. and pron.*, no, none
audace, *f.*, audacity
au-dessus de, *prep.*, above

audience, *f.*, hearing, interview
augmenter, to increase
aujourd'hui, *adv.*, today
auprès de, *prep.*, near to, close to
aussi, *adv.*, also too; **aussi (bon) que,** *conj.*, as (good) as
autant (de), *adv.*, as much; **autant que,** *conj.*, as much as; **d'autant plus (que),** *adv. and conj.*, all the more (that)
auteur, *m.*, author
authentique, *adj.*, authentic
autoritaire, *adj.*, authoritarian
autorité, *f.*, authority
autour de, *prep.*, around
autre, *adj.*, other, another; next; **rien d'autre,** nothing else; **l'un et l'autre, l'un ou l'autre,** either
autrefois, *adv.*, formerly, of old
autrement, *adv.*, otherwise
avaler, to swallow
avancer, to advance; **s'avancer,** to advance, move forward; **l'heure avance,** it is getting late, time marches on
avant, *prep. and adv.*, before
avant-bras, *m.*, forearm
avant-garde: d'avant-garde, *adj.*, advanced, ahead of the times
avec, *prep.*, with
avenir, *m.*, future; **d'avenir,** *adj.*, of the future, with a future
aventure, *f.*, adventure
avenue, *f.*, avenue
aveugle, *adj.*, blind
aveuglement, *m.*, blindness
avis, *m.*, opinion; advice; warning, notice; **changer d'avis,** to change (one's) mind; **à mon avis,** in my opinion
avocat, *m.*, lawyer
avoir, to have, possess; to get; **avoir affaire à,** to deal with; **avoir...âge: quel âge a-t-il?** how old is he? **avoir l'air de (penser),** to appear to (think); **avoir l'air (d'un enfant),** to look (like a child); **avoir la berlue,** to be blind, misjudge; **avoir besoin,** to need; **avoir du bon: cela a du bon,** that has something good about it; **avoir chaud,** to be hot; **avoir bon cœur,** to be good-hearted; **avoir du cœur,** to be (a person) of feeling; **avoir le cœur gros,** to have a heavy heart; **avoir droit à,** to have a right to, be entitled to; **avoir envie de,** to want to; **avoir faim,** to be hungry; **avoir grand-chose: vous n'avez pas grand-chose,** there's not much wrong with you; **avoir la gueule de bois,** to have a hangover; **avoir honte,** to be ashamed; **avoir lieu,** to take place; **avoir mal,** to hurt; **avoir mal aux cheveux,** to have a headache; **avoir mal au cœur,** to have a heavy heart, to be grief-stricken; **avoir mal à la gorge,** to have a sore throat; **avoir mal à la tête,** to have a headache; **avoir de la peine à (étudier),** to have difficulty (in studying); **avoir peur,** to be afraid; **avoir pitié de,** to have pity on; **avoir quelque chose: Qu'avez-vous?** What is the matter with you? **avoir raison,** to be right; **avoir un recul,** to recoil; **avoir soif,** to be thirsty; **avoir du succès,** to be successful, succeed; **avoir un**

sursaut, to start, be startled; **avoir tort,** to be wrong; **avoir des torts,** to be in the wrong, **J'ai eu des torts,** It was partly my fault; **avoir tout son temps,** to be completely free; **y avoir: il y a (quelque chose),** (something) is wrong; **il peut y avoir,** there may be; **il y a,** *adv.*, ago
avouer, to confess, admit

B

bachelier, *m.*, bachelor
bafouiller, to talk unintelligently
bâiller, to yawn
bain, *m.*, bath; **salle de bains,** *f.* bathroom
baiser, *m.*, kiss
baisser, to let down, lower; **se baisser,** to stoop (down)
balancer, to balance
balbutier, to stutter, stammer
balle, *f.*, bullet
balustrade, *f.*, balustrade
banal, *adj.*, banal, commonplace
banalité, *f.*, banality, triviality
bandage, *m.*, bandage
bandager, to bandage
bande, *f.*, band
bander, to bind, bandage
barbe, *f.*, beard, whiskers
barbiche, *f.*, goatee
barre, *f.*, bar
barricader, to barricade
barrir, to roar, trumpet
barrissement, *m.*, roaring, trumpeting
bas, *m.*, bottom, lower part
bas, basse, *adj.*, low; **en bas,** *adv.*, down, downstairs
basculer, to totter; to fall
basque, *adj., and n.* Basque
bataille, *f.*, battle
bâtiment, *m.*, building
bâtir, to build
battant: porte à deux battants, *f.*, double swinging door
battre, to beat; **se battre,** to fight
bavard, *adj.*, talkative, chattering
bavardage, *m.*, idle chatter
bavarder, to chatter
beaucoup (de), *adv.*, much, many; a lot; very much
beauté, *f.*, beauty
bercer, to cradle
béret, *m.*, beret
berger, *m.*, shepherd
berlue, *f.*, false vision, hallucination; **avoir la berlue,** to be blind, misjudge
besoin, *m.*, need; "duty"
bête, *f.*, beast, animal, dumb creature
bêtise, *f.*, stupidity: silly thing
biais [bjɛ]: **en biais,** *adv.*, on the bias, slanting
bibliothèque, *f.*, library
bicornu, *adj. and m. n.*, bicorn, two-horned (animal)
bicornuité, *f.*, two-hornedness
bien, *adv.*, well; very; well off; comfortable; a great many; **quelqu'un de bien,** a well-educated person; **bien que,** *conj.*, although; **bien entendu,** *interj.*, of course; **bien sûr,** *interj.*, of course
bien, *m.*, good, benefit; good thing
bientôt, *adv.*, soon; **à bientôt,** *interj.*, see you soon !
bière, *f.*, beer
billet, *m.*, ticket
bizarre, *adj.*, strange, fantastic

bizarrerie, *f.*, strange, fantastic thing
blâmer, to blame
blanc, blanche, *adj.*, white
blanchissage, *m.*, laundering, laundry
blesser, to wound, hurt
bleu, *adj.*, blue
bloc-notes, *m.*, calendar pad, memorandum pad; collection of notes
blond, *adj.*, blond
blouse, *f.*, blouse; smock
bluffeur, *m.*, bluffer
boire, to drink; **boire un coup,** to go (meet) for a drink
bois, *m.*, wood; woods; **avoir la gueule de bois,** to have a hangover
boisson, *f.*, drink
boîte, *f.*, box; **mettre en boîte,** to place in a box; to play a (bad) trick on
bon, *adj.*, good; kind; **avoir du bon,** to have some good about it; **pour de bon,** for good; **à quoi bon,** of what use
bond, *m.*, bound, leap; **d'un bond,** with a leap
bonheur, *m.*, happiness; **au petit bonheur,** *adv.*, any which way
bonhomie, *f.*, simplicity, smiling good nature
bonjour, *m. and interj.*, good day, good morning
bord, *m.*, edge; rim; **de plusieurs bords,** of various (political) complexions
bordelais, *adj.*, of Bordeaux
bosse, *f.*, bump, hump
bouche, *f.*, mouth
boue, *f.*, mud
bouger, to stir, budge; to move
bougonner, to grumble, murmur, mutter
bouillir, to boil
bouillonner, to boil up, boil over
boulangerie, *f.*, bakery (making and selling bread)
boulevard, *m.*, boulevard
bouleverser, to upset; to overwhelm
boulot, *m.*, job
bourgeois, *adj.*, middle-class; common; **petit bourgeois,** hopelessly middle-class
bourgeoisie, *f.*, middle class
bourrique, *f.*, (stupid) ass
bousculer, to jostle
bout, *m.*, end, extremity; **au bout de,** *prep.*, after; **à bout de fatigue** completely exhausted; **(être) à (au) bout de,** (to be) out of, at the (very) end of; **faire un bout de conduite,** to accompany a little way; **pousser à bout,** to make one lose patience; **tout au bout de,** *prep.*, at the very end of
bouteille, *f.*, bottle
boutique, *f.*, shop, store
boutiquier, *m.*, shopkeeper
bouton, *m.*, button; knob; collar button
branche, *f.*, branch
branle-bas, *m.*, uproar
bras, *m.*, arm; **au bras,** on his (her) arm
brasserie, *f.*, café, "beer joint"
brave, *adj.*, fine, noble
bredouiller, to splutter, jabber
bref, brève, *adj.*, brief; **bref,** *adv.*, briefly, in short
brillant, *adj.*, brilliant, bright

briser: se briser, to break, shatter, smash
brisure, *f.*, fragment
brosse, *f.*, brush
brouillard, *m.*, fog, mist
bruit, *m.*, noise; rumor; talk
brume, *f.*, fog
brun, *adj.*, brown
brusque, *adj.*, abrupt, brusk
brusquement, abruptly, suddenly; with a start
brutal, *adj.*, brutal
brutalité, *f.*, brutality
bruyamment, *adv.*, noisily
bruyant, *adj.*, noisy
bûcher, *m.*, funeral pile, stake, pyre
buffle, *m.*, buffalo
bureau, *m.*, desk; office
bureaucratie, *f.*, bureaucracy
but, *m.*, end, aim, goal, purpose; **dans quel but,** to what end

C

ça, *pron.*, that; **ça,** *adv.*, here; **ça et là,** *adv.*, here and there; **Ça alors !** *interj.*, Well, what do you know ! Unbelievable !
cabinet, *m.*, office; **cabinet de toilette,** bathroom
cacher, to hide, conceal
cadavre, *m.*, corpse
cadence, *f.*, cadence
cadre, *m.*, frame, framework; **employé (cadre),** *m.*, manager of a section or department
café, *m.*, coffee; café, restaurant
cafouiller, to function badly
cage, *f.*, cage; **en cage,** in a cage, caged
cahier, *m.*, notebook
caillou, *m.*, pebble
caisse, *f.*, case, box
calcul, *m.*, calculation; arithmetic
calculer, to calculate, compute
calé, *adj.*, learned, strong (in)
califourchon: à califourchon, *adv.*, astride
calme, *m.*, calm; **Du calme!** *interj.*, Be calm ! Let us be calm !
calmement, *adv.*, calmly
calmer, to calm; **se calmer,** to grow calm
camarade, *m. or f.*, comrade, mate; friend
caméléon, *m.*, chameleon
campagne, *f.*, country
candeur, *f.*, candor
canne, *f.*, cane
canotier, *m.*, straw hat (with flat rim)
cantatrice, *f.*, singer
capable, *adj.*, able, capable
capitaliste, *m.*, capitalist
capituler, to capitulate
car, *conj.*, for, because, as
carabine, *f.*, carbine, rifle
caractère, *m.*, character; type; letter
carbonique: glace carbonique, *f.*, dry ice
cardiaque, *adj.*, cardiac
cardinal, *m.*, cardinal
caresser, to caress, fondle
caricatural, *adj.*, caricature-like
carillon, *m.*, ringing
carillonner, to ring
carte, *f.*, map; card
cas, *m.*, case, instance; **cas de conscience,** *m.*, moral dilemma; **c'est le cas de le dire,** it goes without saying; **en tout cas,** *adv.*, in any case, however

caserne, *f.*, barracks
casque; *m.*, helmet
casse, *f.*, breakage
casser: se casser, to break, shatter
catégorie, *f.*, category
cauchemar, *m.*, nightmare
cause, *f.*, cause; reason; **à cause de,** *prep.*, because of; **pour cause de,** *prep.*, because of, for reasons of
ce (cet, cette, ces), *demon. adj.*, this, that; these, those
ce, *pron.*, it; this, that; they; **ce qui (que),** *rel. pron.*, that which, what
ceci, *indef. demon. pron.*, this
céder, to yield
célèbre, *adj.*, celebrated, famous, renowned
celle, celles (-ci, -là), *f., demon. pron.*, this one, that one; the one; she; these, those; they
celui (-ci, -là), *m. demon. pron.*, this one, that one; the one; he, him
cent, *adj. and m. n.*, (a) hundred
centre, *m.*, center, middle
cependant, *adv.*, meanwhile; however
cercueil, *m.*, coffin
cérémonie, *f.*, ceremony; fuss
certain, *adj.*, certain, sure, positive
certainement, *adv.*, certainly, surely
cerveau, *m.*, brain
cervelle, *f.*, brain
cesser, to cease, stop
ceux (-ci, -là), *m: demon. pron.*, these, those; they
chacun, *pron.*, each, each one; everybody
chagrin, *m.*, grief, sorrow, regret
chaîne, *f.*, chain
chaise, *f.*, chair
chamailler, to quarrel, squabble
chambre, *f.*, room; bedroom
chance, *f.* chance; luck
chanceler, to totter, stagger
changement, *m.*, change, alteration
changer, to change, alter; **changer d'avis,** to change (one's) mind; **changer contre,** to exchange (for); **changer d'idée,** to change (one's) mind
chant, *m.*, song; singing
chanter, to sing
chapeau, *m.*, hat
chaque, *adj.*, each; every
charabia, *m.*, gibberish
charge, *f.*, charge; **faire une charge,** to charge
charger, to load, charge; **se charger de,** to take the responsibility for; **langue chargée,** coated tongue
charmant, *adj.*, charming
chasser, to hunt; to drive out
chat, *m.*, **chatte,** *f.*, cat
châtiment, *m.*, punishment
chaud, *adj.*, warm, hot; **avoir chaud,** to be hot; **faire chaud,** to be hot (weather)
chaumière, *f.*, (thatched) cottage
chaussure, *f.*, footwear; shoe
chauve, *adj.*, bald
chef, *m.*, chief; boss; **chef de service,** office manager, department head
chef-d'œuvre, *m.*, (*pl.*, **chefs-d'œuvre),** masterpiece
chemin, *m.*, way, route
chemise, *f.*, shirt
cher, chère, *adj.*, dear; costly
chercher, to look for; to try (to); **Qu'allez-vous chercher?** What do you mean? What are you getting at?

chéri, *m.*, **chérie,** *f. n. and adj.* dear, beloved
cheval, *m.*, horse
cheveux, *m. pl.*, hair; **avoir mal aux cheveux,** to have a headache
chez, *prep.*, at, to, in the house of; **chez (lui),** in (his) case, in (him)
chien, *m.*, **chienne,** *f.*, dog
chiffonner, to rumple
chinois, *adj.*, Chinese
choc, *m.*, shock, blow
choisir, to choose
chômage, *m.*, lack of work
choquer, to shock
chose, *f.*, thing; **mettre les choses au point,** to bring (things) into focus; to bring to a point; to perfect; **la moindre des choses,** (it's) nothing at all
chou, *m.*, **mon chou,** my dear, "honey"
chu (*p.p. of* **choir**), fallen
chut, *interj.*, Hush ! Silence !
ci, *adv.*, here; **-ci** (suffix), this
cible, *f.*, target
ciel, *m.*, sky; *interj.*, Heavens !
ciment, *m.*, cement
cinq, *adj.*, five
cinquantaine, *f.*, about fifty
cinquante, *adj.*, fifty
cinquième, *adj.*, fifth
circonstance, *f.*, circumstance
cirer, to wax, polish
cirque, *m.*, circus
cirrhose, *f.*, cirrhosis (a disease of the liver)
citer, to cite, quote
citoyen, *m.*, citizen
civil, *adj.*, civil
civilisation, *f.*, civilization
civiliser, to civilize
clair, *adj.*, clear
clairement, *adv.*, clearly
claquer, to slap, bang; **claquer la porte au nez de quelqu'un,** to slam the door in someone's face
classique, *m.*, classic; *adj.*, classical
clé, clef, *f.*, key; **fermer à clé,** to lock; **formule clef,** key statement, condensed statement, cliché
cliché, *m.*, cliché, stereotyped expression
client, *m.*, client, customer
climat, *m.*, climate
cloche, *f.*, bell
clocher, *m.*, belfry; steeple
cloison, *f.*, partition
clos, *adj.*, closed
cocasse, *adj.*, droll, comical, quaint
code, *m.*, code (of law)
cœur, *m.*, heart; **avoir du bon cœur,** to be goodhearted; **avoir du cœur,** to be a person of feeling; **avoir le cœur gros,** to have a heavy heart; **se fendre le cœur,** to break one's heart; **avoir mal au cœur,** to have a heavy heart, be grief-stricken; **se serrer le cœur,** to get a tight feeling inside
cognac, *m.*, cognac
cogner, to knock, hit
coiffer, to have on one's head, to wear
coiffure, *f.*, headdress; hat
coin, *m.*, corner
coïncidence, *f.*, coincidence
col, *m.*, collar; **faux col,** detachable collar
colère, *f.*, anger; **avec colère,** *adv.*, angrily; **mettre en colère,** to make angry; **se mettre en colère,** to get angry (with)

collaborateur, *m.*, collaborator; associate
collectif, *adj.*, collective
collectivisme, *m.*, collectivism
collègue, *m.*, colleague
colline, *f.*, hill, slope
colonie, *f.*, colony
combattre, to fight, struggle
combien (de), *adv.*, how much, how many
comble, *adj.*, full, crowded
comédie, *f.*, comedy
comète, *f.*, comet
comique, *adj.*, comic
comité, *m.*, committee; **comité d'action,** executive committee
commander, to order
comme, *adv.*, like, as; *conj.*, as, so; while; **comme si de rien n'était** as if nothing were amiss
commencement, *m.*, beginning
commencer, to begin, commence, start
comment, *adv.*, how, why; *interj.*, What!
commentaire,, *m.*, commentary
commerce, *m.*, commerce, trade
commun, *adj.*, common, usual; **lieu commun,** commonplace
communal, *adj.*, of a commune
communautaire, *adj.*, community, of community
communauté, *f.*, community
commune, *f.*, commune (territory under the jurisdiction of a *maire*), community
communiste, *m. and f.*, communist
compagnie, *f.*, company
comparaison, *f.*, comparison
comparer, to compare
compétent, *adj.*, competent, proper
complet, *m.*, suit (of clothes)
complet, complète, *adj.*, complete
complètement, *adv.*, completely
compléter, to complete
complexe, *m.*, complex
compliment, *m.*, compliment
compliquer, to complicate
comportement, *m.*, behavior
composé (de), *adj.*, consisting of
compréhensible, *adj.*, comprehensible, understandable
compréhensif, *adj.*, understanding
comprendre, to understand; to comprise, include; **se comprendre,** to be understood
compter, to count (on); to intend
conception, *f.*, conception
concerner, to concern, relate to
concierge, *m. or f.*, janitor, janitress; doorkeeper; porter
concilier, to conciliate
concitoyen, *m.*, fellow citizen
concluant, *adj.*, conclusive
conclure, to conclude
conclusion, *f.*, conclusion
concret, concrète, *adj.*, concrete
concrétiser: se concrétiser, to become concrete
condamner, to condemn; to blame
condition, *f.*, condition; **à condition que,** *conj.*, on condition that
conduire, to conduct, lead
conduite, *f.*, conduct, behavior; **faire un bout de conduite,** to accompany a little way
conférence, *f.*, lecture
confirmer, to confirm
confondre, to confuse
conformisme, *m.*, conformity
conformiste, *m. and f.*, conformist
confus, *adj.*, confused

congé, *m.*, leave; **congé de malade,** sick leave
conjonction, *f.*, conjunction
connaissance, *f.*, knowledge; facts
connaître, to know, be acquainted with; to meet; **se connaître à,** to be a good judge of, a connoisseur of; **je connais mon bien,** I know what is good for me
consciemment, *adv.*, consciously
conscience, *f.*, conscience; **cas de conscience,** *m.* moral dilemma; **prendre conscience,** to become conscious
conscient, *adj.*, conscious
conseil, *m.*, counsel, advice
conseiller, to counsel, advise; *m.*, counsellor; **conseiller municipal,** city councillor
consentir, to consent
conséquence, *f.*, consequence
conserve, *f.*, preserves
conserver, to preserve, keep
considération, *f.*, consideration
considérer, to consider
consoler, to console, comfort
consommation, *f.* drink
constater, to ascertain, establish; to note
consterné, *adj.*, in consternation
constituer, to constitute
construire, to construct, build
contact, *m.*, contact; **prendre contact,** to make contact
contagion, *f.*, contagion
contempler, to contemplate
contenir, to contain; to control
content, *adj.*, contented, satisfied
contentieux, *m.*, legal claims department, office
contenu, *m.*, content(s)
contester, to contest
continu, *adj.*, continued, continuous
continuel, *adj.*, continual
contourner, to go around
contradiction, *f.*, contradiction
contraire, *adj.*, contrary, opposite; *m. n.*, contrary
contrairement, *adv.*, unlike, the opposite of
contraster, to contrast
contre, *prep.*, against; versus; **le pour et le contre,** the pros and cons
contredire, to contradict
contrée, *f.*, region, land, country
contribuer, to contribute
contribution, *f.*, tax
contrôler, to verify; to superintend; **se contrôler,** to exercise self-control
controverse, *f.*, controversy
convaincre, to convince
convenir, to suit; to please; to agree
conversation, *f.*, conversation
convulsif, *adj.*, convulsive
corne, *f.*, horn
cornet: mains en cornet, hands cupped (over the ears)
corps, *m.*, body
correct, *adj.*, correct, suitable, proper
correctement, *adv.*, correctly, suitably, properly
corriger, to correct; **se corriger,** to reform, mend one's ways
corrompre: se corrompre, to be corrupted
cortège, *m.*, procession
costume, *m.*, costume, dress; suit
côté, *m.*, side; direction; part; **à côté de,** *prep.*, beside; **de côté,** *adv.*, aside; **de chaque côté,** *adv.*, on

either side, in either direction; **de l'autre côté,** *adv.*, on the other side; **de tous les côtés,** *adv.*, on all sides, in all directions, everywhere; **du côté de,** *prep.*, in the direction of
coteau, *m.*, hill, slope
coton, *m.*, cotton
coucher, to put to bed; to lay down; **se coucher,** to go to bed; to lie down
coucou, *m.*, cuckoo; **pendule** *m.* **à coucou,** cuckoo clock
couler, to flow
couleur, *f.*, color
coulisse, *f.*, wing, backstage (of a theater); **en coulisse,** in the wings
coup, *m.*, blow, stroke; **boire un coup,** to go (meet) for a drink; **être dans le coup,** to be in the game; to be in the know, well-informed; to be in the swim; **faire le coup,** to "pull a trick" (on someone); **jeter un coup d'œil,** to (cast a) glance; **un petit coup,** a little swallow; **coup de poing,** punch, blow; **coup de tête,** rash act, unthinking act
coupable, *adj.*, guilty
couper, to cut, cut off
couple, *m.*, couple
cour, *f.*, yard; courtyard
courage, *m.*, courage
courageux, *adj.*, courageous, brave
courant, *adj. and m.n.*, current; **au courant,** up-to-date, well-informed; **mettre au courant,** to keep informed
courber, to bend, bend over
courir, to run
courrier, *m.*, mail
cours, *m.*, course; **au cours de,** *prep.*, in the course of, during; **faire un cours,** to give a course
course, *f.*, course; running
court, *adj.*, short; **tout court,** and no more
coutume, *f.*, custom, habit
couvert, *adj.*, covered; *m.n.*, cover; table setting, place setting
couverture, *f.*, covering, blanket
couvrir, to cover; **se couvrir,** to put on one's hat
craindre, to fear, dread
cravate, *f.*, necktie
crayon, *m.*, pencil
créateur, créatrice, *adj.*, creative
création, *f.*, creation; **création mondiale,** world première
créature, *f.*, creature
créer, to create, make
creuser, to dig
creux, *adj.*, empty; *m.n.*, hollow
cri, *m.*, cry, shout; roar, bellow; trumpeting
crier, to cry out, shout
crise, *f.*, crisis; fit, attack
critique, *f.*, criticism; *m.*, critic
critiquer, to criticize
croire, to believe (in)
croissant, *adj.*, growing, increasing
croître, to grow, increase
cru, *m.*, growth, production (*of wine*); *adj.*, raw, harsh; crude
crûment, *adv.*, crudely, roughly, bluntly
cuir, *m.*, leather
culpabilité, *f.*, guilt
culte, *m.*, cult, belief (in)
culture, *f.*, culture
culturel, *adj.*, cultural

curé, *m.*, priest, curate
curieux, *adj.*, curious, strange, rare
curiosité, *f.*, curiosity
cycliste, *m. and f.*, cyclist

D

dactylographié, *adj.*, typewritten
dame, *f.*, lady
danger, *m.*, danger
dangereux, *adj.*, dangerous
dans, *prep*, in, into
danser, to dance
davantage, *adv.*, more, further
de, du, des, *prep.*, of, of the; from; by; with; for; at; some, any
débarrasser: se débarrasser, to get rid of; to unload
débat, *m.*, debate, discussion
débattre, to debate, discuss; **se débattre,** to struggle
débauche, *f.*, debauchery
déborder, to overflow
debout, *adv.*, standing; **à dormir debout,** (enough) to put you to sleep standing up; idle; nonsensical
débris, *m. pl.*, remnants, fragments; wreckage
débrouiller [debruje]: **se débrouiller,** to clear up; to get disentangled
début, *m.*, beginning
décent, *adj.*, decent, modest
déchirant, *adj.*, heart-rending
déchirer, to tear
déchu (*p.p. of* **déchoir**), *adj.*, (social) outcast
décidément, *adv.*, decidedly
décider, to decide; **se décider,** to make up one's mind
décimer, to decimate
décision, *f.*, decision; **prendre une décision,** to make a decision; **revenir sur sa décision,** to change one's decision
déclaration, *f.*, declaration
déclarer, to declare
déclassé, *adv.*, outcast
décoiffé: vous êtes tout décoiffé, your hair is all mussed up
décomposer, to decompose
déconcerter, to disconcert
décor, *m.*, stage setting; scenery
découverte, *f.*, discovery
décret, *m.*, decree
décrire, to describe
décrocher, to unhook; to pick up (telephone)
décroître, to decrease
déçu, (*p.p. of* **décevoir**), disappointed, deceived; betrayed
dedans, *adv.*, inside
déesse, *f.*, goddess
défaillant, *adj.*, fainting
défaillir, to faint, grow faint
défaire, to undo, unmake
défaut, *m.*, failing, lack; defect
défection, *f.*, defection
défendre, to defend; to prohibit
défense, *f.*, defense, protection
défenseur, *m.*, defender
défensif, *adj.*, defensive
défi, *m.*, defiance; challenge
défigurer, to disfigure
définir, to define
définitif, *adj.*, definitive; final
définition, *f.*, definition
définitivement, *adv.*, definitely, for good, finally
déformation, *f.*, deformation, distortion

déformer, to deform, spoil
dégager, to free; to proceed; to come from; **se dégager,** to be free, be relieved; to be relaxed
dégât, *m.*, damage, destruction
dégoûter, to disgust
degré, *m.*, degree; step
déguiser, to disguise
dehors, *adv.*, outside; without; **du dehors,** from outside
déjà, *adv.*, already
déjeuner, *m.*, lunch, breakfast
déjeuner, to lunch; to have breakfast
délaisser, to leave (alone), abandon
délecter: se délecter, to be delighted
délicat, *adj.*, delicate
délicatesse, *f.*, delicacy
délicieux, *adj.*, delicious, delightful
délire, *m.*, delirium, frenzy
délit: prendre en flagrant délit, to catch (someone) in the act
demain, *adv.*, tomorrow
demande, *f.*, request
demander, to ask, request; **se demander,** to wonder
démasquer, to unmask
demeurer, to dwell, stay, remain
demi, *adj. and m.n.*, half; **faire demi-tour,** to make a half-turn
demi-sommeil, *m.*, half-sleep
démission, *f.*, resignation
démodé, *adj.*, old-fashioned, antiquated
démolir, to demolish
démonstration, *f.*, demonstration
dénaturer: se dénaturer, to be altered, denatured
dénoncer, to denounce
départ, *m.*, departure, start
dépasser, to go beyond, pass by; to exceed; to get over
dépêcher: se dépêcher, to hurry
dépendre, to depend (on)
dépense, *f.*, expense
dépenser, to spend
dépit, *m.*, spite
déplacement, *m.*, shift
déplacer, to displace, misplace
déplaire, to displease; **ne vous en déplaise,** no offense to you, whatever you may think
déployer, to spread out
déposer, to lay down, set down
dépression, *f.*, depression
depuis, *prep. and adv.*, since, after; from; for; **depuis que,** *conj.*, since
déraisonner, to talk nonsense
déranger, to disturb; to disarrange; **se déranger,** to take the trouble to
dérégler: se dérégler, to go astray, be disordered
dérive: aller à la dérive, to drift
dériver, to derive
dernier, dernière, *adj.*, last, final; *n.*, latter
dérouler: se dérouler, to take place
derrière, *prep.*, behind, in back of
dès, *prep.*, from, since, as early as; **dès que,** *conj.*, as soon as
désabuser, to disabuse, disillusion
désagréable, *adj.*, disagreeable
désappointer, to disappoint
désarmer, to disarm
désarticuler: se désarticuler, to be disjointed, disarticulated
descendre, to descend; to go down (stairs)
déséquilibre, *m.*, disequilibrium; imbalance

désert, *m.*, desert; *adj.*, uninhabited; empty
désertique, *adj.*, desert-like
désespéré, *adj.*, desperate, in despair
désespérément, *adv.*, desperately
désespoir, *m.*, despair, desperation
déshumaniser, to dehumanize
désintéressé, *adj.*, disinterested; unselfish
désir, *m.*, desire
désirer, to desire
désolé, *adj.*, sorry
désordonné, *adj.*, disordered; aimless
désordre, *m.*, disorder, untidiness
desséché, *adj.*, dried up, withered
dessert, *m.*, dessert
dessin, *m.*, drawing
dessiner, to draw, sketch
dessous, *adv.*, underneath; *m.n.*, background; secret
dessus, *adv.*, above, on, over; *m.n.*, upper part
désuni, *adj.*, disunited, divided
détachement, *m.*, detachment
détail, *m.*, detail, particular
détendre: se détendre, to relax
détente, *f.*, relaxation
détériorer: se détériorer, to deteriorate
détester, to detest, hate
détresse, *f.*, distress
détruire, to destroy
deuil, *m.*, mourning; **en deuil,** in full mourning
deux, *adj.*, two; **à nous deux,** by ourselves
deuxième, second
dévaler, to go down
devant, *prep.*, before; in front of; ahead of; *m.n.*, front; forepart
devanture, *f.*, store front, store window
développer, to develop
devenir, to become, get; **que deviendrai-je ?** what will become of me ?
déverser: se déverser, to pour out, spread out
deviner, to guess; to suppose, presume
dévisager, to stare; **se dévisager,** to stare at oneself; to scrutinize oneself
deviser, to converse, chat
devoir, *m.*, duty
devoir, to owe; must; have to; ought
dévorer, to devour
dévouement, *m.*, devotion
diable, *m.*, devil; **que diable !** what the heck !
dialogue, *m.*, dialogue
dicter, to dictate
dieu, *m.*, god; God; **Mon Dieu !** *interj.*, Heavens ! Good grief !
différence, *f.*, difference
différent, *adj.*, different
difficile, *adj.*, difficult
difficilement, *adv.*, with difficulty
difficulté, *f.*, difficulty
difforme, *adj.*, deformed
digne, *adj.*, deserving, worthy
dignitaire, *m.*, dignitary
dimanche, *m.*, Sunday
diminuer, to diminish, lessen
diminution, *f.*, diminution
dîner, *m.*, dinner
diplôme, *m.*, diploma, degree
dire, to say, tell; **à vrai dire,** to tell the truth; **c'est-à-dire,** that is to

say; **vouloir dire,** to mean; **c'est le cas de le dire,** well may you say it, it goes without saying
directement, *adv.*, directly
directeur, *m.*, director
direction, *f.*, direction; management; **en direction de,** *prep.*, in the direction of, towards
dirigeant, *m.*, leader; manager; **dirigeants,** *m. pl.*, management
diriger, to direct; **se diriger,** to go, make one's way
discerner, to discern, find out
discipliner, to discipline
discours, *m.*, discourse, speech
discret, discrète, *adj.*, discreet
discrètement, *adv.*, discreetly
discursif, *adj.*, discursive
discussion, *f.*, discussion
discuter, to discuss
disparaître, to disappear
disperser, to disperse; **se disperser,** to disperse, dissipate
disponible, *adj.*, free, at leisure; available
dispos, *adj.*, wide awake; **frais et dispos,** hale and hearty
disposer, to dispose, make ready
dispositif, *m.*, (stage) layout
disputer: se disputer, to quarrel
disque, *m.*, disc
dissimuler: se dissimuler (à), to hide, conceal (from)
dissiper: se dissiper, to dissipate
distance, *f.*, distance
distinct, *adj.*, distinct
distinctement, *adv.*, distinctly
distinctif, *adj.*, distinctive
distinction, *f.*, distinction
distinctivement, *adv.*, distinctively
distingué, *adj.*, distinguished
distinguer, to distinguish; **se distinguer,** to be distinguished, to distinguish oneself
distorsion, *f.*, distortion
distraction, *f.*, diversion
distrait, *adj.*, inattentive; listless
distribution, *f.*, cast (of characters)
dit, (*p.p. of* **dire**), called
dites donc, *interj.*, Come now !
divagations, *f. pl.*, rambling talk
divaguer, to talk senselessly, at random; to ramble
divergent, *adj.*, divergent, different
divers, *adj.*, different, diverse, various, several
divertissement, *m.*, diversion, amusement
divin, *adj.*, divine
divinité, *f.*, divinity
division, *f.*, division
divorcer, to divorce
dix, *adj.*, ten
docteur, *m.*, doctor
doctrine, *f.*, doctrine
document, *m.*, document
dogmatisme, *m.*, dogmatism
dogme, *m.*, dogma
doigt, *m.*, finger; toe; **indiquer du doigt,** to point; **montrer du doigt,** to point
domestique, *m. or f.*, servant
domestiquer, to domesticate, tame
dominer, to dominate, overcome
dommage: c'est dommage, *interj.*, it's a pity !
don, *m.*, gift
donc, *adv.*, then, therefore, so, indeed
donner, to give; **donner à réfléchir: cela donne à réfléchir,** that is food for thought; **donner sur,** to

open on; **donner tort,** to say that . . . is wrong; **se donner du bon temps,** to go on a spree
dont, *rel. pron.*, whose, of which, of whom, from which, from whom
dormir, to sleep; **à dormir debout,** (enough) to put you to sleep standing up; idle; nonsensical
dos, *m.*, back; rear; **de dos,** *adv.*, with back turned
dossier, *m.*, dossier
doucement, *adv.*, softly; gently; quietly
douche, *f.*, shower (bath)
douleur, *f.*, pain
doute, *m.*, doubt; **sans doute,** *adv.*, doubtless, no doubt, of course
douter, to doubt; **se douter,** to mistrust; to suspect
doux, douce, *adj.*, sweet, mild; soft; gentle; **yeux doux,** tender look, flirting glance
douze, *adj.*, twelve
dramatique, *adj.*, dramatic
drame, *m.*, drama
drap, *m.*, cloth; sheet; **être dans de beaux draps,** to be in a fine fix
droit, *adj.*, right; straight; **à droit de,** *prep.*, on the right of; **tout droit,** straight ahead
droit, *m.*, right, privilege, law; **avoir droit (à),** to be entitled, have a right (to); **de droit,** rightfully, legally
droite, *f.*, right; **à droite, de droite,** *adv.*, on the right
drôle, *adj.*, funny; **drôle d'argument,** (that's a) funny argument
duc, *m.*, duke
dupe, *f.*, dupe
duper, to dupe, deceive
durcir, to grow hard
durer, to last; to endure

E

eau, *f.*, water
ébats, *m. pl.*, "gadding about"; spree
ébouriffé, *adj.*, ruffled; disordered
ébranler: s'ébranler, to shake
écarlate, *adj.*, scarlet
écart: à l'écart, *adv.*, at a distance
écarter, to turn aside, divert; **s'écarter,** to deviate; to stand aside; to swing in and out; to go astray
ecclésiastique, *adj.*, ecclesiastical, of the church; *m.n.*, ecclesiastic
échapper: s'échapper, to escape
échelle, *f.*, ladder
écho, *m.*, echo
éclairer, to light up; to enlighten; **s'éclairer,** to become clear
éclat, *m.*, burst; flash; brilliance; renown; **action d'éclat,** brilliant exploit
éclatant, *adj.*, bright, brilliant, resplendent; **de façon éclatante,** *adv.*, brilliantly; emphatically
école, *f.*, school
économiser, to economize, save
écouteur, *m.*, receiver (telephone)
écran, *m.*, screen
écraser, to crush
écrire, to write; **écrire à la machine,** to typewrite
écriteau, *m.*, sign
écrivain, *m.*, writer, author
écrouler: s'écrouler, to collapse
écumer, to froth; to be furious
édition, *f.*, edition; publishing; **d'édition,** *adj.*, publishing

effectuer: s'effectuer, to come about, happen
effet, *m.*, effect; **en effet,** *adv.*, in fact, indeed
efficace, *adj.*, effective
effondrement, *m.*, crumbling
effondrer: s'effondrer, to crumble, collapse
effort, *m.*, effort
effrayer, to frighten
égal, *adj.*, equal; **cela m'est égal,** it's all the same to me
également, *adv.*, equally; also
égard, *m.*, regard, consideration; respect
égarer: s'égarer, to go astray, get lost
égayer: s'égayer, to be amused; to make merry
église, *f.*, church
égoïste, *adj.*, selfish, self-centered
élaboration, *f.*, elaboration
élancer: s'élancer, to rush, dash
électrique, *adj.*, electric
électriser, to electrify
électronique, *adj.*, electronic
élégance, *f.*, elegance
élégant, *adj.*, elegant, stylish
élément, *m.*, element
élever, to raise, bring up; **mal élevé,** ill-bred, ill-mannered; **s'élever,** to get up
éliminer, to eliminate
elle, elles, *pron.*, she; they
éloigné, *adj.*, distant, far off
éloigner: s'éloigner, to go away, to depart (from)
élucider, to elucidate
élucubration, *f.*, lucubration (product of an overlabored imagination)
embaucher: s'embaucher, to be engaged, hired
embrasser, to embrace; to kiss
émerger, to emerge
emmener, to take (away), lead (away)
émotion, *f.*, emotion; agitation
émouvoir, to move, excite
empaler, to impale
empêcher, to hinder, prevent; to be unable to come; **s'empêcher de,** to keep from
emploi, *m.*, use
employé, *m.*, employee, worker; **employé (cadre),** *m.*, manager of a section or department
empoignade, *f.*, struggle, fight
emporter, to carry away; to be carried away; **l'emporter (sur),** to win out (over)
empressement, *m.*, eagerness, haste
empresser: s'empresser, to be eager, hasten; to be assiduous
emprisonner, to imprison
en, *pron.*, of it, of them; its, theirs; from it, *etc.*; by, for it, *etc.*; some, any
en, *prep.*, in, into; at, on; as (in the capacity of), in the course of; by, while
encadrement, *m.*, framework
enchanter, to charm, delight
encore, *adv.*, again; still; yet; more; moreover; **encore un,** one more, another; **encore une fois,** *adv.* once more
encourager, to encourage
encrier, *m.*, inkwell
endoctriner, to indoctrinate
endormir, to put to sleep; **s'endormir,** to go to sleep

endroit, *m.*, place, spot
énergie, *f.*, energy
énergique, *adj.*, energetic
énervé, *adj.*, enervated; depressed
énervement, *m.*, enervation; depression
énerver: s'énerver, to become, get enervated, irritated, depressed
enfance, *f.*, childhood
enfant, *m. or f.*, child
enfantin, *adj.*, childish
enfermer, to shut in, enclose
enfin, *adv.*, finally, at last; anyhow
enflammer, to inflame
enfler, to swell, distend
enflure, *f.*, swelling
enfuir: s'enfuir, to run away, flee
engagement, *m.*, involvement, commitment
engager, to engage; **s'engager,** to enlist; to be engaged in
engouement, *m.*, obstruction
enivrer: s'enivrer, to get intoxicated
enjamber, to climb over
enlever, to remove, take away, take off
ennui, *m.*, annoyance; trouble
ennuyer, to tire, bore; to bother; **s'ennuyer,** to be bored
ennuyeux, *adj.*, tiresome, annoying, boring
énorme, *adj.*, enormous
énormité, *f.*, enormity, exaggeration
enquête, *f.*, hearing, inquiry
enraciner, to root
enregistrer, to register, record
enroué, *adj.*, hoarse
ensanglanter, to make bloody, cover with blood
enseignement, *m.*, instruction, teaching; education
enseigner, to teach
ensemble, *adv.*, together; *m.n.* general effect; whole
ensuite, *adv.*, then, next
entamer, to start
entendre, to hear; to mean; to understand; **s'entendre,** to come to an understanding; to understand (each other); to be heard; **je m'entends,** I know what I'm saying; **entendre parler de,** to hear (people) talk about
entendu, *adj.*, agreed, understood; **bien entendu,** *interj.*, of course, naturally
enterrement, *m.*, burial, funeral
enterrer, to bury
entêtement, *m.*, stubbornness
entêter: s'entêter, to be stubborn
entier, entière, *adj.*, entire
entièrement, *adv.*, entirely
entourer, to surround
entraîner, to drag along, lead
entre, *prep.*, between; among; **d'entre,** *prep.*, among
entrebâillement, *m.*, opening, half-opening
entrée, *f.*, entrance, entry
entreprise, *f.*, enterprise
entrer, to enter
entretenir: s'entretenir, to talk with, converse
entretien, *m.*, conversation, chat
entrouvert, *adj.*, half-opened, half-open
entrouvrir, to open part way, half-way
envahir, to invade
envelopper, to envelope, wrap up; to surround
envers, *prep.*, toward

envie, *f.*, desire, want; **avoir envie (de)** to want to
environs, *m. pl.*, vicinity
envoler: s'envoler, to fly away
envoyer, to send
épais, épaisse, *adj.*, thick
éparpiller, to scatter
épater, to astonish
épaule, *f.*, shoulder
épée, *f.*, sword
éperdu, *adj.*, distracted; violent
éperdument, *adv.*, distractedly
épicerie, *f.*, grocery store
épices, *f. pl.*, groceries
épicier, *m.*, grocer
épicière, *f.*, grocer's wife
épidémie, *f.*, epidemic
épidémique, *adj.*, epidemic
épisode, *m.*, episode
éploré, *adj.*, tearful
époque, *f.*, epoch, period, time
épouse, *f.*, wife
épreuve, *f.*, proof; **épreuve d'imprimerie,** printer's proof, galley proof
éprouver, to feel, experience
épuiser, to exhaust, use up
équilibre, *m.*, equilibrium, balance
équilibrer, to balance
équitation, *f.*, equitation, horseback riding; **faire de l'équitation,** to go horseback riding
équivalent, *m.*, equivalent
ère, *f.*, era
errer, to wander
erreur, *f.*, error, mistake
érudit, *adj.*, learned
escalader, to scale, climb over
escalier, *m.*, stairs, staircase
esclaffer: s'esclaffer, to burst out laughing
esclavage, *m.*, slavery
espace, *m.*, space
Espagne, *f.*, Spain
espagnol, *adj.*, Spanish
espèce, *f.*, species, kind; **Espèce d'Asiatique !** (*term of insult*) You Asiatic, you !
espérer, to hope; to expect
esprit, *m.*, mind, spirit, intelligence; wit; **large d'esprit,** broad-minded; **ouverture d'esprit,** *f.*, open-mindedness; **reprendre ses esprits,** to come to oneself
esquinter (*familiar*), to tire out, exhaust
essayer, to try
essoufflé, *adj.*, out of breath
estimer, to esteem
estomac, *m.*, stomach
établir, to start (current)
étage, *m.*, story, floor
étalage, *m.*, display, stall; shop-window
étaler, to display; to spread out
état, *m.*, state; condition
été, *m.*, summer
éteindre, to extinguish; to put out (the light)
étendre, to extend; **s'étendre,** to stretch out, extend; to dwell on
éternuer, to sneeze
étonnamment, *adv.*, astonishingly
étonnement, *m.*, astonishment
étonner: s'étonner, to be surprised, astonished
étrange, *adj.*, strange
étranger, *m.*, foreigner
être, *m.*, being, person
être, to be; **en être: où en est... ?** how far along is... ? **où nous en sommes,** where we are (at); **il en**

est ainsi, that's the way it is; **c'est-à-dire,** that is to say; **c'est que...** the fact is (that)...; **est-ce que...** (*introductory expression making a statement interrogative*); **n'est-ce pas ?,** isn't he, she, it, etc. ?; **Quel jour (de la semaine) sommes-nous ?** What day (of the week) is it ? **être dans de beaux draps,** to be in a fine fix; **être dans le coup,** to be in the game; to be in the know, well informed; to be in the swim; **être égal: cela m'est égal,** it's all the same to me; **être de retour,** to be back; **être la peine (de),** to be worth the trouble (to)

étroit, *adj.*, narrow

étude, *f.*, study

étudier, to study

euh !, *interj.*, hem !; ah !

euphémisme, *m.*, euphemism

eux, *pron. m.*, they, them

évader: s'évader, to escape

évanouir: s'évanouir, to faint; to vanish

éveiller, to wake, rouse; **s'éveiller,** to wake up

événement, *m.*, event, occurrence

éventer: s'eventer, to fan oneself

éventuellement, *adv.*, as conditions permit, depending on the circumstances

évidemment, *adv.*, evidently, of course; *interj.*, It couldn't be helped ! What can I do !

évidence, *f.*, evidence

éviter, to avoid

évoluer, to evolve, change

exact, *adj.*, exact, correct

exactement, *adv.*, exactly

exagérer, to exaggerate

examiner, to examine

exaspérer, to exasperate

excédé, *adj.*, harassed

excellent, *adj.*, excellent

excentrique, *adj.*, eccentric

exceptionnel, *adj.*, exceptional

excès, *m.*, excess

excessif, *adj.*, excessive

excité, *adj.*, excited (person)

exclamation, *f.*, exclamation

excuse, *f.*, excuse; **faire des excuses,** to apologize

excuser, to excuse; **s'excuser,** to apologize

exécuter, to execute, perform

exemplaire, *adj.*, as, for, an example

exemple, *m.*, example; **par exemple,** *adv.*, for example; **par exemple !** *interj.*, indeed !, the idea !, you don't say so !

exiger, to exact, require

existence, *f.*, existence, life

exister, to exist; to be

expérience, *f.*, experience; experiment

explicable, *adj.*, explainable, understandable

explication, *f.*, explanation

expliquer, to explain; **s'expliquer,** to express oneself; to explain oneself

exploitant, *m.*, exploiter

exploiter, to exploit

exposé, *m.*, exposé, statement, explanation

exposer, to expose; to show; to display

exprès, *adv.*, expressly, on purpose

expressif, *adj.*, expressive

expression, *f.*, expression

exprimer, to express
extérieur, *adj.*, exterior; *m.*, appearance
extraordinaire, *adj.*, extraordinary
extravagance, *f.*, folly; abnormality
extravagant, *adj.*, mad, foolish; eccentric; abnormal
extrêmement, *adv.*, extremely
extrémité, *f.*, extremity, end

F

fabricant, *m.*, manufacturer
fabuleux, *adj.*, fabulous, imaginary
fabuliste, *m.*, fabulist, writer of fables
face, *f.*, face; **face à,** *prep.*, facing; **à la face,** *adv.*, in the face; **en face, d'en face,** *adv.*, facing, across the street; **en face de,** *prep.*, facing, opposite; **faire face (à),** to face; **voir les choses d'en face,** to look things right in the face
facette, *f.*, facet
fâcher, to anger; **se fâcher,** to get angry
fâcheux, *adj.*, unfortunate, unpleasant; in the way
facile, *adj.*, easy
facilement, *adv.*, easily
façon, *f.*, fashion, manner, way; form; **de façon correcte,** in a correct manner; **d'une façon consciente,** consciously; **de cette façon,** in this way; **de la même façon,** in the same way; **de façon éclatante,** emphatically; **de quelle façon,** in what way; **à leur façon,** in their way; **de toute façon,** at any rate, anyhow; **sans façon,** without ceremony
faculté, *f.*, faculty; "school" of a French university; right
faiblement, *adv.*, feebly
faiblesse, *f.*, feebleness, weakness; **tomber en faiblesse,** to faint
faillir, to miss, to almost...
faim, *f.*, hunger; **avoir faim,** to be hungry
faire, to make; to do; to have (done); to be . . . (weather); **faire (son) affaire,** to suit, agree with (him); **faire attention,** to pay attention; **faire un bout de conduite,** to accompany a little way; **faire une charge,** to charge; **faire chaud: il fait chaud,** it is warm, it is hot; **faire le coup,** to "pull a trick" (on someone); **faire un cours,** to give a course; **faire demi-tour,** to make a half-turn; **faire de l'équitation,** to go horseback riding; **faire des études,** to be educated; **faire des excuses,** to apologize; **faire face (à),** to face; **faire des farces,** to play tricks; **faire fonction de,** to act as; **faire l'innocent,** to act innocent; **faire mal (à),** to hurt; **faire marcher (un poste de T.S.F.),** to turn on (a radio set); **faire de mauvais rêves,** to have bad dreams; **faire mine de,** to pretend to; **faire partie de,** to belong to; **faire le pas de l'oie,** to goose-step; **faire de la peine,** to hurt (someone's feelings); **faire plaisir,** to please, to give pleasure; **faire des progrès,** to make progress, to get along; **faire dans**

sa sciure: il faisait dans sa sciure, (*free translation :* "he was trained to use his sandbox"); **faire semblant de,** to pretend to; **faire un signe,** to make a sign, indicate; **faire le tour de,** to go around, make a tour of; **faire venir,** to send for; **faire voir,** to show; **se faire (à),** to get, become used to, accustomed to; to happen; **ne vous en faites pas,** don't worry; **le silence se fait,** silence falls; **se faire entendre, se faire voir,** *etc.*, to make onself (themselves) heard, seen, *etc.*; to be heard, seen, *etc.*; **se faire face,** to face each other; **se faire une raison,** to make up one's mind (to); to get (it) over with; to resign oneself (to); **se faire des soucis (pour),** to start worrying (about); **se faire vis-à-vis,** to face each other

fait, *m.*, fact, act; **en fait,** in fact; **tout à fait,** *adv.*, entirely, quite

fameux, *adj.*, famous

familier, familière, *adj.*, familiar; popular

familièrement, *adv.*, popularly, familiarly

famille, *f.*, family

fanatisme, *m.*, fanaticism

fantaisie, *f.*, fancy, imagination

fantaisiste, *adj.*, fanciful

farce, *f.*, farce; trick; **faire des farces,** to play tricks

farceur, *m.*, joker; humbug

fardeau, *m.*, weight, burden

fatalisme, *m.*, fatalism

fatigue, *f.*, fatigue; **à bout de fatigue,** completely exhausted

fatiguer, to fatigue, tire

fatuité, *f.*, conceit

faut: il faut, it is necessary; (one, I, he, etc.) must, should

faute, *f.*, fault

fauteuil, *m.*, armchair

fauve, *m.*, wild animal

faux, fausse, *adj.*, false; **faux col,** *m.*, detachable collar

favorable, *adj.*, favorable

fédérer, to federate

féliciter, to congratulate; **se féliciter de,** to boast of

félonie, *f.*, felony

féminin, *adj.*, feminine

femme, *f.*, woman; wife; **bonnes femmes,** gossipy old women

fendre: se fendre le cœur, to break one's heart

fenêtre, *f.*, window

ferme, *adj.*, firm

fermement, *adv.*, firmly; hard

fermer, to close; **fermer à clé,** to lock; **fermer la porte au nez de quelqu'un,** to close the door in someone's face

fermeté, *f.*, firmness

fermeture, *f.*, closing

fêter, to celebrate

feu, *m.*, fire; **feux d'artifice,** *m. pl.*, fireworks

feuille, *f.*, leaf; sheet (of paper); **feuille de présence,** attendance sheet, record

ficher: s'en ficher (*vulgar*), not to care one whit about

fiction, *f.*, fiction, figment of the imagination

fidèle, *adj.*, faithful, loyal

fidèlement, *adv.*, faithfully

fier: se fier, to trust

fier, fière, *adj.*, proud; boastful; bold
fièvre, *f.*, fever
figer, to immobilize; to set
figure, *f.*, face; form; shape
fil, *m.*, wire; **télégraphie sans fil (T.S.F.),** wireless, radio
file: à la file, *adv.*, in file
fille, *f.*, girl; **jeune fille,** girl
fillette, *f.*, little girl
fin, *f.*, end; **à la fin,** *adv.*, finally
finalement, *adv.*, finally
finir, to finish; to end; **il n'en finit pas de . . .** he never stops . . .
fiscal, *adj.*, fiscal
fixement, *adv.*, fixedly; **regarder fixement,** to stare at
fixer, to fix, make fast; to settle; to fasten; to stare at
flancher (*slang*), to flee
flâner, to idle
flâneur, *m.*, idler
flasque, *adj.*, soft, flabby
fleurir, to flower, blossom
fleuve, *m.*, river
foi, *f.*, faith, trust; **Ma foi!** *interj.*, Indeed!; **de bonne foi,** *adv.*, in good faith; **de mauvaise foi,** unfair, in bad faith, insincere; **digne de foi,** trustworthy
foie, *m.*, liver
fois, *f.*, time; **une fois,** *adv.*, once; **deux fois,** *etc.*, twice, *etc.*; **à la fois,** *adv.*, at the same time; **des fois,** *interj.*, come now!; **encore une fois,** once more
folie, *f.*, folly, foolishness; madness
follement, *adv.*, foolishly; madly
foncer, to rush, charge
fonction, *f.*, function; position; **faire fonction (de),** to act (as)
fonctionnaire, *m.*, civil servant; functionary
fonctionnement, *m.*, operation
fond, *m.*, bottom; end; background; back; **à fond,** *adv.*, at bottom, basically; **au fond,** *adv.*, at heart; in the background; after all; **de fond,** *adj.*, distant; background; rear; **dans le fond,** *adv.*, at heart
fondateur, *m.*, founder
fondement, *m.*, foundation
fonds, *m. pl.*, funds, finances
force, *f.*, force, strength; **à force de,** *prep.*, by dint of; **de force,** *adv.* by force; **tour de force,** *m.* feat
force majeure, *f.*, irresistable force circumstance beyond one's control
forcer, to force
formellement, *adv.*, precisely, positively
former, to form; **se former,** to form; to take shape
formidable, *adj.*, formidable, dreadful
formule, *f.*, formula; **formule clef,** key statement, condensed statement, cliché
fort, *adj.*, strong, hard, severe
fort, *adv.*, very, very much; hard; loud(ly)
fortement, *adv.*, strongly
fosse: fosse d'orchestre, *f.*, orchestra pit
fou, fol, folle, *adj.*, mad, crazy
foudre, *f.*, thunder, thunderbolt
foudroyer, to strike with lightning; **foudroyer du regard,** to give a crushing look, a withering glance
foule, *f.*, crowd
fouler, to trample; **fouler aux pieds,** to trample underfoot

fourchu, *adj.*, forked, cloven
fragment, *m.*, fragment
frais, fraîche, *adj.*, fresh; new; recent; **frais et dispos,** hale and hearty
franc, *m.*, franc (*since Jan. 1, 1960, 100 francs = 1 NF, Nouveau Franc*; 5 NF - approx. $1)
français, *adj.*, French
franchir, to cross, climb over, leap over
frapper, to knock; to strike; to impress
frayeur, *f.*, fright, fear
frein, *m.*, brake
frénétiquement, *adv.*, furiously, frantically
fréquemment, *adv.*, frequently
fréquent, *adj.*, frequent
frisson, *m.*, shiver
froid, *adj.*, cold, cool; *m.n.*, cold
froidement, *adv.*, coolly
froideur, *f.*, coldness, indifference
frôler, to brush against, graze
front, *m.*, forehead, brow
Führer, *m.*, (German) leader (*name given to Hitler*)
fuir, to flee, escape
fuite, *f.*, flight, escape
fumer, to smoke
fureur, *f.*, fury
furieusement, *adv.*, furiously
furieux, *adj.*, furious
fusil, *m.*, gun

G

gâcher, to spoil, make a mess of
gages, *m. pl.*, wages, pay, hire
gagner, to earn, gain; **gagner sur,** to win out (over)
gai, *adj.*, gay
galamment, *adv.*, gallantly
galant, *adj. and m.n.*, gallant (person)
Galilée, Galileo
galop, *m.*, gallop; **au galop,** *adv.*, at a gallop
galoper, to gallop
gamme, *f.*, gamut; scale
garantir, to guarantee
garder, to guard, watch; to keep; **se garder de,** to guard against, be careful not to
gare (à), *interj.*, look out (for)! make way (for)!
gaspiller, to waste; to spend foolishly
gâteau, *m.*, cake
gâter, to spoil
gauche, *adj.*, left; awkward; *f.n.* left; **de gauche,** *adv.*, on, from the left
gauchisant, *m.*, leftist, "pink"
gêner, to bother, disturb; to embarrass, to be too tight; **se gêner,** to bother; to be embarrassed
général, *adj.*, general
généralement, *adv.*, generally
genou, *m.*, knee; **à genou,** *adv.*, on (his) knees
genre, *m.*, kind; species; gender; **dans votre genre,** of your kind
gens, *m. pl.*, people, persons; **C'est ça les gens,** People are like that; These are (the) real people
gentil, *adj.*, nice, amiable, pleasing, sweet; noble
geste, *m.*, gesture, action, act
gifle, *f.*, slap
glace, *f.*, ice; **glace carbonique,** dry ice

gonfler: se gonfler, to swell
gorge, *f.*, throat; **avoir mal à la gorge,** to have a sore throat
gorgée, *f.*, swallow
gosier, *m.*, gullet, throat
goût, *m.*, taste
goûter, to taste
gouvernement, *m.*, government
grâce (à), *interj. and prep.*, thank, (to)
grade, *m.*, grade; degree; step
graduellement, *adv.*, gradually
grand, *adj.*, great, big, large; tall
grand-chose: pas grand-chose, not much; **vous n'avez pas grand-chose,** there's not much wrong with you; **sans grand-chose à faire,** without much to do
grandeur, *f.*, size
grandir, to increase
gratter, to scratch
grave, *adj.*, grave, serious
graveur, *m.*, engraver
gré: de plein gré, *adv.*, willingly voluntarily
grec, grecque, *adj.*, Greek
grimace, *f.*, grimace, face
grippe, *f.*, (case of) grippe
gris, *adj.*, gray
grognement, *m.*, grunt(ing), growl(ing)
gros, *adj.*, big, large; heavy; fat; crude
grosseur, *f.*, lump, swelling
grossier, grossière, *adj.*, crude uncouth, vulgar
grotesque, *adj.*, grotesque
groupe, *m.*, group
groupement, *m.*, group, grouping
guère: ne . . . guère, *adv.*, scarcely, hardly
guérir, to cure, heal
guerre, *f.*, war
guêtre, *f.*, gaiter
gueule, *f.*, (animal's) mouth; "mug"; face; **avoir la gueule de bois,** to have a hangover

H

habile, *adj.*, clever, skillful
habileté, *f.*, skill
habiller, to dress; **s'habiller,** to get dressed
habit, *m.*, garment, dress; habits, *m. pl.*, clothing
habitant, *m.*, inhabitant
habitude, *f.*, habit, custom; **d'habitude,** *adv.*, usually, as usual
habituer: s'habituer (à), to become accustomed (to)
*__haine,__ *f.*, hatred
*__haïr,__ to hate, detest
*__halètement,__ *m.*, panting, breathing
halluciner, to hallucinate, excite, disturb
*__hanche,__ *f.*, hip
*__hasard: par hasard,__ *adv.*, by chance; **au hasard,** at random
*__hausser,__ to shrug (shoulders)
*__haut,__ *adj.*, high, tall; *m.*, top; **en haut,** *adv.*, upstairs, above
*__hauteur,__ *f.*, height
*__hein__ [ɛ̃], *interj.*, eh !; what ? (*interjection of surprise or interrogation*)
hélas [elas], *interj.*, Alas !
herbe, *f.*, grass
Hercule, Hercules
hérédité, *f.*, heredity
hérétique, *m. and f.*, heretic
*__hérisser: se hérisser,__ to bristle;

(sentant) ses cheveux se hérisser sur la tête, feeling his hair stand on end
*__héros,__ *m.*, hero
hésitant, *adj.*, hesitant
hésitation, *f.*, hesitation, uncertainty
heure, *f.*, hour; o'clock; time; **à l'heure,** *adv.*, on time; **tout à l'heure,** *adv.*, just now; in a little while
heureux, *adj.*, happy
*__heurter,__ to bump, run against
*__hideux,__ *adj.*, hideous, frightful
hier, *adv.*, yesterday
hippopotame, *m.*, hippopotamus
histoire, *f.*, history; argument; matter; business; (wild) tale (hard to swallow)
hiver, *m.*, winter
homme, *m.*, man
honnête, *adj.*, honest
honneur, *m.*, honor
honorer, to honor
*__honte,__ *f.*, shame; **avoir honte,** to be ashamed
horloge, *f.*, clock (in a tower or on a wall)
horreur, *f.*, horror
*__hors,__ *prep. and adv.*, outside (of), beyond; **hors de lui,** beside himself
hôtel, *m.*, hotel, residence
*__huit,__ *adj.*, eight
humain, *adj.*, human
humanisme, *m.*, humanism; (belief in) humanity
humeur, *f.*, disposition, mood; **de bonne (mauvaise) humeur,** in a good (bad) mood
humide, *adj.*, wet, damp
humilier, to humiliate
humour, *m.*, humor; sense of humor
*__hurlement,__ *m.*, howling, yelling
*__hurler,__ to yell, shriek; to howl
hypocrite, *m.*, hypocrite
hypothèse, *f.*, hypothesis
hystérie, *f.*, hysteria
hystérique, *adj.*, hysterical

I

ici, *adv.*, here; **par ici,** *adv.*, this way
idéaliste, *m. or f.*, idealist
idée, *f.*, idea; notion; **changer d'idée,** to change one's mind
identité, *f.*, identity
idéologie, *f.*, ideology
idéologique, *adj.*, ideological
idiot, idiote, *m.*, *f.*, idiot
ignoble, *adj.*, ignoble
ignorance, *f.*, ignorance
ignorant, *m.*, ignoramus
ignorer, to ignore
il, ils, *pron.*, he, it; they
illusion, *f.*, illusion
il y a, *adv.*, ago
image, *f.*, picture, image
imaginaire, *adj.*, imaginary
imagination, *f.*, imagination
imaginer: s'imaginer, to imagine
imbécile, *m.*, fool, idiot
imiter, to imitate
immense, *adj.*, immense
immeuble, *m.*, building; house
immobile, *adj.*, motionless, immobile
immobiliser, to immobilize
immortel, *adj.*, immortal
immuniser, to immunize
impair, *adj.*, odd (number)
impardonnable, *adj.*, unpardonable

impatience, *f.*, impatience
impatienter: s'impatienter, to grow impatient
impensable, *adj.*, unthinkable
implication, *f.*, implication
impliquer, to imply
impoliment, *adv.*, impolitely
importance, *f.*, importance
important, *adj.*, important
importer, to signify, matter, be important; **il importe peu, peu importe,** it matters little; **n'importe,** *adv.*, no matter; **n'importe qui,** anyone at all
importun, *adj.*, importunate, in the way
imposer, to impose (on); to force (on)
impossible, *adj.*, impossible
impôt, *m.*, tax
impression, *f.*, impression, feeling
impressionable, *adj.*, impressionable
impressionnant, *adj.*, impressive
impressionner, to impress
imprimerie, *f.*, printing shop, press; **preuve d'imprimerie,** proof
impropre, *adj.*, improper
impulsion, *f.*, impulse
inadmissible, *adj.*, inadmissible
inadvertance, *f.*, inadvertance
inanité, *f.*, inanity
incapable, *adj.*, incapable
incassable, *adj.*, unbreakable
incompatible, *adj.*, incompatible
incompréhensible, *adj.*, incomprehensible
inconsciemment, *adv.*, unconsciously
inconsidéré, *adj.*, rash, unthinking, inconsiderate
inconsolé, *adj.*, inconsolable, unconsoled
incorrigible, *adj.*, incorrigible
incrédule, *adj.*, incredulous
incrédulité, *f.*, incredulity
incroyable, *adj.*, unbelievable, incredible
indéniable, *adj.*, undeniable
indépendamment, *adv.*, independently
indépendant, *adj.*, independent
index, *m.*, index finger
indication, *f.*, indication; (stage) directions
indifférent, *adj.*, indifferent
indigné, *adj.*, indignant
indigner: s'indigner, to be indignant
indiquer, to indicate; **indiquer du doigt,** to point (at)
indiscutablement, *adv.*, indisputably
indispensable, *adj.*, indispensable
individualité, *f.*, individuality
indolent, *adj.*, indolent
indulgence, *f.*, indulgence
inévitablement, *adv.*, inevitably
infaillible, *adj.*, infallible
infamant, *adj.*, infamous, shameful
infâme, *adj.*, infamous
inférieur, *adj.*, lower
infériorité, *f.*, inferiority
infiniment, *adv.*, infinitely
inflammation, *f.*, inflammation
ingénieux, *adj.*, ingenious
ingénu, *adj. and n.*, ingenuous, artless (person)
inintelligible, *adj.*, unintelligible
initiation, *f.*, introduction
injure, *f.*, insult
innocence, *f.*, innocence

innocent: faire l'innocent, to pretend not to understand
innombrable, *adj.*, innumerable
inoccupé, *adj.*, idle
inoffensif, *adj.*, inoffensive
inouï, *adj.*, unheard of; unimaginable
inquiet, inquiète, *adj.*, uneasy, anxious
inquiétant, *adj.*, disturbing
inquiéter, to disturb, make uneasy; **s'inquiéter,** to worry
inquiétude, *f.*, anxiety, worry
inquisiteur, *m.*, inquisitor
Inquisition, *f.*, Inquisition
insatiable, *adj.*, insatiable
inscription, *f.*, inscription; sign
inscrire: s'inscrire, to register
insecte, *m.*, insect
insensé, *adj.*, mad, senseless
insigne, *m.*, insignia
insignifiant, *adj.*, insignificant
insister, to insist (on)
insolite, *adj.*, uncommon, unexpected, surprising
insoluble, *adj.*, insoluble
insomniaque, *m.*, insomniac
insomnie, *f.*, insomnia
inspecter, to inspect
installation, *f.*, establishment, installation; arrangement; **les installations de la radio,** radio station
installer, to install, place, spread; **s'installer,** to settle; to take seats, take a seat
instant, *m.*, instant, moment; **à l'instant,** *adv.*, at once; just now
instigateur, *m.*, instigator
instinct, *m.*, instinct
instinctivement, *adv.*, instinctively
instituer, to institute
instituteur, *m.*, **institutrice,** *f* teacher (in elementary schools)
instructif, *adj.*, instructive
instruire: s'instruire, to be, become educated
instrument, *m.*, instrument
insuccès, *m.*, failure
insulte, *f.*, insult
insulter, to insult
insurgé, *m.*, insurgent
intégrité, *f.*, integrity
intellectuel, *adj.*, *and m.n.*, intellectual
intelligence, *f.*, intelligence
intelligent, *adj.*, intelligent
intempérie, *f.*, inclemency (of weather)
intenable, *adj.*, untenable
intention, *f.*, intention
interdire, to prohibit, forbid
intéresser, to interest, concern; **s'intéresser (à),** to take an interest (in), to be interested (in)
intérêt, *m.*, interest, concern; profit
intérieur, *adj.*, interior, inner, inside; domestic
interjection, *f.*, interjection, exclamation
interlocuteur, *m.*, interlocutor
intermédiaire, *m.*, intermediary
international, *adj.*, international
interprétation, *f.*, interpretation
interprète, *m.*, interpreter
interrogatif, *adj.*, interrogative
interrompre, to interrupt
intervenir, to intervene
intolérant, *adj.*, intolerant
intrigue, *f.*, plot, intrigue
introduire, to introduce
intuitivement, *adv.*, intuitively

inutile, *adj.*, useless
invariable, *adj.*, invariable
inventer, to invent
invention, *f.*, invention, inventiveness
inverse, *adj.*, inverse, opposite
inverser, to reverse
invitation, *f.*, invitation
inviter, to invite
involontaire, *adj.*, involuntary
involontairement, *adv.*, involuntarily
invraisemblable, *adj.*, improbable, not true to life
ironie, *f.*, irony
ironique, *adj.*, ironical
irrationnel, *adj.*, irrational
irremplaçable, *adj.*, irreplaceable
irrésistiblement, *adv.*, irresistibly
irritation, *f.*, irritation
irriter, to irritate
italien, *adj.*, Italian
ivoire, *m.*, ivory
ivre, *adj.*, drunk
ivrogne, *m.*, drunkard

J

jaillir, to spring, spring forth
jalousie, *f.*, jealousy
jaloux, *adj.*, jealous
jamais, *adv.*, ever; never; **ne . . . jamais,** never
jambe, *f.*, leg
jardin, *m.*, garden; **jardin zoologique,** zoo
jargon, *m.*, jargon
jaune, *adj.*, yellow
je, *pron.*, I
jet, *m.*, jet, stream
jeter, to throw; to cast; **jeter un coup d'œil,** to (cast a) glance
jeu, *m.*, game; play; action; acting; performance; trick; attitude; manner of acting; **beau jeu,** fair game
jeune, *adj.*, young; **jeune fille,** *f*, girl, young lady
jeunesse, *f.*, youth
joie, *f.*, joy
joindre, to join; **joindre les mains,** to join hands (as if in prayer)
joli, *adj.*, pretty
joue, *f.*, cheek
jouer, to play; **jouer un tour,** to play a trick; **jouer un rôle,** to play a part, take part
jour, *m.*, day; **un (beau) jour,** some (fine) day; **Quel jour (de la semaine) sommes-nous?** What day (of the week) is it?
journal, *m.*, newspaper, journal
journaliste, *m.*, journalist
journée, *f.*, day
judiciaire, *adj.*, judiciary
juge, *m.*, judge
jugement, *m.*, judgment
juger, to judge
jungle, *f.*, jungle
jupe, *f.*, skirt
jurer, to swear
juridique, *adj.*, juridical
juridiquement, *adv.*, juridically, legally
juriste, *m.*, jurist, one versed in the law
jusque, *prep.*, till, to, as far as; **jusqu'à,** *prep.*, until, as far as up to; **jusque là,** *adv.*, as far as that
juste, *adj.*, just, right, exact; *adv.*,

just; **justement,** *adv.*, justly; precisely; as it so happens; just at that moment

justice, *f.*, justice

justifier, to justify

L

là, *adv.*, there; **là-dessous,** *adv.*, underneath; down there; **là-dessus,** *adv.*, thereupon, on that; **oh là là,** *interj.*, dear me !

lâche, *adj.*, cowardly

lâcher, to let go

laid, *adj.*, ugly

laideur, *f.*, ugliness

laisser, to leave; to quit; to let; **laisser tomber,** to drop; **laisser tranquille,** to leave alone; **laisser voir,** to show

lamentable, *adj.*, lamentable

lamenter: se lamenter, to lament

lancer, to throw out, give out, bring out

langage, *m.*, language

langue, *f.*, tongue; language; **langue chargée,** coated tongue

large, *adj.*, broad; **large d'esprit,** broad-minded

largeur, *f.*, width; size

larme, *f.*, tear

latin, *adj. and m.n.*, Latin

le, la, les, *def. art.*, the; *personal pron.*, him, her, it, them

leçon, *f.*, lesson

lecture, *f.*, reading

léger, légère, *adj.*, light, slight; **à la légère,** *adv.*, lightly

légèrement, *adv.*, lightly, slightly

Légion d'honneur, *f.*, Legion of Honor

légume, *m.*, vegetable

lent, *adj.*, slow

lentement, *adv.*, slowly

lequel (laquelle, lesquels, lesquelles), *interrogative and relative pron.*, who, whom; which (one-s)

lettre, *f.*, letter

leur, *poss. adj.*; *personal and poss. pron.*, their; them, to them; **(le) leur,** theirs

lever, to raise, lift; **se lever,** to rise get up

lever, *m.*, rise, rising, raising

lèvre, *f.*, lip

libation, *f.*, libation

libération, *f.*, liberation

libérer, to liberate, free

liberté, *f.*, liberty

libre, *adj.*, free; at liberty

licence, *f.*, French degree intermediate between baccalaureate and doctorate

licencié, *m.*, holder of the *licence*

lier, to tie, bind; to unite, link

lieu, *m.*, place; **avoir lieu,** to take place; **lieu commun,** commonplace; **au lieu de,** *prep.*, instead of

ligne, *f.*, line

limite, *f.*, limit; bounds

liqueur, *f.*, liqueur; liquor

lire, to read

lisse, *adj.*, smooth, glossy

lit, *m.*, bed

litigieux, *adj.*, litigious, disputable

littéraire, *adj.*, literary

littéralement, *adv.*, literally

littérature, *f.*, literature

locataire, *m.*, tenant, lodger

loge, *f.*, rooms, apartment

logement, *m.*, lodging; rooms; apartment
logicien, *m.*, logician
logique, *adj.*, logical; *f.*, logic
logiquement, *adv.*, logically
loi, *f.*, law
loin, *adv.*, far; far away; **au loin,** *adv.*, in the distance; **de loin,** *adv.*, from afar
lointain, *adj.*, far, distant; *m.n.*, distance
londonien, londonienne, *adj.*, (of) London
Londres, *f.*, London
long, longue, *adj.*, long
longtemps, *adv.*, at length, for a time
longuement, *adv.*, at length, for a long time
lorgnon, *m.*, eyeglass, pince-nez
lors, *adv.*, then, at that time
lorsque, *conj.*, when
louer, to praise
loup, *m.*, wolf
lourd, *adj.*, heavy
lourdement, *adv.*, heavily
loyauté, *f.*, honesty, fairness, integrity
lucide, *adj.*, lucid
lucidement, *adv.*, lucidly
lucidité, *f.*, lucidity
lui, *pron.*, he, him, to him; to her; it, to it
luire, to shine
lumière, *f.*, light
lunette(s), *f.* (*pl.*), glasses; eyeglass, eyeglasses
lustrine, *f.*, (glazed) cotton cloth
lutte, *f.*, struggle
lutter, to struggle, fight

M

machination, *f.*, intrigue, plot
machine, *f.*, machine; **machine à écrire,** typewriter; **écrire à la machine,** to typewrite
madame (mesdames), *f.*, madam, Mrs.
mademoiselle (mesdemoiselles), *f.*, miss, Miss
magasin, *m.*, store, shop
magie, *f.*, magic
magistrature, *f.*, magistracy
magnifique, *adj.*, magnificent
main, *f.*, hand; **à la main,** *adv.*, by hand; in (his) hand; **mains en cornet,** hands cupped (over the ears); **joindre les mains,** to join hands (as in prayer); **tordre les mains,** to wring one's hands
maintenant, *adv.*, now
maintenir, to maintain; to hold; to fasten
maire, *m.*, mayor
mairie, *f.*, city hall; city administration
mais, *conj.*, but; **mais oui,** *interj.*, why yes; of course
maison, *f.*, house, firm, building
maître, *m.*, master
majeur, *adj.*, major; **force majeure,** *f.*, circumstances beyond one's control
majorité, *f.*, majority
mal, *adv.*, badly, ill; *m.n.*, evil, harm; hurt, pain; **mal de tête,** headache; **mal à l'aise,** uncomfortable, uneasy; **avoir du mal (à),** to have difficulty (in); **avoir mal,** to hurt; **avoir mal à la tête,** to have a headache; **avoir mal à la gorge,**

to have a sore throat; **faire mal,** to hurt

malade, *adj.*, sick, ill; **congé de malade,** *m.* sick leave

maladie, *f.*, sickness, illness

maladroit, *adj.*, clumsy, awkward; unskilled

maladroitement, *adv.*, clumsily, awkwardly

malaise, *m.*, uneasy feeling

malgré, *prep.*, in spite of, despite

malheur, *m.*, misfortune; woe

malheureusement, *adv.*, unfortunately

malheureux, *adj.*, unhappy, unfortunate

malicieux, *adj.*, mischievous, roguish

manche, *f.*, sleeve; sleeve protector reaching to the elbow

manger, to eat

manie, *f.*, mania

manière, *f.*, manner, way; **En voilà des manières!** Is that a way to behave!

manifestation, *f.*, manifestation, rally

manifeste, *m.*, manifesto

manque, *m.*, lack

manquer, to fail, miss, be lacking; **manquer de . . .,** to almost . . .

manteau, *m.*, cloak, coat

manuel, *m.*, manual; textbook

manuscrit, *m.*, manuscript

maquillage, *m.*, make-up

maquiller: se maquiller, to make (oneself) up

marchandise, *f.*, merchandise, goods

marche, *f.*, step (of a staircase); march

marché, *m.*, market; **par-dessus le marché,** into the bargain

marcher, to march, walk; **faire marcher,** to turn on (an apparatus)

marécage, *m.*, swamp, marsh

marécageux, *adj.*, swampy

mari, *m.*, husband

mariage, *m.*, marriage

marier, to marry; **se marier,** to get married

marin, *adj.*, marine

marquer, to mark; to indicate, show

marron, *adj. and m.n.*, chestnut (colored)

mascarade, *f.*, mascarade

masochiste, *adj.*, masochist

masque, *m.*, mask

masquer, to mask

masse, *f.*, mass

matérialiser, to materialize

matériel, *adj.*, material

mathématiques, *f. pl.*, mathematics

matière, *f.*, material

matin, *m.*, morning

mauvais, *adj.*, bad, ill; unfortunate

maximum, *m.*, maximum

me, *pron.*, me, to me

méchamment, *adv.*, out of malice, with evil intent

méchanceté, *f.*, malice; unkindness; perversity

méchant, *adj. and m.n.*, bad, wicked, naughty (person)

mèche: de mèche, *adv.*, in agreement

méconnaissable, *adj.*, unrecognizable

mécontentement, *m.*, dissatisfaction

médecin, *m.*, doctor

médecine, *f.*, medicine

médicalement, medically
médicament, *m.*, medication, medicine
méfiance, *f.*, mistrust, distrust; suspicion
meilleur, *adj.*, better; **(le) meilleur,** best
mélancolie, *f.*, melancholy; depression
mélanger, to mix, mix up
mêler, to mix, mingle; **se mêler,** to dabble, be mixed up in; **Mêlez-vous de ce qui vous regarde,** Mind your own affairs, business
mélodieux, *adj.*, melodious
membre, *m.*, member
même, *adj.*, same; self; very (own); **moi-même, lui-même,** *etc.*, myself, himself, *etc.*; *adv.*, even; **tout de même,** all the same, just the same; **quand même,** just the same
mémoire, *f.*, memory
menacer, to threaten
ménage, *m.*, household, family
ménagement, *m.*, consideration
ménagère, *f.*, housewife
mener, to lead
mensonge, *m.*, lie
mental, *adj.*, mental
mentalité, *f.*, mentality
menteur, *m.*, liar
mentionner, to mention
mentir, to lie
menton, *m.*, chin
mépris, *m.*, contempt, scorn
méprisable, *adj.*, contemptible
mépriser, to scorn
merci, *interj.*, thanks! thank you!
mercredi, *m.*, Wednesday
merde (*vulgar interj.*), unprintable four-letter word; **mille fois merde,** damn it all!
Méridional, *m.*, inhabitant of southern France
mériter, to merit, deserve
mesquin, *adj.*, mean, petty, narrow-minded
messe, *f.*, mass (church service)
mesure, *f.*, measure, proportion; **en mesure de,** *prep.*, in a position (to be able) to; **à mesure que,** *conj.*, as
mesuré, *adj.*, moderate, circumspect
métal, *m.*, metal
métallique, *adj.*, metallic, of metal
métamorphose, *f.*, metamorphosis
méthode, *f.*, method
méthodique, *adj.*, methodical
méthodiquement, *adv.*, methodically
metteur en scène, *m.*, director, stage director, producer
mettre, to put, set, place; to put on; **mettre l'accent,** to accentuate; **mettre en boîte,** to place in a box; to play a (bad) trick on; **mettre en colère,** to make angry; **mettre au courant,** to keep informed; **mettre (les choses) au point,** to bring (things) into focus; to bring to a point; to perfect; **mettre à la porte,** to dismiss, discharge; **mettre à profit,** to profit (by); **mettre en relief,** to bring out, enhance; **mettre la table,** to set the table; **mettre du temps,** to take time; **mettre en valeur,** to bring out, improve; **se mettre (à),** to begin (to); **se mettre à l'abri,** to take shelter; **se mettre d'accord,** to

come to an agreement; **se mettre en colère (contre),** to get angry (with); **se mettre à la page,** to bring oneself up to date
meuble, *m.*, (piece of) furniture
mi: à mi-chemin, *adv.*, half-way
miaulement, *m.*, mewing
microbe, *m.*, microbe
midi, *m.*, noon; **Midi,** *m.n.* South of France
mien (le), mienne (la), *poss. pron.*, mine
mieux, *adv.*, better; **aller mieux,** to be better; **(faire) de (son) mieux,** (to do) (his) best; **valoir mieux,** to be better
mignon, *adj.*, dear, darling; cunning
migraine, *f.*, migraine (headache)
milieu, *m.*, middle, center; **au milieu de,** *prep.*, in the middle of
militaire, *adj.*, military
mille, *adj.*, thousand
millier, *m.*, thousand
mince, *adj.*, thin, slender
mine, *f.*, appearance, face; **faire mine de,** to pretend to
minet, *m.n. and inter.*, kitty
mineur, *adj.*, minor
minorité, *f.*, minority
minou, *m.n. and interj.*, kitty
minute, *f.*, minute
misanthrope, *adj.*, misanthropic; *m.n.*, misanthrope
mise, *f.*, placing, putting; **mise en scène,** *f.*, stage production, setting
mobile, *adj.*, mobile; *m.n.*, motive
moderne, *adj.*, modern
modestie, *f.*, modesty
modus vivendi (*Latin*), (temporary) mode of living (pending a final settlement)
moi, *pron.*, I; me; to me
moindre, *adj.*, less; **le moindre,** least; **la moindre des choses,** (it's) nothing at all
moins, *adv.*, less; **le moins,** least; **au moins,** *adv.*, at least; **du moins,** *adv.*, at least; **en moins,** *adv.*, less, the less
mois, *m.*, month
moite, *adj.*, damp
moitié, *f.*, half; **à moitié,** *adv.*, half, half-way; **moitié moitié,** half and half
mollement, *adv.*, weakly
moment, *m.*, moment; **au moment où,** *conj.*, at the time when; **au bon moment,** *adv.*, at the right time, at the appropriate time; **en ce moment,** *adv.*, right now; **au moment de,** *prep.*, at the time of; **sur le moment,** *adv.*, at that very moment
momentané, *adj.*, momentary
momentanément, *adv.*, momentarily
mon (ma, mes), *poss., adj.*, my
monde, *m.*, world; people, society; **tout le monde,** everybody, everyone
mondial, *adj.*, world, world-wide; **création mondiale,** world première
monsieur, *m.*, sir; Mr.; **messieurs,** *pl.*, **Messrs.;** gentlemen, men
monstre, *m.*, monster
monstruosité, *f.*, monstrosity
montagne, *f.*, mountain
monter, to mount, ascend
montre, *f.*, watch; **montre-bracelet,** *m.*, wrist watch
montrer, to show, point out; **mon-**

trer du doigt, to point; **montrer le poing,** to shake one's fist; **se montrer,** to appear, seem; to be, to prove to be; to show (oneself)
moquer: se moquer (de), to laugh at, make fun of
moral, *adj.*, moral; mental; psychological
morale, *f.*, ethics, moral; morale
moralement, *adv.*, mentally, morally, psychologically
morbide, *adj.*, morbid
morceau, *m.*, piece
mordre, to bite, gnaw
mort, (*p.p. of* **mourir**), *adj.*, died dead; *f.n.*, death; *m.n.*, dead man
mortel, *adj.*, mortal
mot, *m.*, word; note
mou (mol, molle), *adj.*, soft; weak
moucher: se moucher, to blow one's nose
mouchoir, *m.*, handkerchief
mouiller, to wet, moisten
mourir, to die
moustache, *f.*, mustache
mouton, *m.*, sheep; mutton
mouvement, *m.*, movement
mouvoir: se mouvoir, to move
moyen, *m.*, mean, way, manner; average; **au moyen de,** *prep.*, by means of; *adj.*, average
Moyen Age, *m.*, Middle Ages
moyenne, *f.*, average
muet, *adj.*, mute; silent
multitude, *f.*, multitude
municipal, *adj.*, municipal; **conseiller municipal,** city councillor
mur, *m.*, wall
mûrir, to ripen, mature
murmure, *m.*, murmur
murmurer, to murmur; to complain
musée, *m.*, museum
musical, *adj.*, musical
musicaliser, to turn into music; to become music
musique, *f.*, music; **musique concrète,** *a new kind of music using electronic devices which distort or change normal sounds into new sound patterns*
mutation, *f.*, mutation
mystère, *m.*, mystery
mystification, *f.*, mystification, hoax
mythe, *m.*, myth
mythologie, *f.*, mythology

N

naïf, *adj.*, naïve
naissance, *f.*, birth
naître, to be born
naïvement, *adv.*, naïvely
naïveté, *f.*, naïveté, credulity
national, *adj.*, national
naturaliste, *adj.*, naturalistic
nature, *f.*, nature; creature; being
naturel, *adj.*, natural
naturellement, *interj.*, of course! naturally!
nazi, *adj.*, Nazi
ne: ne . . . pas, *adv.*, not; *see also* **ne** *with* **aucun, guère, jamais, personne, rien,** *etc.*
nécessaire, *adj.*, necessary
nécessairement, *adv.*, necessarily
négatif, *adj. and m.n.*, negative
négligence, *f.*, negligence, neglect
nerveusement, *adv.*, nervously
nerveux, *adj.*, nervous
n'est-ce pas, isn't he, she, it? aren't they?
net, *adj.*, plain, clear

nettement, *adv.*, plainly, clearly
netteté, *f.*, distinctness; sharpness; clearness
nettoyer, to clean, wipe
neuf, *adj.*, nine
neurasthénie, *f.*, neurasthenia, nervous prostration
neurasthénique, *adj.*, neurasthenic
neutralité, *f.*, neutrality
nez, *m.*, nose; **claquer la porte au nez de quelqu'un,** to slam the door in someone's face; **fermer la porte au nez de quelqu'un,** to close the door in someone's face
nid, *m.*, nest
nièce, *f.*, niece
nier, to deny
Nippon, *m.*, Nipponese, Japanese
noble, *adj.*, noble
noir, *adj.*, black; sad
nom, *m.*, name; noun
nomade, *m.*, nomad
nombre, *m.*, number
nombreux, *adj.*, numerous
non, *interj.*, no; not; **non plus,** *adv.*, either
normal, *adj.*, normal
normalement, *adv.*, normally
normalité, *f.*, normality
noter, to note, notice, observe
notice, *f.*, notice
notion, *f.*, notion
notre, (nos), *poss. adj.*, our
nouer, to knot, tie
nourrir: se nourrir, to feast (on); to delight (in)
nourriture, *f.*, nourishment, food
nous, *pron.*, we; us; to us; **à nous deux,** *adv.*, by ourselves
nouveaux, *adj.*, new; **de nouveau,** *adv.*, again
nouvelle, *f.*, news, news item; (short) novel, (long) short story
nu, *adj.*, naked, bare
nuage, *m.*, cloud
nuancer, to shade delicately
nuit, *f.*, night; dark; **cette nuit,** *adv.*, last night
nul, nulle . . . ne, *adj.*, no, not any; null; **nulle part,** *adv.*, nowhere
nullement, *adv.*, in no way, (not) in any way

O

obéir, to obey
objectif, *m.*, objective, target; *adj.*, objective
objection, *f.*, objection
objectivement, *adv.*, objectively
objectivité, objectivity
objet, *m.*, object, article
obligation, *f.*, obligation, duty
obliger, to oblige, compel
oblique, *adj.*, oblique, slanted
obscur, *adj.*, obscure
obscurité, *f.*, obscurity, darkness
obséder, to obsess
observation, *f.*, observation, remark
observer, to observe
obsession, *f.*, obsession
obstacle, *m.*, obstacle
obstination, *f.*, obstinacy
obstiné, *adj.*, obstinate
obstiner: s'obstiner, to persist, insist
obstruction, *f.*, obstruction
occasion, *f.*, occasion
occupant, *m.*, occupant, occupier
occuper, to occupy; **s'occuper,** to occupy oneself (with); to be concerned with; to tend (to)

occurrence: en l'occurrence, under the circumstances
odeur, *f.*, odor
œil, (*pl.*, **yeux**), *m.*, eye(s); **à vue d'œil,** *adv.*, visibly
œuf, *m.*, egg
œuvre, *f.*, work; performance, deed; **chef-d'œuvre,** *m.*, masterpiece
offenser, to offend
officiel, *adj.*, official
offrir, to offer
oie, *f.*, goose; **pas de l'oie,** *m.*, goose step; **faire le pas de l'oie,** to goose-step
oignon, *m.*, onion
oisif, *m.*, idler, lounger
Olympie, *f.*, Olympia
omettre, to omit
omission, *f.*, omission
on, *indef. pron.*, one; they, we; the people, etc.
ongle, *m.*, nail, toenail
onirique, *adj.*, relating to a dream
onomatopée, *f.*, onomatopœia
onze, *adj.*, eleven
opinion, *f.*, opinion
opium, *m.*, opium
opposer: s'opposer, to oppose, object to
oppresser, to oppress
or, *m.*, gold
or, *conj.*, now, well
orage, *m.*, storm
orateur, *m.*, orator, speaker
ordinairement, *adv.*, ordinarily
ordonner, to order, command
ordre, *m.*, order, command
ordure, *f.* garbage; *interj.*, filthy beast!
oreille, *f.*, ear
organiser, to organize
orgueilleux, *adj. and m.n.*, proud, vain (person)
oriflamme, *f.*, banner, oriflamme
original, *m.*, eccentric (person)
originalité, *f.*, originality
origine, *f.*, origin, source
oser, to dare
ou, *conj.*, or, either
où, *adv.*, where; *rel. pron.*, at, in, to which; when; **par où,** *adv.*, which way
ouais, *interjection expressing surprise*
oublier, to forget
ouest, *m.*, west
oui, *adv.*, yes
outré, *adj.*, excessive, exaggerated; furious
ouvert, (*p.p. of* **ouvrir**), *adj.*, opened open
ouverture, *f.*, opening; **ouverture d'esprit,** open-mindedness
ouvrage, *m.*, work
ouvrier, *m.*, **ouvrière,** *f.*, worker
ouvrir: s'ouvrir, to open

P

page, *f.*, page; **se mettre à la page,** to bring oneself up to date
paille, *f.*, straw, thatch
pain, *m.*, bread
paisible, *adj.*, peaceful
paisiblement, *adv.*, peacefully
paix, *f.*, peace, quiet
palais, *m.*, palace
palier, *m.*, landing
pan, *m.*, tail, flap
panier, *m.*, basket; **panier à provisions,** market basket
panorama, *m.*, panorama

pansement, *m.*, bandage, dressing
pantalon, *m.*, trousers, pants
papier, *m.*, paper
papillon, *m.*, butterfly; bow tie
paquet, *m.*, package
par, *prep.*, by; per; in; **par où,** *adv.*, which way
paradoxe, *m.*, paradox
paraître, to appear, seem
parallèle, *adj.*, parallel
parc, *m.*, park
parce que, *conj.*, because; for
parcourir, to run through; to travel over; to run around
par-dessus, *prep.*, above, over; **par-dessus le marché,** into the bargain
pardon, *m.*, pardon; *interj.*, excuse me!
pareil, *adj.*, alike, like, similar; the same
parent, *m.*, relative
parfait, *adj.*, perfect
parfaitement, *adv.*, perfectly; exactly
parfois, *adv.*, sometimes, occasionally
parfumer, to flavor
pari, *m.*, bet, wager
parier, to bet, wager
parler, to speak, talk
parmi, *prep.*, among
parole, *f.*, word; speech; promise; **tenir parole,** to keep one's word
parquer, to enclose, shut in
part, *f.*, part, share; side; **à part,** *adv.*, aside; besides; **d'autre part,** *adv.*, on the other hand; moreover; **de la part de,** *prep.*, on the part of; from; **de (sa) part,** *adv.*, for (his) part, on (his) part, from (him); **pour (sa) part,** *adv.*, on (his) part; **nulle part,** *adv.*, nowhere; **quelque part,** *adv.*, somewhere
partager, to share, divide (into parts)
parti, *m.*, side; party; **prendre parti,** to take the side of; **prendre un parti,** to take a stand
participant, *m.*, participant
participer, to participate
particulier, particulière, *adj.*, particular; peculiar
partie, *f.*, part, portion; **faire partie de,** to belong to
partir, to leave, depart; to come (from); **à partir de,** *prep.*, from (that time on)
partisan, *m.*, partisan, adherent
partout, *adv.*, everywhere
pas, *m.*, step, pace; *adv.*, not; **pas du tout,** not at all; **de ce pas,** *adv.*, directly, right away; **pas grand-chose,** not much; **vous n'avez pas grand-chose,** there's not much wrong with you
passage, *m.*, passage; crossing; passing, change; brief encounter, moment; **sur leur passage,** in their way
passager, passagère, *adj.*, momentary
passé, *m.*, past
passer, to pass (by, over); move on; to disappear; to go by; to spend; **passer par,** to go through, undergo; **ça leur passera,** they'll get over it; that will pass to them; **il en passe,** some of them go by; **il en passe une,** one is being played
passer: se passer, to happen; **se passer de,** to do without

passif, *adj.*, passive
passion, *f.*, passion; enthusiasm
passionnant, *adj.*, exciting
passionnel, *adj.*, overenthusiastic, single-minded, partisan
pastis [pastis], *m.*, *popular drink in southern France, made with anis seed*
pâtisserie, *f.*, pastry shop
patron, *m.*, boss, master, owner
patte, *f.*, paw
paume, *f.*, palm (of the hand)
pause, *f.*, pause
payer, to pay; **se payer la tête,** to make fun of; to pull (some)one's leg
pays, *m.*, country, land
peau, *f.*, skin, hide
pédant, *m.*, pedant
pédantesque, pedantic
peigne, *m.*, comb
peigner: se peigner, to comb one's hair
peindre, to paint; to depict
peine, *f.*, pain, sorrow; trouble, difficulty; **à peine,** *adv.*, scarcely, hardly; **avoir de la peine,** to have difficulty; **être la peine,** to be worth the trouble; **faire de la peine,** to hurt (someone's feelings)
peintre, *m.*, painter
peluche, *f.*, plush
pencher: se pencher, to lean
pendant, *prep.*, during; **pendant que,** *conj.*, while
pendule, *f.*, clock; **pendule à coucou,** cuckoo clock
pénible, *adj.*, painful; tiresome, tiring
péniblement, *adv.*, painfully
pensée, *f.*, thought
penseur, *m.*, thinker
pension, *f.*, boarding school, private school
pensionnaire, *m. and f.*, private boarding school student
pente, *f.*, slope, incline; **en pente,** *adj.*, inclined, sloping
percevoir, to perceive
perdre, to lose; to ruin; **perdre le temps,** to waste time; **se perdre,** to lose; to ruin oneself
périlleux [peʀijø], *adj.*, perilous, dangerous
périmé, *adj.*, out of date
périssodactyle, *adj.*, perissodactyl
permettre, to permit, allow
persévérer, to persevere
personnage, *m.*, personage; character
personnalité, *f.*, personality
personne, *f.*, person; **ne . . . personne,** *indef. pron.*, nobody; **personne d'autre,** no one else
personnel, *adj.*, personal; *m.n.*, personnel, staff
personnellement, *adv.*, personally
perspective, *f.*, view, vista
perte: à perte de vue, *adv.*, as far as the eye can see
peser, to weigh, weigh on
pessimiste, *adj.*, pessimistic
peste, *f.*, plague
petit, *adj.*, little, small; **petit à petit,** *adv.*, little by little, gradually
peu, *adv.*, little, few; not very; *m.n.*, little; bit; **un petit peu,** *adv.*, a very little; **à peu près,** *adv.*, nearly, almost; **peu à peu,** *adv.*, little by little
peuple, *m.*, people

peur, *f.*, fear; **avoir peur,** be afraid
peut-être, *adv.*, perhaps
phénomène, *m.*, phenomenon
philosophe, *adj.*, philosophical; *m. n.*, philosopher
philosophique, *adj.*, philosophic
philosophiquement, *adv.*, philosophically
photo(graphie), *f.*, photo, snapshot
phrase, *f.*, sentence; phrase
physicien, *m.*, physicist
physique, *adj.*, physical
pièce, *f.*, piece, portion, fragment; **pièce à thèse,** thesis play; **pièce bien faite,** well-made play; **pièce de théâtre,** play
pied, *m.*, foot; **fouler aux pieds,** to trample underfoot
pierre, *f.*, stone
piétinement, *m.*, trampling, treading
piétiner, to trample under foot
pince-sans-rire, *adj.*, dry-humored
pire, *adj.*, worse; **le pire,** worst
pis, *adv.*, worse; **tant pis,** so much the worse, too bad; it can't be helped
pitié, *f.*, pity; **avoir pitié de,** to have pity on
placard, *m.*, cupboard, closet
place, *f.*, place; public square; seat; **à la place,** *adv.*, in (its) place; **à votre place,** *adv.*, in your place
placer, to place; **se placer,** to be placed
plafond, *m.*, ceiling
plaider, to practice law
plaindre: se plaindre, to complain
plaire, to please, be pleasing to; **il me plaît (de),** I like to
plaisanter, to joke
plaisanterie, *f.*, joke
plaisir, *m.*, pleasure; **faire plaisir,** to please; to give pleasure; **prendre plaisir (à),** to take pleasure (in)
plan, *m.*, plan; **au premier plan,** *adv.*, downstage
plancher, *m.*, floor
plantation, *f.*, arrangement
plante, *f.*, plant
plaquer: se plaquer, to flatten oneself
plat, *adj.*, flat; **à plat,** *adv.*, flat
plateau, *m.*, plateau, flat upland; stage
plate-forme, *f.*, platform
plâtre, *m.*, plaster
plausible, *adj.*, plausible
plein, *adj.*, full, filled; **en plein,** *adv.*, in the middle
pleur, *m.*, tear
pleurer, to weep, cry
plomb, *m.*, lead; fuse
plonger, to plunge; dive
plupart: la plupart, *f.*, greater part, most
plus (de), *adv.*, more; the more; **en plus,** *adv.*, moreover, in addition, besides; **ne . . . plus,** *adv.*, no more, no longer; **de plus,** *adv.*, besides, more; **non plus,** *adv.*, either
plusieurs, *pl. adj.*, several
plus-que-parfait, *adj. and m.n.*, pluperfect
plutôt, *adv.*, rather
poche, *f.*, pocket
poésie, *f.*, poetry
poétique, *adj.*, poetic
poids, *m.*, weight, load
poignant, *adj.*, poignant, sad

poignée, *f.*, handle, head
poignet, *m.*, wrist
poil, *m.*, hair (on the body)
poilu, *adj.*, hairy
poing, *m.*, fist; **coup de poing,** punch, blow; **montrer le poing,** to shake one's fist
point, *m.*, point; **à quel point,** *adv.*, how much, how far; **mettre les choses au point,** to bring (things) into focus; to bring to a point; to perfect; **sur le point de,** (to be) about to
pointe: en pointe, *adv.*, to a point
pointer, to point; to appear, show through
pointu, *adj.*, pointed
poireau, *m.*, leek
poitrine, *f.*, chest
polémique, *f.*, polemics, dispute
poli, *adj.*, polite
police, *f.*, police
polichinelle, *m.*, Punch, Punchinello
politique, *adj.*, political; *f.n.*, policy; politics
polyglotte, *adj. and m. and f.n.*, polyglot
pommeau, *m.*, pommel
pompier, *m.*, fireman; **le signal de la voiture des pompiers,** the noise and hooting of a fire engine
Ponténégrin, *m.*, *deformation of Monténégrin* (*of Montenegro, a country which no longer exists*)
populaire, *adj.*, popular
porte, *f.*, door; **porte à deux battants,** double swinging door; **porte vitrée,** glass door; **claquer la porte au nez de quelqu'un,** to slam the door in someone's face; **fermer la porte au nez,** to close the door in (someone's) face; **mettre à la porte,** to dismiss, discharge
portemanteau, *m.*, clothesrack
porte-plume, *m.*, penholder
porter, to carry, bear; to wear, have on; to place; **se porter,** to be (*health*); **s'en porter mieux,** to feel the better for it
portrait, *m.*, portrait
poser, to put, place; to lay down; to state, admit; **poser une question,** to ask a question; **se poser,** to place, be placed
positif, *adj.*, positive
position, *f.*, position; **prise de position,** stand; **rester sur ses positions,** to stay what one is
posséder, to possess, have
possibilité, *f.*, possibility
possible, *adj.*, possible
poste, *f.*, post, post office, mail; *m.n.*, post, station; job, position; **poste de T.S.F.,** radio station; radio set; **P.T.T. (Postes, Télégraphes, Téléphones),** postal, telegraph and telephone services
poubelle, *f.*, trash can
poudre, *f.*, powder
pouls [pu], *m.*, pulse
poupée, *f.*, doll
pour, *prep.*, for, to, in order to; as; **pour que,** *conj.*, in order that
pourcentage, *m.*, percentage
pourquoi, *adv. and conj.*, why
pourri, *adj.*, rotten, rotted
poursuivre, to pursue; to continue
pourtant, *adv.*, nevertheless, yet, still

poussée, *f.*, push, thrust
pousser, to push; to grow; **pousser à bout,** to make (one) lose patience; **pousser un cri,** to utter a cry
poussière, *f.*, dust
poussiéreux, *adj.*, dusty
pouvoir, to be able; can; may; **il se peut que,** it is possible that
pratique, *f.*, practice; *adj.*, practical
pratiquement, *adv.*, practically
pratiquer, to practice; to arrange, execute
préavis, *m.*, prior warning
précaution, *f.*, precaution
précédent, *adj.*, preceding
précipitamment, *adv.*, hurriedly, hastily
précipité, *adj.*, hurried, quick
précipiter, to precipitate, hurry, hasten; **se précipiter,** to rush, dash
précis, *adj.*, precise, exact
précisément, *adv.*, precisely
préciser, to be exact; to make exact; to specify
précision, *f.*, precision, accuracy
prédisposer, to predispose
préférable, *adj.*, preferable
préférence, *f.*, preference
préférer, to prefer
préjugé, *m.*, prejudice
prélat, *m.*, prelate, church dignitary
premier, première, *adj.*, first; **au premier plan,** *adv.*, downstage; **le premier,** first
prendre, to take; to get, catch; to overtake; **prendre conscience,** to become conscious; **prendre contact,** to make contact; **prendre en flagrant délit,** to catch (someone) in the act; **prendre une décision,** to make a decision; **prendre un parti,** to take a stand; **prendre parti,** to take sides, be on the side (of); **prendre plaisir (à),** to take pleasure (in); **prendre (sa) retraite,** to retire; **Qu'est-ce qui vous prend ?** What is the matter with you ? What has come over you ?
préoccuper, to preoccupy; **se préoccuper,** to be concerned with, worry about
préparer, to prepare; **se préparer** to get ready
près, près de, *prep.*, near, nearly; **de près,** *adv.*, closely; **à peu près,** nearly, almost
présence, *f.*, presence; **feuille de présence,** attendance sheet, record
présent, *adj.*, present, **à présent,** *adv.*, at present
présenter, to present; to introduce; **se présenter,** to appear, present oneself
préserver, to preserve
presque, *adv.*, almost, nearly
presse, *f.*, press
pressé, *adj.*, in a hurry; urgent
presser, to press; to hurry; **se presser,** to hurry, be in a hurry
prêt, *adj.*, ready
prétendre, to claim; to pretend
prétentieux, *adj. and m.n.*, pretentious, boasting (person)
prétention, *f.*, pretention; claim
preuve, *f.*, proof
prévoir: à prévoir, to be expected
prévu (*p.p. of* **prévoir**), foreseen; provided for; (written) for; with . . . in mind

prier, to beg, ask; **je vous en prie,** *interj.*, I beg of you
primaire, *adj.*, primary
primordial, *adj.*, primordial
principal, *adj.*, principal
prise: prise de position, *f.*, stand
privé, *adj.*, private
priver, to deprive
privilégié, *adj.*, privileged; exceptional
prix, *m.*, price
probable, *adj.*, probable
probablement, *adv.*, probably
problème, *m.*, problem
procédé, *m.*, process, procedure
procéder, to proceed, arise
procession, *f.*, procession
prochain, *adj.*, next, approaching
proche, *adj.*, near, approaching, close, close at hand
proclamer, to proclaim
production, *f.*, production
produire, to produce, cause; **se produire,** to happen, occur
proférer, to utter
professionnel, *adj.*, professional
profil, *m.*, profile; **de profil,** *adv.*, in profile, sideways; **profil droit à la salle,** right side of face towards the audience; **mettre à profit,** to profit by
profiter, to profit (by)
profond, *adj.*, deep, profound; **du plus profond de lui-même,** deep inside (of himself)
profondément, *adv.*, profoundly
profondeur, *f.*, depth; **en profondeur,** *adv.*, deeply
programme, *m.*, program
progrès, *m.*, progress, improvement; **faire des progrès,** to make progress, get along
projection, *f.*, projection
projet, *m.*, project, scheme
projeter: se projeter, to project
prolonger, to prolong
promenade, *f.* walk, walking; promenade
promener: se promener, to walk, take a walk
promesse, *f.*, promise
promettre, to promise
prononcer, to pronounce, utter; to deliver (a speech)
propagande, *f.*, propaganda
prophète, *m.*, prophet
proportion, *f.* proportion; **en proportion de,** *prep.*, in proportion with (to)
propos, *m.*, subject; **à propos de,** *prep.*, with regard to, about
proposer, to propose, suggest
proposition, *f.*, proposition; proposal; premise
propre, *adj.*, own; clean; proper, suitable; typical
proprement, *adv.*, properly
protecteur, protectrice, *adj.*, protective
protéger, to protect
protester, to protest
prouver, to prove
provenance: en provenance de, *prep.*, coming from
provenir, to proceed, arise
province, *f.*, province
provision, *f.*, provision; **panier à provisions,** *m.* market basket
provisoire, *adj.*, temporary
provisoirement, *adv.*, temporarily, in the meantime, while waiting

provocation, *f.*, provocation
provoquer, to provoke, stir up
prudemment, *adv.*, prudently
prudent, *adj.*, prudent
psychanalyse [psikanaliz], *f.*, psychoanalysis
psychanalyser [psikanalize] to psychoanalyze
psychanalytique [psikanalitik], *adj.* psychoanalytical
psychologie [psikoloʒi], *f.* psychology
psychose, *f.*, psychosis
public, publique, *adj.*, public; *m.n.*, audience
publication, *f.*, publication; publishing (house)
publier, to publish
puce, *f.*, flea
pudique, *adj.*, modest
puer, to smell, stink (of)
puisque, *conj.*, since; because
puissant, *adj.*, powerful
punition, *f.*, punishment
pur, *adj.*, pure
pureté, *f.*, purity, innocence
pyjama, *m.*, pyjamas
Pyrénées, *f. pl.*, Pyrenees

Q

quadrupède, *m.*, quadruped
qualité, *f.*, quality; qualification; capacity; **en ma qualité de,** in my capacity as
quand, *adv. and conj.*, when; as soon as; even if; **quand même,** just the same
quantité, *f.*, quantity; a great many
quarante, *adj.*, forty
quart, *m.*, fourth; quarter
quatre, *adj.*, four
que, *rel. pron.*, whom; which, what; that; *inter. pron.*, what, whom, which; **qu'est-ce que?** what? **qu'est-ce que c'est que?** what is?; *conj.*, that, in order that; than; whether; because; **ne . . . que,** *adv.*, only
quel (quelle), *inter. adj.*, what, which; *interj.*, what a. . .
quelconque, *adj.*, whatever, any; (some) . . . or other
quelque, *adj.*, some, any, a few; **quelque chose,** something; **quelqu'un (quelqu'une, quelques-uns, quelques-unes),** *indef. pron.*, some, someone(s) somebody; **quelqu'un de bien,** a well brought up, well educated person
querelle, *f.*, quarrel
quereller: se quereller, to quarrel
question, *f.*, question; **poser une question,** to ask a question
qui, *rel. pron.*, who, whom; which; that; *inter. pron.*, who, whom, which; **qui est-ce que?** whom? **qui est-ce qui?** who?
quitter, to leave, depart (from)
quoi, *rel. pron*, what, which; *interj.*, what!; **de quoi,** something; what is necessary (to); **en quoi,** in what way; **à quoi bon,** of what use
quoi que, *rel. pron.*, whatever; **quoi que ce soit,** anything whatever
quotidien, *adj.*, daily

R

raccrocher, to hang up (again)
racine, *f.*, root

racisme, *m.*, racialism
raciste, *adj.*, racialist, racist
racontar, *m.*, idle talk
raconter, to relate, tell
radio, *f.*, radio
rafraîchir, to refresh, cool off
rager, to rage, be furious
railler, to make fun of, laugh at
raison, *f.*, reason; right; **avoir raison,** to be right; **se faire une raison,** to make up one's mind
raisonnable, *adj.*, reasonable, sensible
raisonnement, *m.*, reasoning
raisonner, to reason, argue; **se raisonner,** to reason with oneself
ramassage, *m.*, picking up, collection
ramasser, to pick up, collect
ramener, to bring back
rampe, *f.*, rise (of stairs); flight (of stairs); balustrade
rangée, *f.*, row
ranger, to arrange; to place in order
rapide, *adj.*, rapid
rapidement, *adv.*, rapidly
rappeler: se rappeler, to recall, remember
rapport, *m.*, report; relation, connection
rapporter, to bring back; to report
rapprocher: se rapprocher, to draw nearer, approach
rare, *adj.*, rare
raser: se raser, to shave
rassembler, to collect, assemble, gather
rasseoir: se rasseoir, to sit down again
rassurer, to reassure
rattraper, to catch again, recapture
rauque, *adj.*, harsh
ravager, to ravage
rayon, *m.*, shelf
réaction, *f.*, reaction
réagir, to react
réalisateur, *m.*, director
réalisation, *f.*, execution
réaliste, *adj.*, realistic; *m.n.*, realist
réalité, *f.*, reality
réapparaître, to reappear
rebiffer: se rebiffer, to resist, revolt
rebours: à rebours, *adv.*, backward, in reverse; against the grain
récent, *adj.*, recent
récepteur, *m.*, receiver
recette, *f.*, recipe, formula
recevoir, to receive; to meet, meet with
rechercher, to seek
réciproque, *f.*, converse; contrary
récit, *m.*, story
récompense, *f.*, recompense, reward
réconcilier, to reconcile; **se réconcilier,** to be reconciled
reconnaître, to recognize
reconstituer, to reconstitute
recoucher: se recoucher, to lie down again; to go back to bed
recouvrir, to re-cover, cover up
rectangulaire, *adj.*, rectangular
recueil, *m.*, collection
recul, *m.*, recoil; **avoir un recul,** to recoil
reculer, to step back, retreat
rédacteur, *m.*, editor
rédaction, *f.*, editing; **secrétaire de rédaction,** *m.*, or *f.*, assistant editor
redécouverte, *f.*, rediscovery
redevenir, to become . . . again

redonner, to give . . . again; to renew
réduire, to reduce
réel, *adj.*, real
refermer, to close . . . again
réfléchir, to reflect; to think over; **cela donne à réfléchir,** that is food for thought
réflexion, *f.*, reflection; thought; **réflexion faite,** on thinking it over
refus, *m.*, refusal, denial
refuser: se refuser, to refuse
regard, *m.*, look, glance; **appuyer du regard,** to be on one's side, support; **foudroyer du regard,** to give a crushing look, a withering glance
regarder, to look (at), regard; **regarder fixement,** to stare at; **Regardez la tête que vous avez !** Just look at yourself !
régénérer, to regenerate, recreate
région, *f.*, region
réglementation, *f.*, regulation
regret, *m.*, regret
regretter, to regret
rehausser, to enhance
rejoindre, to rejoin; **se rejoindre,** to meet
relativement, *adv.*, relatively
relever, to raise up again; **se relever,** to rise up again
relief, *m.*, relief; **mettre en relief,** to bring out, enhance
religion, *f.*, religion
remarque, *f.*, remark
remarquer, to remark, notice
remède, *m.*, remedy
remercier, to thank
remettre, to put back; to put off, postpone; **se remettre,** to recover, get better
remonter, to mount again, climb again; to go back (to); to come back up; to refresh; to set right
remords, *m.*, remorse
remplacer, to replace, substitute for
remplir, to fill, fulfill, complete, replenish
remue-ménage, *m.*, bustle, confusion
remuer, to move, move about, stir
rencontre, *f.*, meeting, encounter
rencontrer, to meet, encounter
rendez-vous, *m.*, rendezvous, engagement
rendre, to render, give back, return; to make; **se rendre compte de,** te realize; **rendre service,** to do a service, a favor
renfermer, to shut up, enclose
renforcer, to reinforce, strengthen; to heighten
renoncer, to renounce, give up
rentrer, to re-enter; to return (home)
renverser, to upset, turn over
renvoyer, to dismiss
répandre, to pour out, spread; **se répandre,** to spill; to spread (out)
répandu, *adj.*, widespread, common
réparer, to repair
repas, *m.*, meal
repasser, to iron
répéter, to repeat; to say, tell again
répétition, *f.*, rehearsal
réplique, *f.*, rejoinder, reply
répliquer, to answer, reply
répondre, to reply, answer
réponse, *f.*, reply
reporter, to put off

reporter, *m.*, reporter
repos, *m.*, repose, rest
reposer: se reposer, to rest
repoussant, *adj.*, repulsive
repousser, to push back, repulse
reprendre, to take back; to recover; to resume; to get back; to take (up) again
représentatif, *adj.*, representative
représentation, *f.*, show, performance
représenter, to represent
répression, *f.*, repression, suppression
reprise: à plusieurs reprises, *adv.*, several times
reprocher, to reproach
reproduction, *f.*, reproduction
reproduire, to reproduce
république, *f.*, republic
réputation, *f.*, reputation
réserve, *f.*, reserve
réserver: se réserver, to reserve (the right)
résigner: se résigner, to be resigned; to resign oneself
résistance, *f.*, resistance
résister, to resist
résolution, *f.*, resolution, determination
résoudre, to resolve; to solve
respectif, *adj.*, respective
respiration, *f.*, breath, breathing
respirer, to breathe
responsable, *m.n. and adj.*, (person) responsible
ressembler, to resemble, be like, look like
ressentiment, *m.*, resentment
ressort, *m.*, spring
ressortir, to bring out, enhance
reste, *m.*, rest, remainder
rester, to remain, be left; **je resterai sur mes positions,** I'll stay what I am
restreint (*p.p. of* **restreindre**), restrained, limited
résultat, *m.*, result, outcome
rétablir, to re-establish; to recover; **se rétablir,** to recover one's health
retapoter, to tap, slap again
retard, *m.*, delay, lateness; **en retard,** *adv.*, late, behind time
retardataire, *m.*, tardy, late person
retenir, to retain, hold back, detain; to remember, bear in mind; **se retenir,** to restrain oneself
retirer, to retire, draw away; **se retirer,** to withdraw, retire, draw back
retomber, to fall back; to fall again
retour, *m.*, return; **être de retour,** to be back
retourner, to return; **se retourner,** to turn, turn around
retrait: en retrait, *adv.*, further back
retraite, *f.*, retirement; **prendre sa retraite,** to retire
retraité, *adj.*, retired
retrouver, to find again, recover; to meet again; **se retrouver,** to meet again; to be . . . again
réussir, to succeed; to go well
rêve, *m.*, dream; **en rêve,** *adv.*, in a dream, while dreaming; **faire de mauvais rêves,** to have bad dreams
réveiller, to waken, arouse; **se réveiller,** to awaken, wake up
révélateur, révélatrice, *adj.*, revealing

révélation, *f.*, revelation
révéler, to reveal
revenir, to return, come back; to amount to; **revenir sur sa décision,** to reconsider, change one's decision; **ne pas en revenir de,** to be very surprised, amazed; **je n'en reviens pas,** I can't get over it; I am amazed
rêver, to dream
reversible, *adj.*, reversible
revêtir, to clothe, dress
rêveur, rêveuse, *adj.*, thoughtful, pensive
revirement, *m.*, sudden change
reviser, to revise
révision, *f.*, review
revoilà: en revoilà, *interj.*, There are some of them again !
revoir: au revoir, *interj.*, good-bye
revue, *f.*, review, magazine
rez-de-chaussée, *m.*, ground floor
rhinocérique, *adj.*, rhinocerotic
rhinocérite, *f.*, "rhinoceritis" (*coined word*)
rhinocéros, *m.*, rhinoceros
rhume, *m.*, cold
rideau, *m.*, curtain
ridicule, *adj.*, ridiculous; *m.*, ridiculousness
rien, *m.*, nothing; anything; **ne . . . rien,** *indef. pron.*, nothing; **rien d'autre,** nothing else; **rien qu'à les voir,** just by seeing them; **comme si de rien n'était,** as if nothing were the matter
rigoler, to laugh out loud
rire, *m.*, laughter
rire (de), to laugh (at)
risquer, to risk
rival, *m.*, rival
rivaliser, to rival, compete
robinet, *m.*, faucet
rôle, *m.*, role, part
roman, *m.*, novel, romance
romancier, *m.*, **romancière,** *f.*, novelist
rond, *adj.*, round; **en rond,** *adv.*, in a circle; **tourner en rond,** to turn round and round
rose, *adj.*, pink
rosette, *f.*, rosette
rouge, *adj.*, red
rougeaud, *adj.*, reddish
Roumanie, *f.*, Roumania
route, *f.*, route, road; **en route,** *adv.*, on the way
routine, *f.*, routine
rouvrir, to open again
rubrique, *f.*, (newspaper) heading, column
rude, *adj.*, rude, rough
rue, *f.*, street
rugueux, *adj.*, rough
rythme, *m.*, rhythm; **rythmé,** *adj.*, rhythmic

S

sabot, *m.*, hoof
sacré, *adj.*, sacred
sage, *adj.*, wise, sensible; good, well-behaved
sagesse, *f.*, wisdom
saillant, *adj.*, prominent
sain, *adj.*, sound, healthy; healthful **sain et sauf,** safe and sound
saisir, to seize; to follow, understand
saison, *f.*, season
salaires, *m. pl.*, salary
salaud, *interj.* (*vulgar*), dirty beast ! swine !

saleté, *f.*, dirtiness, filthiness
salir, to soil
salle, *f.*, hall; auditorium; **salle de bains,** bathroom
salon, *m.*, salon
saluer, to salute, greet; to bow
samedi, *m.*, Saturday
sang, *m.*, blood; **on nous exploite jusqu'au sang,** they'll go on exploiting us till we drop
sang-froid, *m.*, presence of mind
sangloter, to sob
sans, *prep.*, without; **sans que,** *conj.*, without; **sans façon,** *adv.*, without ceremony
santé, *f.*, health
satisfaisant, *adj.*, satisfactory
sauf, *prep.*, except, save for; *adj.*, safe; **sain et sauf,** safe and sound
saugrenu, *adj.*, bizarre, ridiculous
sauter, to jump, leap; to skip, omit
sauvage, *adj.*, wild, savage
sauver, to save
savant, *adj.*, learned, scholarly; *m.*, scholar; scientist
savoir, to know; to know how to, can; **cela se saura,** that will be known, that will be heard from; **savoir à quoi s'en tenir,** to know what to except, to know what to think (about it)
scandale, *m.*, scandal
scène, *f.*, scene; stage; **en scène,** *adv.*, on stage; **metteur en scène,** *m.* director, stage director, producer; **mise en scène,** *f.* stage production, setting
scénique, *adj.*, scenic, (of the) stage
scepticisme [sɛptisism], *m.*, scepticism
sceptique [sɛptik], *adj.*, skeptical
science, *f.*, science; wisdom
scientifique, *adj.*, scientific
scientifiquement, *adv.*, scientifically
sciure (de bois), *f.*, sawdust; **il faisait dans sa sciure,** he was trained to use his sandbox
scolaire, *adj.*, school, of school
scrupule, *m.*, scrupule, qualm
se, *reflexive pron.*, himself, herself, itself, oneself; themselves; each other
sec, sèche, *adj.*, dry
secondaire, *adj.*, secondary; minor
seconde, *f.*, second
secouer, to shake
secret, secrète, *adj.*, secret; *m.n.*, secret; **le secret de polichinelle,** an open secret
secrétaire, *m.*, writing desk; *m. and f.*, secretary; **secrétaire de rédaction,** assistant editor
section, *f.*, section, department
sédentaire, *adj.*, sedentary
séduire, to charm; to seduce
séjourner, to sojourn, stay
selon, *prep.*, according to; **c'est selon,** that depends
semaine, *f.*, week; **en semaine,** *adv.*, during the week
semblable, *adj.*, similar; such a
semblant, *m.*, semblance, appearance; **faire semblant de,** to pretend to
sembler, to seem, appear
sens, *m.*, sense; meaning; direction
sensé, *adj.*, sensible
sentiment, *m.*, feeling, sentiment
sentimental, *adj.*, sentimental
sentir, to feel; to smell; **se sentir,** to feel

séparément, *adv.*, separately
séparer, to separate
sérieusement, *adv.*, seriously
sérieux, *adj.*, serious; **au sérieux,** *adv.*, seriously
serrer, to press, squeeze; **cela me serre le cœur,** I get a tight feeling inside
serrure, *f.*, lock
serveuse, *f.*, waitress
service, *m.*, service; department; **chef de service,** *m.* office manager, department head; **rendre service,** to do a service, a favor
servir, to serve; **servir de,** to serve as; **servir à,** to be used for; **se servir de,** to use, make use of
seul, *adj.*, alone, sole, single
seulement, *adv.*, only, solely
sévère, *adj.*, severe
si, *conj.*, if, whether; *interj.*, yes (*contradicting a negative*); **si bien que,** *conj.*, so that
siècle, *m.*, century
sieste, *f.*, siesta
signal, *m.*, signal, sign; **le signal des pompiers,** the noise and hooting of a fire engine
signaler, to point out, call attention to; to notice
signature, *f.*, signature
signe, *m.*, sign, mark; **faire un signe,** to make a sign, indicate
signer, to sign
significatif, *adj.*, significant
signification, *f.*, meaning
signifier, to signify; to mean
silence, *m.*, silence; **le silence se fait,** silence falls
simple, *adj.*, simple
simplement, *adv.*, simply
simplicité, *f.*, simplicity
simplifier, to simplify
simultané, *adj.*, simultaneous
simultanément, *adv.*, simultaneously
sincère, *adj.*, sincere
sincérité, *f.*, sincerity
singulier, singulière, *adj.*, queer, odd
sinistre, *adj.*, sinister
sinon, *conj.*, otherwise, else
situation, *f.*, situation, position
situer, to situate, locate
six, *adj.*, six
social, *adj.*, social
société, *f.*, society
Socrate, Socrates
soi, *reflexive pron.*, oneself, self; itself
soi-disant, *adj.*, so-called
soif, *f.*, thirst; **avoir soif,** to be thirsty
soigner, to care for, look after
soigneusement, *adv.*, carefully
soigneux, soigneuse, *adj.*, careful, mindful, tidy
soir, *m.*, evening
soixantaine, *f.*, about sixty
soleil, *m.*, sun
solennel [sɔlanɛl], *adj.*, solemn
solennellement, *adv.*, solemnly
solidaire, *adj.*, close (to), solidary
solidairement, *adv.*, solidarily
solide, *adj.*, solid; strong
solitaire, *adj.*, solitary
solitude, *f.*, solitude
solliciter, to solicit
solution, *f.*, solution
sombre, *adj.*, dark, somber
somme, *f.*, sum
sommeil, *m.*, sleep

somnifère, *m.*, sleeping pill; sleeping potion
somnolent, *adj.*, sleepy, half-asleep
somnoler, to be half-asleep
son (sa, ses), *poss. adj.*, his; her; its; one's
son, *m.*, sound
sonner, to sound, ring
sonnerie, *f.*, ringing
sonore, *adj.*, sonorous, in sound
Sorbonne, *f.*, name given to the Faculties of Letters and Sciences of the University of Paris
sorte, *f.*, sort, kind
sortie, *f.*, exit; dismissal; **à la sortie de,** *prep.*, after
sortir, to go out, leave; to take out; to stick out
sot, *adj.*, stupid, silly
sottise, *f.*, stupidity, nonsense; **sottises,** *interj.*, nonsense !
sou, *m.*, sou (*5 centimes*)
souci, *m.*, care, worry; **se faire des soucis,** to start worrying
soucoupe, *f.*, saucer; **soucoupes volantes,** flying saucers
soudain, *adj.*, sudden
souffle, *m.*, breath, breathing; panting
souffler, to blow, breathe; to pant
souffrant, *adj.*, indisposed, ill
souffrir, to suffer
souhaiter, to hope, desire
soulagement, *m.*, relief
soulever, to raise, lift up
soulier, *m.*, shoe
souligner, to underline, emphasize
soumission, *f.*, submission
soupir, *m.*, sigh
sourire, to smile
sourire, *m.*, smile
souris, *f.*, mouse
sous, *prep.*, under, underneath
sous-chef, *m.*, assistant manager
sous-directeur, *m.*, assistant director
soutenir, to hold up, support; to maintain, affirm
souvenir, *m.*, remembrance, recollection, memory
souvenir: se souvenir, to remember
souvent, *adv.*, often
spécial, *adj.*, special
spécialement, *adv.*, specially
spécialiste, *adj. and m. or f.n.*, specialist
spectacle, *m.*, spectacle, show
spectateur, *m.*, **spectatrice,** *f.*, spectator
spirituel, *adj.*, witty
spiritueux, *m.*, spirits
spontané, *adj.*, spontaneous
sportif, *adj.*, sporting, of sport
station, *f.*, station
statisticien, *m.*, statistician
statistique, *f.*, statistics
statistiquer, to work out statistics to "statisticate"
stérile, *adj.*, sterile
stopper, to stop
stratagème, *m.*, stratagem
structure, *f.*, structure
stupéfait, *adj.*, stupefied, amazed
stupide, *adj.*, stupid
styliser, stylize
subir, to undergo, suffer
subit, *adj.*, sudden
subitement, *adv.*, suddenly
subjonctif, *m.*, subjunctive
sublimation, *f.*, sublimation
submerger, to submerge
subtil, *adj.*, subtile

succès, *m.*, success; **avoir du succès,** to be successful, succeed
successivement, *adv.*, successively
succomber, to succumb
sucre, *m.*, sugar
sud, *m.*, south
sueur, *f.*, sweat
suffire, to suffice, be sufficient; **il suffit d'une fois,** once is enough
suffisant, *adj.*, sufficient
suggérer, to suggest
suggestion, *f.*, suggestion
suite, *f.*, suite, retinue, attendants; **à la suite de,** *prep.*, following, after; **par suite de,** *prep.*, as a result of
suivre, to follow
sujet, *m.*, subject, topic; **au sujet de,** *prep.*, about, concerning
supérieur, *adj.*, superior, higher; *m.n.*, superior
superlatif, *adj. and m.n.*, superlative
supplémentaire, *adj.*, supplementary
supplication, *f.*, supplication
support, *m.*, stand
supportable, *adj.*, bearable
supporter, to support, tolerate, endure
supposer, to suppose, presume
supprimer, to suppress, abolish, eliminate
sur, *prep.*, on, over, above; about, concerning; against
sûr, *adj.*, sure; **bien sûr,** *interj.*, of course
sûrement, *adv.*, surely
surmonter, to surmount
surnommer, to surname, call
surprendre, to surprise
surprise, *f.*, surprise
surréaliste, *m. and f.*, surrealist
sursaut, *m.*, start; **avoir un sursaut,** to start, be startled
sursauter, to start, start up
surtout, *adv.*, above all, especially
surveiller, to superintend, supervise
suspendre, to suspend
syllogisme, *m.*, syllogism
symbole, *m.*, symbol
symbolique, *adj.*, symbolic; *f.n.*, set of symbols, system of symbols
symboliser, to symbolize
symbolisme, *m.*, symbolism
sympathique, *adj.*, congenial, likeable, attractive
sympathisant, *m.*, sympathiser
sympathiser, to sympathize
symptomatique, *adj.*, symptomatic
symptôme, *m.*, symptom
système, *m.*, system

T

table, *f.*, table; **mettre la table,** to set the table
tableau, *m.*, picture, painting, tableau; **tableau noir,** blackboard
tablier, *m.*, apron
tâcher, to try, attempt
taille, *f.*, shape, size; stature; figure
taire: se taire, to be silent, not to talk
tambour, *m.*, drum
tandis que, *conj.*, while
tant (de), *adv.*, so much; **tant mieux,** so much the better, fine; **tant pis,** so much the worse, too bad, it can't be helped; **tant que,** *conj.*, as long as; **en tant que,** *conj.*, as

tape, *f.*, pat, slap
taper, to pat, hit, strike; **taper à la machine,** to typewrite
tapoter, to tap, slap
taquiner, to tease
tard, *adv.*, late
tas, *m.*, heap, pile
tasse, *f.*, cup
tâter: se tâter, to feel, touch (oneself)
taureau, *m.*, bull
te, *pron.*, you, to you
technique, *f.*, technique
teint, *m.*, color, complexion
tel, *adj.*, such (a), such (as)
tellement, *adv.*, so; so much
télégramme, *m.*, telegram
télégraphie, *f.*, telegraphy; **T.S.F. (télégraphie sans fil),** *f.*, wireless, radio
téléphone, *m.*, telephone
téléphoner, to telephone
téléphonie, *f.*, telephone, telephoning
téléphonique, *adj.*, telephonic
télévision, *f.*, television
témoigner, to testify, give evidence, bear witness
témoin, *m.*, witness
temps, *m.*, time; tense; weather; **à temps,** in time, while there was time; **dans le temps,** *adv.*, a long time ago; **de temps à autre,** *adv.*, from time to time; **de temps en temps,** *adv.*, from time to time; **en même temps,** *adv.*, at the same time; **entre-temps,** *adv.*, meanwhile; **avoir tout son temps,** to be completely free; **se donner du bon temps,** to go on a spree; **mettre du temps,** to take time; **perdre le temps,** to waste time
tenable, *adj.*, tenable; bearable
tendre, to extend, reach out; to hold out (to)
tendre, *adj.*, tender, affectionate, loving
tendrement, *adv.*, tenderly, lovingly
tenir, to hold, keep; to consider; to take; **tenir à,** to insist on; to be desirous of; to depend on; **s'en tenir à,** to stick to; **savoir à quoi s'en tenir,** to know what to expect, to know what to think (about it); **tenir parole,** to keep one's word; **tenez,** *interj.*, hear! listen!, wait a minute!; **qu'à cela ne tienne,** it makes no difference
tentative, *f.*, attempt
tenter, to attempt, try; to tempt
terme, *m.*, term, word
terminer, to terminate, end, finish
terrain, *m.*, terrain, ground, land
terrasse, *f.*, terrace
terre, *f.*, earth; territory; **sur terre,** *adv.*, on the ground
terreur, *f.*, terror
terrible, *adj.*, terrible, fearful
terriblement, *adv.*, terribly
terrifier, to terrify
territoire, *m.*, territory
territorial, *adj.*, territorial
terrorisme, *f.*, terrorism
tête, *f.*, head; front; **en tête,** *adv.*, ahead, in front; **mal de tête,** *m.*, headache; **avoir mal à la tête,** to have a headache; **se payer la tête,** to make fun of, to pull (someone's) leg; **Regardez la tête que vous avez!** Just look at yourself!
têtu, *adj.*, stubborn

texte, *m.*, text
textuellement, *adv.*, textually (in the very same words)
théâtral, *adj.*, theatrical
théâtre, *m.*, theater; **fosse de théâtre,** orchestra pit
thème, *m.*, (musical) theme
théorique, *adj.*, theoretical
thèse, *f.*, thesis; **pièce à thèse,** *f.* thesis play
tiens, *interj.*, well, hello, look here, listen ! here you are !
timide, *adj.*, timid
tir, *m.*, shooting, rifle practice
tirer, to draw, pull; to stick out; to shoot; **se tirer d'affaire,** to get out of trouble, get along
tissu, *m.*, tissue; cloth
toilette, *f.*, toilette; **cabinet** *m.* **de toilette,** bathroom
toit, *m.*, roof
tolérant, *adj.*, tolerant
tolérer, to stand for
tombant, *adj.*, drooping, hanging; flabby
tombe, *f.*, tomb, grave
tomber, to fall, drop; **tomber en faiblesse,** to faint; **laisser tomber,** to drop
ton (ta, tes), *poss. adj.*, your
ton, *m.*, tone; **d'un ton, sur un ton,** *adv.*, in a . . . tone
tordre, to twist; **se tordre les mains,** to wring one's hands
tort, *m.*, wrong; **à tort,** wrongly; **à ses torts, dans son tort,** *adv.*, in the wrong; **avoir tort,** to be wrong; **avoir des torts,** to be in the wrong; **donner tort,** to say that . . . is wrong
torturer, to torture
tôt, *adv.*, soon; early
total, *adj. and m.n.*, total
toucher, to touch; to concern, affect
toujours, *adv.*, always; still
tour, *m.*, turn; trip; trick; **tour de force,** *m.*, feat; **à (son) tour,** *adv.*, in (his) turn; **tour à tour,** *adv.*, in turn, one after the other; **faire le tour,** to go around, make a tour; **jouer un tour,** to play a trick; **à qui le tour,** whose turn (is it)
tourmenter, to torment, torture
tourner, to turn; **tourner en rond,** to turn round and round; **se tourner,** to turn around
tousser, to cough
tout, *adj.*, all; whole, entire; each, every; **tous** [tus], *m. pl. n.*, everyone; **tout,** *adv.*, wholly, quite, very; **tout,** *indef. pron.*, everything, anything; **tout à coup,** *adv.*, suddenly; **tout court,** *adj.*, (and) no more; **tous deux, tous les deux,** *adj. and pron.*, both; **tout droit,** *adv.*, straight ahead; **tout à fait,** *adv.*, entirely, quite; **tout à l'heure,** *adv.*, just now; soon, in a little while; **tous les jours,** *adv.*, every day; **tout de même,** *adv.*, all the same, just the same; **tout le monde,** everybody, everyone; **tout en parlant,** *adv.*, while, by, talking; **tout de suite,** *adv.*, at once, immediately; **pas du tout, du tout,** *adv.*, not at all; **à toute allure, à toute vitesse,** *adv.*, at full speed
toutefois, *adv.*, yet, nevertheless, however
toux, *f.*, cough
tracasser, to worry, torment

trace, *f.*, trace; sign
tradition, *f.*, tradition
tragédie, *f.*, tragedy
tragique, *adj.*, tragic
train: (être) en train de, (to be) in the act of, busy at
traîner, to drag
trait, *m.*, trait; feature; stroke; **d'un trait,** *adv.*, at one stroke; in one swallow, gulp
traitement, *m.*, salary
traiter, to treat
traître, *m.*, traitor
trancher, to decide, settle
tranquille, *adj.*, quiet, calm; **laisser tranquille,** to leave alone
tranquillement, *adv.*, quietly, calmly
tranquilliser: se tranquilliser, to be calm, rest easy
transfert, *m.*, transfer
transformation, *f.*, transformation
transformer, to transform
transparent, *adj.*, transparent
transpercer, to pierce, pierce through
transporter, to transport, carry
travail, *m.*, work, job; labor
travailler, to work
travers: en travers de, *prep.*, across
traverser, to cross, traverse; to go through, pierce
trembler, to tremble
tremblotant, *adj.*, unsteady, shaky, tottering
trente, *adj.*, thirty
très, *adv.*, very, very much, quite
tribunal, *m.*, court (of justice)
tribune, *f.*, platform
triomphal, *adj.*, triumphal
triomphe, *m.*, triumph
triste, *adj.*, sad, dreary
trivial, *adj.*, trivial
trois, *adj.*, three
troisième, *adj.* third
tromper, to deceive, betray; **se tromper,** to be mistaken, wrong
trompette, *f.*, trumpet
trop (de), *adv.*, too much, too many; too far, high, often, well, etc.; **de trop,** intruding; superfluous
trottoir, *m.*, sidewalk
troué, *adj.*, pierced
troupeau, *m.*, herd, flock
trouvaille, *f.*, discovery, "find"
trouver, to find; to deem, judge, think; **se trouver,** to be found; to be; to happen, happen to be
tu, *pron.*, you
tuer, to kill
tueur, *m.*, killer
tumultueux, *adj.*, tumultuous
Turc, *m.*, Turk
tutoyer, to use "tu" (*instead of* "vous")
type, *m.*, type; "fellow"
typique, *adj.*, typical

U

un, une, *indef. article*, a, an; *adj.*, one; **l'un et l'autre,** both; **l'un ou l'autre,** either; **les uns, les autres,** some, others
uni, *adj.*, united
unicornu, *adj.*, one-horned
unicornuïté, *f.*, one-hornedness
uniforme, *m.*, uniform
unique, *adj.*, only, sole
uniquement, *adv.*, solely
univers, *m.*, universe

universel, *adj.*, universal
universitaire, *adj. and m.n.*, university (graduate)
université, *f.*, university
user, to wear out
utile, *adj.*, useful
utiliser, to utilize, make use of, employ

V

va, *interj.*, don't worry
vacances, *f. pl.*, vacation; **en vacances,** *adv.*, on vacation
vacarme, *m.*, tumult, uproar
va-et-vient, *m.*, coming(s) and going(s)
vague, *adj.*, vague
vaguement, *adv.*, vaguely
vaillance, *f.*, valiance
vaincre, to conquer, overcome
valeur, *f.*, value, worth; **mettre en valeur,** to bring out, improve
valoir, to be worth; **valoir mieux,** to be better
vanité, *f.*, vanity, conceit
vanter, to boast; to praise; **se vanter,** to boast, to pride oneself (on)
vapeur, *f.*, steam, vapor
vaquer (à), to attend (to)
vaseux, *adj.*, indolent; confused, hazy, vague
vaste, *adj.*, vast
véhément, *adj.*, vehement
veille, *f.*, eve, day before; watching, being awake
veine, *f.*, vein
velours, *m.*, velvet
vendre, to sell
venger, to avenge, revenge
venir, to come; **faire venir,** to send for; **venir de (faire),** to have just (made); **venir (voir),** to come and (see)
vent, *m.*, wind, breeze
ver, *m.*, worm
verbe, *m.*, verb
verdâtre, *adj.*, greenish
verdir, to become green
véritable, *adj.*, true, real, genuine
vérité, *f.*, truth
vermoulu, *adj.*, worm-eaten
verre, *m.*, glass
vers, *prep.*, toward; about
verser, to pour
version, *f.*, version
vert, *adj.*, green
vertement, *adv.*, smartly, vigorously
vertige, *m.*, dizziness; folly; madness
veste, *f.*, coat; pyjama top
vestimentaire, *adj.*, of clothing
veston, *m.*, coat, jacket
vêtement, *m.*, garb, dress, clothing
vétérinaire, *m.*, veterinarian
vêtir: se vêtir, to dress
vexer, to vex, annoy
viable, *adj.*, viable, workable
vice, *m.*, vice
vice versa, *adv.*, vice versa
victime, *f.*, victim
vide, *adj.*, empty; *m.n.*, emptiness, void
vider, to empty
vie, *f.*, life
vieil, vieille, *adj.*, old; **vieille,** *f.n.*, old woman
vieillard, *m.*, old man
vieux, *adj.*, old; *m.*, old man
vif, vive, *adj.*, living, alive; eager; sharp; bright
vigne, *f.*, vine, vineyard
vigoureux, *adj.*, vigorous

vigueur, *f.*, vigor
vilain, *adj.*, ugly; *m.n.*, villain
ville, *f.*, city, town
vin, *m.*, wine
vingt, *adj.*, twenty; **vingt et un,** twenty-one; **vingt-deux,** *etc.*, twenty-two, etc.
vingtaine, *f.*, about twenty, a score
violemment, *adv.*, violently
violence, *f.*, violence
violent, *adj.*, violent
visage, *m.*, face; **regardez le visage que vous avez,** just look at yourself
vis-à-vis, *adv.*, opposite; **vis-à-vis de,** *prep.*, as regards, in regard to; **se faire vis-à-vis,** to face each other
visible, *adj.*, visible
vision, *f.*, vision
visionnaire, *m.*, visionary
visiter, to visit
visuel, *adj.*, visual
vite, *adv.*, swiftly, quickly
vitesse, *f.*, speed; **à toute vitesse,** *adv.*, at full speed
vitrée: porte vitrée, *f.*, glass door
vivacité, *f.*, vivaciousness; speed; liveliness
vivant, *adj.*, living (person), alive; **bon vivant,** *m.* congenial, easy-going person
vivement, *adv.*, quickly, eagerly
vivre, to live
vocation, *f.*, vocation
vœu, *m.*, vow; prayer
voici, *adv.*, here is, here are
voilà, *adv.*, there is, there are; *interj.*, there you are! **En voilà des manières!** Is that a way to behave!
voir, to see; **voir les choses en face,** to look things right in the face; **rien qu'à les voir,** just by seeing them; **faire voir,** to show; **se voir,** to be evident
voisin, *m.*, neighbor
voiture, *f.*, car, truck; **le signal de la voiture des pompiers,** the noise and hooting of a fire engine
voix, *f.*, voice; **à voix basse,** *adv.*, in a low voice, softly
voler, to steal; to fly
volontaire, *adj.*, voluntary, of one's free will; willful
volontairement, *adv.*, voluntarily
volonté, *f.*, will, will power; willingness; desire
volontiers, *adv.*, willingly
volume, *m.*, volume
votre (vos), *poss. adj.*, your; **(le) vôtre,** *poss. pron.*, yours
vouloir, to wish, want, be willing; to expect; **vouloir bien,** to be willing; **vouloir dire,** to mean; **en vouloir à,** to be angry with
vous, *pron.*, you, to you
voyelle, *f.*, vowel
voyons, *interj.*, see here; come, come; come now
vrai, *adj.*, true, real; **à vrai dire,** to tell the truth
vraiment, *adv.*, really, truly
vraisemblablement, *adv.*, apparently; probably
vu (*p.p. of* **voir**), seen; considered
vue, *f.*, sight, view; **à perte de vue,** as far as the eye can see; **à vue d'œil,** *adv.*, visibly
vulgaire, *adj.*, vulgar

Y

y, *adv.*, *pron.*, there; in it, to it; to them, by it, by them, etc.

yeux, *m. pl.*, eyes; **yeux doux,** tender look, flirting glance

Yougoslavie, *f.*, Yugoslavia

Z

zoologique, *adj.*, zoological; **jardin zoologique,** zoo

zut !, zut alors !, *interj.*, damn ! damn it all !